聖ヒルデガルトの病因と治療

St. Hildegard
of Bingen's
CAUSES AND CURES
the complete translation of
her visionary works on
theology,
natural philosophy
and
medicine

【著】
ヒルデガルト・フォン・ビンゲン
Hildegard von Bingen

【英語版翻訳】
プリシラ・トゥループ
Priscilla Throop

【編訳】
臼田夜半
Usuda Johan

ポット出版

目次

BOOK II 人間の本性と病の原因

BOOK Ⅲ 治療法（1） 289

BOOK Ⅳ 治療法（2） 317

はじめに

臼田夜半

ヒルデガルトの時代

わたしの住む千葉県鴨川市に、仁右衛門《にえもん》島という小さな島がある。赤い舟底の伝馬船は二丁櫓《にちょうろ》でゆるゆるとその島に渡るが、代々仁右衛門と名乗るこの島の当主は、現在、三八代目である。そして現島主の三七代前、源頼朝をその島にかくまった初代仁右衛門が生まれ育ったその時代に、今日《こんにち》、ドイツと呼ばれる神聖ローマ帝国の一地方に、この本の著者ビンゲンのヒルデガルトは、その生涯を得た（図1）。それは今からおよそ九〇〇年前の十二世紀、日本では平安末期に当たる時代のことである。

十二世紀とは、初代仁右衛門の生きたこの日本でも源平相争う戦乱の時代であったが、ヒルデガルトの生きたヨーロッパにおいても、外に十字軍があれば内に異端審問の嵐が吹くという、血なまぐさい戦争と殺戮の時代であった。日本ではやがて頼朝による武家政治が確立されてゆくが、ヨーロッパでは、その騒乱と戦塵の只中から、アラビアの学術とその文献が、ヨーロッパに大量に移入し始め、いわゆる十二世紀ルネサンスを開花させる、鋭く激しい春の嵐となった。この時代に、プラトンやアリストテレスなど古代ギリシャ語文献の九五パーセントがアラビア語からラテン語へと翻訳さ

図1　聖霊を受けるヒルデガルト（『スキヴィアス』より）

れたといわれている。ヨーロッパを一続きに考えがちなわたしたちには、にわかに信じがたいことであるが、ヨーロッパ中世社会はそれまで、ギリシャの古典学術とはほとんど断絶していたということである。流入した諸学のうち、中でもアリストテレスの自然学の影響は「それまでの世界観を覆し、科学を根底から変革し、人間社会の新しいモデルを提示する可能性を秘めた知識の体系であった」（R・ルーベンシュタイン『中世の覚醒』）といわしめるほどのものであった。

ヒルデガルトの歴史的な立ち位置も、この時代的な流れと無縁ではない。ヒルデガルトと同時代、シャルトル学派といわれる知識人たちは、アリストテレス自然学を援用し、聖書の『創世記』の記述をも科学によって「合理的に」解明しようとした。それはまだ恐る恐るではあったが、やがて翌十三世紀のトマス・アクィナスの登場をもって、キリスト教神学とアリストテレス科学との結婚は完成し、今日の西欧社会を基礎づける合理的な価値体系が、その出発点を整えることになる。自然は客体的な自然として、観察され、実験され、自然的理由のみによって説明されねばならない。そして世界をこのように合理的に理解する力、すなわち理性こそが、精神的諸力の中で最高峰の位置を占めるようになる。たしかにヒルデガルトも、本書において「理性」（rationabilitas）という言葉を使うことがある。しかしそれは「人間の魂は神から人間の中に下り、命を与え、理性を育む」というように、理性とは神に属するもの、人間の力に属するものではないという捉《つか》み方が根底にある。だがこの「人間に属するもの」と「神に属するもの」との分岐は、この時代に、もはや引き返せないほどに決定的なものとなってゆくのである。

＊

ホイジンガは十二世紀を「他に類を見ないほどに創造的で造形的な時代」と言った。十二世紀ルネサンスと呼ばれるこの時代は、近代文明へとまっすぐに至る文明の祖型を懐胎した世紀であったが、それを準備する社会的な基礎での大変革が、当然ながらそこにはあった。まずこの世紀は、地球的な規模での温暖期であった。温暖になれば人の活動は活発化する。三圃《さんぽ》式農業が開発され、畑を耕す牛馬の犂《すき》の繋駕《けいが》法が改良されることによって農業生産力は飛躍的に増大したといわれている。食べものが豊富になれば人口が増えるのは自然なことで、農家の次男・三男は村を離れて、あるいは遍歴商人となり、あるいは手工業者となってゆく。商人資本と高利貸資本は、十二～十三世紀のヨーロッパでは社会的に不可欠な経済行為となったといわれるが、集団を単位とした伝統的な贈与互酬社会が崩れ、個人を単位とした貨幣経済が勃興する時代であった。ヒルデガルトの処方の中にも、薬剤の重さや大きさを表わす単位に、ペニッヒと呼ばれる硬貨が登場するが、これは当時の貨幣経済の浸透を物語る一つの表われかもしれない。

さて、こうして時代にさざめく商人と手工業者は、やがて各々が兄弟団と呼ばれる強い絆で結ばれたギルドを形成するが、この商人と手工業者が合体したとき、都市自治の担い手である「市民層」が成立する。都市市民となること、それはきわめて個人的・自立的なことで、共同体の求める軍務や納税は当然として、同一共同体員が殺されたときは必ず復讐するという復讐義務、自分の所有する食料を共同体に供出し、共同体による自由な分配に委ね、貧窮する共同体員は援助するという義務など、兄弟仁義のように多くの義務を担うことになる。十四歳になった男子は、自らの自発的な意思により、一人宣誓してその成員となった。「都市の空気は自由にする」――人は誇らかにそう謳った。都市成員になることにより、他人に拘束されない人格的自由、土地所有の自由、移動の自由、結婚強制からの自由など、現代のわたしたちがいう自由の祖型を、この時代の市民たちは都市領主と対抗する中、自ら勝ち取っていったのである。これがヨーロッパの都市であり、都市市民であり、自由ということの意味であることを、ヒルデガルトを読み進めるわたしたちもまた、知っておくべきかもしれない。わたしたちはどこかで、ヨーロッパ的な都市とその個人を、人間の歴史が必然的に歩む発展過程として考え、それをなぞろうとしているところがある。欧米にのみ目を向ければ、歴史はたしかにそのように進むかに見える。だがわたしたちの目前にいるヒルデガルトは、そのヨーロッパの只中で、その根本において、このような「近代的な個人」とも、あるいは自らの意志で選び取る自由を自由と呼ぶこととも、鋭く深く対峙する位置にいたといえよう。それは、もしこれから見るヒルデガルトの思想がヨーロッパ史の主流となっていれば、今日に至るヨーロッパ文明は、およそ違ったものになっていたのではないかと思えるほどに。

『病因と治療』の成り立ち

本書は、十二世紀に生きたベネディクト会修道女ヒルデガルト・フォン・ビンゲンによる『病因と治療』(Causae et Curae) の、プリシラ・トゥループによる英訳版の全文訳である。二〇〇六年発行の英訳第一版は、パウルス・カイザーが一九〇三年に編纂したラテン語版を底本とし、二〇〇八年発行の第二版では、カイザー版以降新たに発見された断片を加えたローランス・ムリニ編纂のラテン語版を参照文献としている。

翻訳者プリシラ・トゥループはアメリカ東部に住む神学者で、ラテン語・ギリシャ語の専門家として、ヒルデガルトの本書及び『フィジカ』、六〜七世紀の神学者セビリアのイシドルスの著『語源』などの翻訳書がある。

ヒルデガルトの生涯については、プリシラ・トゥループの序文 (p.47〜) に触れられているのでそれに譲り、ここでは本書『病因と治療』の書誌に関連する部分に触れておく。

『病因と治療』の成立には諸説ある。『被造物の種々の精妙なる本性に関する書』(Liber subtilitatum diversarum naturarum creaturarum）と題された一書が写本の過程で二部に分かれ、動植物・鉱物などの薬効を総集した部分は『単純医学の書』（Liber simplicis medicinae）――通称『フィジカ』（Physica）と呼ばれ、一方、神学・自然学・医学・治療法の総体を扱った部分は『複合医学の書』（Liber compositae medicinae）――通称『病因と治療』（Causae et Curae）と呼ばれる二書となったとするのが通説である。

ローランス・ムリニは自ら編纂した『病因と治療』（Cause et Cure）の序文において、本書の成立過程について詳細な検討を加えているので、ここではムリニに従い、その書誌の概略を見ておく。

＊

ヒルデガルトの自然学・医学に関する著作は、今日では『フィジカ』（邦題『聖ヒルデガルトの医学と自然学』）と『病因と治療』の二書が独立した書籍として存在している。この内、『フィジカ』は『被造物の種々の精妙なる本性に関する書』の別称であるように通常、理解されている。だがこの『フィジカ』という書名は、一五三三年にストラスブールのジャン・スコットが『被造物の種々の精妙なる本性に関する書』を、その初版タイトルにおいて『フィジカ』と題して出版したこと（スコット版）によって一般化したものであり、このことが二書の来歴を巡る混乱の一因となっているとムリニは指摘している。

「注意しなければならないのは、ヒルデガルトと同時代のこの点に関する証言としては、主に『生の功徳の書』序文および一一七〇年頃の秘書であるフォルマールの手紙であるが、その両者は、のちに『被造物の種々の精妙なる本性に関する書』と呼ばれる一つの著作にしか言及しておらず、『フィジカ』という書名も『病因と治療』という書名も、ヒルデガルト存命中には登場しないということである」とムリニはいう。

だが、ヒルデガルトが一一五〇年から一一五八年の間、秘書とともに自然学的著作にとりかかっていたということは、『聖女ヒルデガルトの生涯』の記述からも明らかである。

「聖ディジボート山において書き始めた自らのヴィジョンについての書を、神の命ずるところに従って移り住んだ場所で完成させた。彼女は預言の霊によって、人間の本性について、そして自然界の元素及び種々の生物がいかにして人間の助けとなりうるかについて、多くの秘密を示されたのである」(『聖女ヒルデガルトの生涯』)

これがのちに『被造物の種々の精妙なる本性に関する書』と名づけられる著作を指すものであると、ムリニは指摘する。中世医学史家ハインリッヒ・シッペルゲスも同一の見解に立っており、「事物の本性について」というタイトルとその構成は、中世自然学の伝統的なスタイルを踏襲したものであり、十年近くかけたこの書物は、ヒルデガルトにおいて明確な構成意図をもって著述されたものであろうと推量している(ハインリッヒ・シッペルゲス『中世の医学』)。

*

今日知られる『フィジカ』は、前記スコット版にパリ国立図書館が所蔵する十五世紀の古写本を加えた、グレンベルグとレウス編纂による一八八二年出版の『パトロロギア・ラティーナ』(Patrologia Latina)が底本となっている。

一方、『病因と治療』については、中世には複数存在していたと思われる写本のうち、コペンハーゲン王立図書館に保管されている写本(København, Kongelige Bibliotek, Ny kgl.saml. 90b Fol.)とベルリンに保管されている短い抜粋（Berlin, Staatsbibliothek Preußischer Kulturbesitz, Lat. Qu. 674, f 103r-103v）とが、今日、現存するもののすべてである。この両者とも、十三世紀のものとされている。

ヒルデガルトの死後四十数年経った一二二〇年頃、シトー会修道院長エーベルバッハのゲビーノは、ヒルデガルトの預言を編纂して『未来を映す鏡』（Speculum futurorum temporum）を発行したが、一二二二年前後の第二版巻頭において、彼はヒルデガルトの著作を概括した上で、医学に関する二つの著作――『単純医学の書』と『病気の原因と兆候、治療に関する複合医学の書』を、ヒルデガルトの著作であると認定している。

年代的にはゲビーノの『未来を映す鏡』の中の記述が、ヒルデガルトの自然学的著作を二書に分離して紹介した最初のものと考えられているが、この分離が公的な文章の中ではっきりと現われるのは、一二三三年十二月十六日付と証明されている司教座参事会員の『調査報告書』（Acta Inquisitionis）においてである。これはグレゴリオ九世の命を受けた、ヒルデガルトの聖人としての認定調査である列聖調査委員会の報告書であるが、ここには、『スキヴィアス』（道を知れ）や『生の功徳の書』『神の御業の書』などの主要著書と並んで、『単純医学の書』と『複合医学の書』を含むすべての著作をヒルデガルトのものと認定し、ローマに送付したと記されている。

だが、この報告書の中には重大な過誤が含まれていた。ヒルデガルトと秘書フォルマールの筆になるとされる『被造物の種々の精妙なる本性に関する書』を、『単純医学の書』と取り違えた書名をもって紹介したのである。列聖調査委員会のこの報告書による書名の混乱が、のちのち錯綜した議論の対象となる『被造物の種々の精妙なる本性に関する書』という書名の運命を方向づけ、十六世紀、スコット版の発行をもってこの過誤は決定づけられたと、ムリニは推測している。

すなわち、ヒルデガルトの死後、相当に早い時期――一二二〇年代の初めにはすでに、『被造物の種々の精妙なる本性に関する書』は、自然界の被造物の本性を扱う『単純医学の書』と、人間を中心に扱う『複合医学の書』の二書に分割されていたということである。

＊

一二九二年にウェストミンスターのマシューが著わした年代記『歴史の精華』(Flores historiarum)によって、今日『病因と治療』と呼ばれるものが『複合医学の書』であることを確認する手段が与えられたとムリニはいう。マシューは、ヒルデガルトに言及した箇所で、「八巻からなる被造物に即した単純医学の書」と「病気の原因と兆候、治療法に関する複合医学の書」と記しているが、前者は『フィジカ』を、後者は『病因と治療』を指すものであろう。

十四世紀の終わりにはヒルデガルトの写本がトレヴの聖マキシマン修道院にあったことが認められているが、そこには「聖ヒルデガルトの一巻にまとめられた治療術の本」という記述が認められる。

十五世紀に入ると、スポンハイムの修道院長ヨハネス・トリテミウスが『ヒルサウ年代記』(Chronicon Hirsaugiense)の中でヒルデガルトの科学的著作に触れ、『複合医学の書』(Medicina composita)の書き出し部分を引用しているが、それは今日現存する『病因と治療』の写本のそれと一致する。

また十五世紀の初めにハイデルベルクで出された『ヒルデガルト医学概論』(Summa hildegardis de medicina)の書き出しにも、同一の一致を認めることができる。

十七世紀と十八世紀の間は、ごく少数の例外を除いて、『病因と治療』に対する関心は、闇に埋もれたままのようである。

この忘れ去られた写本が、カール・イエッセンによってコペンハーゲン王立図書館で発見され、世に出たのは、一八五九年のことである。それを受けて、ピトラ枢機卿がこの写本の抜粋を『拾遺集』(Analecta)に採録、公刊した。そして一九〇三年、パウルス・カイザーは、このコペンハーゲン写本に全面的に依拠して、『福者ヒルデガルトの病因と治療』(Beate Hildegardis Causae et Curae)というタイトルの下にこの写本の完全版を出版し、こうして『病因と治療』は今日に至ったという次第である。

*

ヒルデガルトが列聖されたのはつい先年、二〇一二年のことである。一二三三年の審査以降、なぜ長きにわたってローマはヒルデガルトを列聖しなかったのかということと、もともと一書である『被造物の種々の精妙なる本性に関する書』が、人間の本性をめぐる神学的記述を含む『病因と治療』と、動植物等の自然学的本性を総覧した実用書である『フィジカ』の二書に分離したのかということは、おそらく先に見た十二世紀以降の、時代の趨勢《すうせい》と深くかかわっているように思える。のちに触れるヒルデガルトの独特の神学と全体性医療のもつ「神秘性」は、アリストテレス自然学の台頭する「合理主義」の時代にはもはや時代遅れであり、実用性は精神性から分離されたということではないのだろうか。

『図説医学史』の著者である医学史家ズドーホフは「フランス・ロワールの聖職者オドの著した七十七章二二六九行からなる『薬草詩』と並んで、ヒルデガルトの『フィジカ』及び『病因と治療』は、十二世紀修道院医学最後の成果であった」と述懐している。

本書の大まかな構成では、BOOK Ⅰで世界の創造と諸元素、太陽・月・星と自然の諸力などを扱い、BOOK Ⅱでは病気の原因を求めてアダムの堕落から体液論へ、男女の性衝動から受胎論を経て魂の働き、そして諸病の原因に及ぶという内容になっている。ＢＯＯＫ Ⅲ以降は、ＢＯＯＫ Ⅱにみた各々の病気の原因に対応する具体的な治療法を示すのだが、ＢＯＯＫ Ⅲの冒頭には、わざわざ「神の啓示による以下の治療法」という断り書きが記されている。ＢＯＯＫ Ⅰ、ＢＯＯＫ Ⅱの神学的分野ならいざしらず、具体的な治療法や処方に関しても、これは神の啓示、すなわち神に託された預言であると、ヒルデガルトはいっている。これはヒルデガルトという人の根本を示す言葉ではあるが、しかしそれは、わたしたちには少しやっかいな難問である。

病を負う存在

もしもわたしが病気になって、とある病院で診察を受けたとする。病気の原因はと尋ねるわたしに、目の前の白衣の医師が、宇宙の成り立ちの初めから説き始めたとしたら、はたしてわたしはどう思うだろうか。

ヒルデガルトを医者としてみれば、彼女はそのような医者である。そしてこの『病因と治療』も、そのようなスケールをもった書物であるといえよう。一つの病気とその治療法を説明しようとするとき、ヒルデガルトは、宇宙の成り立ちのその始源から説き始めるのだ。

本書は次のように始まる。

「世界が創造される以前から神は居られ、そして今も居られる。神に始まりはない。神はかつても、そして今も、光であり輝きである。神は命である」

ここにあるのは、一切の出発点は神であるという鮮明な信仰である。だがわたしたち日本人には、創造主という明確なイメージが必ずしもあるわけではない。世界と命の創造主である神。このイメージは、わたしたちがヒルデガルトを理解しようとするとき、最初に立ち現れる巨大な障壁である。ヒルデガルトのこの書き出しは、ヨハネ福音書の第一章を意識したものであろう。

「初めに言《ことば》があった。言は神であった。万物は言によってなった。言によらずになったものはなにひとつなかった。言のうちに命があった。命は人間を照らす光であった」（『ヨハネ福音書』）

神は命であり、光であり、輝きである。ヒルデガルトがそういうとき、彼女にとってそれは、体験された事実なのである。

「わたしが四二歳と七か月の時、開いた天の一角から、ひとつの炎のように輝く光がやってきて、わたしの頭、心臓、胸の全体に降り注ぎました。それは炎のようでしたが、燃えるような熱ではなく、太陽の光線がものを温めるようでした。するとたちまち詩編や旧約・新約聖書などをいかに説明するかが与えられたのです」（『聖女ヒルデガルトの生涯』）

こうして彼女が魂のうちに見るヴィジョンを書き記した最初の書が『スキヴィアス』であるが、このヴィジョンを見る間、忘我のうちに意識を失ったことはなく、昼夜を問わず、目覚めた状態でそれを見るのだと、ヒルデガルトは述べている。

だがそれは肉体の目で見、耳で聞き、心の内で思考するということではない。

「このヴィジョンの中においてわたしは、神のみ心のままに、その魂は天界の高さまで昇り、空のいくつもの空気の層を越え、そしてさまざまな人の内に、たとえ彼らが遠く離れた場所にいようとも、その人の内に広がっていきました」(『聖女ヒルデガルトの生涯』)

こうしてただ魂のうちに見えるものを見、見えるものを書くのだとヒルデガルトはいう。だがこれは、わたしたちが通常考える近代的な「知」を、はるかに凌駕したもののように思える。魂は、翼をもった光のように飛翔する。

ヒルデガルトの口述筆記者、修道士テオードリッヒはいっている。

「彼女は霊のうちに人々の人生や性質を予見し、人々の生涯の成果までも、さらには彼らの善行と徳による、それに続く彼らの魂の栄光と罰を見通したのです」(『聖女ヒルデガルトの生涯』)

*

ヒルデガルトの肉体は病んでいる。病んだ肉体はとどまることのない痛みを発している。その痛みが神に向かって答えを求める。なぜ神はわたしにこれほどの痛みを与えるのか。この苦痛の根拠であり、病と死の源であるこの肉体を、なぜあなたは造られたのか。それだけではない。この肉体を形造り、この肉体の要素となる物質を、そもそもなぜあなたは造られたのか。そして、善であるはずの神の造られたこの世界のどこに、いつ、どのようにして、悪が忍び込んだのか。その悪とはそもそも一体なにか、と。

こうしてBOOK Iでは無からの物質の創造、元素の形成、天空と風など、宇宙の誕生とその構成要素のひとつひとつが仔細に描写されてゆくが、それとほとんど同時に、悪の淵源であるルチフェルに触れる記述も登場する。

この問いの深さは、ヒルデガルトの痛みの深さでもあるといえよう。たしかにヒルデガルトは多才な人で、修道院長であると同時に預言者であり、視幻者であり著述家であり、医師であり薬剤師であり、音楽家であり劇作家でもある。だがヒルデガルトの個性とはいったいなにかと問われれば、それは病人であること、ただこの一点にこそあるように、わたしには思われる。


「この世に生れたその日以来、この女性は、網の中に巻き込まれているように、数々の苦痛に満ちた病とともに生きてきた。血管といわず、髄といわず、肉といわず、たえず苦痛に苛まれてきたのである」(『神の御業の書』)

そして、彼女の命は高貴な彫刻のようであった、と記録されている。三歳で最初のヴィジョンを見たというこの女性は、生涯、病から逃れることはなかった。自らの内に、その重い病を負うほどの罪を見出すことなどとうていできないほどに幼い時から、しかも生涯にわたって病を負い続けた一人の女性。神は、このもっとも弱い存在を、神の神秘を目撃するにふさわしい器へと育て上げてゆく。病は人間という抑制を解き放ち、全被造物の命に連なる、原初の命を露わにしてゆく。ヒルデガルトは、その命の底から、命の言葉である異言《いげん》――新約聖書『使徒言行録』によれば、聖霊に満たされた者が霊の語らせるままに語る言葉――をもって、神から託された言葉、すなわち預言を語るのである。

人間の本性

異形《いぎょう》という言葉があるのなら、異景という言葉もあるのだろうか。これは異な風景である（図2）。赤い炎を両腕にして六層の宇宙を抱擁する青年の、黄金の輪に飾られた頭頂が割れて、そこからぬっと、老人の顔が突き出している。ここに描かれた老人とは父なる神、青年は子なるイエス、赤い炎は聖霊を表わす。そしてこの三位《さんみ》に抱かれた宇宙の中心に、すっくと男が立っている。宇宙は回転する巨大なローターであり、その中心には地球がある。だがその前面に描かれた男の姿は、この地球を凌駕するように気圏を貫いて立ち、その両手は蒼穹に届くほどに広げられている。宇宙のはるか四方からは、風と元素と宇宙の諸力が無数の放射となって降り注いでいる。だが彼は、ただ単に世界の網にかかっているわけではない。彼は世界を網のように手の内にかかえ、動かす男のように立っている。たしかに人間は体格においては小さいが、人間こそは、その内に万物を秘めた、ただひとつの形姿であり、魂が内包する諸力において強力な存在であることを、この絵は示している。このようにして人間は、世界の創造の完成に参加する存在なのである。

「人間はその初めからこのように形成されている。上も下も、外も内も、彼は肉体として存在する。そしてこれこそが、人間の本質である」（『神の御業の書』）

図2　宇宙＝人間（『神の御業の書』より）

人間とは、古代ギリシャの哲人が囚われた観念として存在するのではなく、まごうことなきこの肉体をもって生きる存在であること、そしてこの肉体をもつことにおいてこそ、人間とは己のうちに、天と地と、すべての被造物を孕みもつ存在であるのだと、ヒルデガルトはいう。これは、肉体を穢れたものとして扱い続けてきた西洋キリスト教世界に対する根底からの批判であるとともに、物質の一切が悪の原理に由来するとして肉体を否定した、同時代の異端カタリ派の教義と信仰に対する批判でもあるのだろう。

このヒルデガルトの人間理解は、人間と他の被造物との間に絶対的な区別性を立て、その「理性的」優位をもって他の被造物を支配する権利を主張する、キリスト教に伝統的な人間理解の仕方とは根本的に対立するものである。全被造物を孕みもつ存在とは、他の被造物に対する支配の優位性をいうのではなく、他の被造物に対して責任を持つ存在である、ということを意味するからである。ヒルデガルトのこの自然と人間への眼射しには、どこか東洋的な匂いが漂っている、と指摘するヨーロッパの研究者もいる。

受胎――宇宙の孕み

スピリチュアル・ケアという言葉が、とりわけ終末医療の中で使われ始めている。だが、スピリットすなわち霊魂とはいったいなんだろうか。わたしたちはそれをなにか不確かで、捉えどころのないものとして理解していないだろうか。

ヒルデガルトの魂をめぐる記述は明快である。魂と命をめぐる関係は、本書、受胎論の中で、きわめて明瞭に述べられている。

アリストテレス以来、人間の原型は男の精子にのみあり、女性は経血を通してそれに栄養を与えるにすぎないと考えられてきた。いまだ卵子の存在を知らないヒルデガルトの時代においても、その事情は同じであったが、ヒルデガルトは受精について次のようにいう。

「精液がしかるべきところに落ちると、母親の血は精液と結合し、やがて肉のように凝固して固まる」

（本書「59 受胎」要約）

このときヒルデガルトは、賢明にも、女性の種《たね》が存在するかどうかについては明確な態度をとっていない。だがこの「結合」という言葉に conjungo という語が選び取られているのは、意味あることかもしれない。それは「合一する」という意味であり、名詞化された conjunx は妻や愛人、配偶者を意味する。ヒルデガルトはこの語の内に、命の発生する瞬間の、男女両性の平等と合意の主張を、ひそかに潜ませたように思えるのだが、はたしてどうだろうか。ヒルデガルトの記述には、男社会にとって都合のいい常識や男性原理的な神学に対して、実はこうした手法を通して逆転させてゆくという、機知に富んだ痛快さがあちこちにある。例えば同時代の学者コンシュのギヨームが「もっとも温かい女性といえども、もっとも冷たい男性より冷たい」といえば、ヒルデガルトは「女の血は精液と結合し、精液に形を与え、精液を温める」と、さりげなく、しかししたたかに反論する。こうした男性原理から女性原理への逆転のうち、その核心的な記述を、のちにわたしたちは本書の「原罪」にまつわる描写に見る。

＊

「この凝結したものはやがて人間の形象（form）へと形造られ、その中には糸のように髄と血管が張り巡らされる。この髄と血管は体中に分岐して、やがて結節のようなものになる。卵の皮膜のようなものが髄を取り囲み、それはのちに骨の中に入ってゆく。まだ手足の分岐していない皮膜の中に裂け目ができ、そこが将来手足となる。これが一か月、すなわち月が満ち欠けする間に起こる業である」（本書「59 受胎」要約）

さて、これは受精後四週間目の胚の描写であるが、いまだ全長数ミリ程度に過ぎない胚の発生段階を、今日の妊娠医学で知ることのできる精密画像のように描くことができる、このことこそ、ヴィジョンというものの瞠目すべき神秘であり、それをヒルデガルトは、「肉眼ではなく、魂の目で見る」というのだろう。記述は、受精後五週間の、人間の成立にとっては決定的な瞬間である「魂の注入」へと移ってゆく。息詰まるその光景を、少し長めに引用しておこう。

「霊は形象全体を経巡《へめぐ》り、髄と血管を再び満たして強める。形象は以前よりずっと生長し、骨は髄を覆って広がり、血管は強められて血を保つ。そして胎児は一瞬にして揺り動かされるようにして動くようになるが、母親もその動きを感じる。それは全能の神の意志を通して、生ける風——すなわち魂が形姿（figura）に入り、形姿を強めたからである。魂はこの形姿を命あるものとし、形姿の至るところを駆け抜ける。この形姿の中で魂は自分がどこで分岐しどこで曲がるべきかを知っている。次に魂はその息で形姿全体を覆い、活ける空気のようにして血がすべての場所を流れるようにし、肉を引き締める。魂は肉の中に骨を造り、骨を固定する。魂は自分が働きかけるべきすべての場所を丹念に調べ上げる」（本書「61 魂の注入」）

ヒルデガルトによると、胚が受精後四週間を過ぎ、五週目に入ったとき、神の霊――すなわち命の息が吹き込まれ、命は命となり、このとき初めて人は人となる、というのである。だが、霊が五週目に吹き込まれ、そのとき初めて命は命となり、人間は人間となる、とはどういう意味なのだろうか？

現代医学においても、胎児は四週から五週目の時期に、鰓《えら》呼吸から肺呼吸に変化する時期、すなわち古代魚類的な発生段階から肺呼吸をもって陸行するという、生命にとってもっとも劇的な変化の時期であるとされている。したがってまたこの時期は、流産の危険性がもっとも増大する時期ともいわれる。三木成夫はその著『胎児の世界』の中で、「受胎の日から三十日を過ぎてからわずか一週間で、あの一億年を費やした脊椎動物の上陸史を、夢のごとく再現する」といっている。霊が吹き込まれ、魂が注入され、それをもって命が成立するとしているヒルデガルトのこの時期の捉え方は、母の胎の胚芽が、鰓呼吸する魚類から生死をかけた陸行を通して、肺呼吸する爬虫類、そして人間へと至る発生学上の切所であるという理解と、どこかで響き合う不思議な一致をみせている。人に吹き込まれた神の霊が人の魂となったとき、命は命となり、人は人になるとヒルデガルトはいう。つまりヒルデガルトにとって魂とは、神の霊が人間の中に入って命を形造って以降の、霊の働きの全体を指しており、生ある限りにおいて、魂は命の働きとひとつのものとして捉えられている。さらに付け加えるなら、ヒルデガルトのこの受胎論は、魂とは神が一人一人にその息を吹き込まれたものであること、すなわち一人一人の命の成り立ちは、神の直接的な業であるということをも、同時に意味している。

ヒルデガルトにとって人間の受胎とは、天地創造の初め、父なる神の言葉を母なる神が受胎し、質料(materia)を生み出し、宇宙の森羅万象を生み出した、その創造の始源の時を追体験する、同一の光景なのであろう。ヒルデガルトが最初に著わした書物『スキヴィアス』に描かれる、「宇宙卵」(図3)と名づけられた宇宙誕生のヴィジョンが、黄金の火炎に包まれた女性器の形をしているのは偶然ではないだろう。バーバラ・ニユーマンが指摘するように、アウグスティヌス以来、天の高みから命じて天地を造る不動の支配者という父性的なイメージが主流であったカトリック神学の中にあって、宇宙に内在し、その内側から宇宙を孕むという母性的な情景を描くヒルデガルトの天地創造図は、きわめて異質で、特異なものである。だがこの情景は、本書の中でも周産期を巡る記述がきわめて多いという事実が物語っているように、おそらく出産への立ち合いなどを通して、ヒルデガルトが目の当たりにした人間誕生の瞬間の光景からする、生命が生み出されるときの、ゆるぎない確信的な光景であったのだろう。神もまた、天地創造の瞬間について、ヒルデガルトにそのようなヴィジョンを与えられたのだ。ヒルデガルトにとって、神が無から物質を生み、宇宙を孕み、産み出すということと、人間の誕生とは同一のことであったのだろう。次の言葉は、そのことを端的に語っているように思われる。

「わたしは創造主と被造物の互いの愛を、神がそのうちに男と女を結び合わせて子供を産ませる愛と、誠実になぞらえます」(『生の功徳の書』)

孕み、産み出すのは、宇宙であれ、人であれ、ともに愛であるとヒルデガルトはいうのである。

図3　宇宙卵(『スキヴィアス』より)

男と女

ヒルデガルトがアダムとエヴァに触れる筆致は、詩のように美しい。

「神はアダムを造られたのち、アダムを眠りに落とされた。アダムは眠りの中で大いなる愛を感じた。すると神は、男の愛のために一つの形姿をお創りになり、こうして女は男の愛そのものとなった。女が形造られると、神はすぐさまアダムに男としての創造力をお与えになった。こうして男の愛である女を通して、男は子どもをもうけることが可能となった。エヴァを見つめた時、アダムは完全な英知に満たされていた。なぜなら、アダムはエヴァの中に子を生む母の姿を見たからである」（本書「136 アダムの創造とエヴァの形成」）

女は男のために造られ、男は女のために造られた。男の愛の思いが女という姿となり、女の愛の思いが男の姿となったというヒルデガルトの男女両性を巡る宣言は、キリスト教において伝統的であった――例えばパウロの「男が女から出たのではなく、女が男から出てきたのだし、男が女のために造られたのではなく、女が男のために造られた」とする考えとは真っ向から対峙する。これは堂々たる女性の宣言であるが、ヒルデガルトの精神はどこかではるかにしたたかで、ひそかにほくそ笑むようにして、次のように付け加える。

「アダムの髄から生まれたエヴァは、土の質をもつ大地の重みに押しつぶされることがなかったので、空気のように軽やかで、鋭敏な頭脳をもち、快活な生活を送っていた」（本書「46 エヴァの奸策」）

だから女性は生理の時、骨盤だけでなく頭蓋までもが開くが、それは、天上的な元素である空気を取り入れやすくするためであり、こうして女は、神の与えたその身体構造からして、男よりは、はなから天上的な存在であるというのだろう。たしかにそういわれれば、図2で見た頭蓋の開くイエスの図は、まちがいなくまっすぐに、天上の父との融通無碍を想起させる。

そしてさらにはダメを押すようにして、原罪の主導者として強いそしりを受け続けてきた母なるエヴァを、天地創造の壮大な物語の中に据えなおして、ヒルデガルトは次のようにいうのだ。

「人類最初の母は、天上界の象徴として位置づけられていた。天上の層は、その内部にすべての星を抱いている。それゆえ完全で穢れなきエヴァは、(中略)自分の内に、人類というものを保持していたのである」(本書「104 エヴァ」)

性について

性をめぐるヒルデガルトの筆致は、性科学者のように大胆である。そしてそれは多くの研究者を赤面させ、戸惑わせてきたものである。修道女のはずなのに、この大胆さはいったいなんなのかと。

女子修道院長であるヒルデガルトは、その立場上、修道志願者の適性――生涯、独身を貫くことが可能か否かを識別する必要が、たぶんあったのだ。BOOK IIで、体液論は気質論と結びついて述べられているが、女性の気質の一つに「妊娠する力の有無」と「独身あるいは結婚のいずれが健康を維持できるか」という視点があるのも、その表われであろう。さらにまた病院長として多くの女性患者に接した経験から、性的な交わりのあるなしによって起こる病など、性にまつわる情報に接していたことは本書の記述からも窺える。

それにしてもなぜ女子修道院長の筆は、同性愛のみならず、獣姦などの記述にまで及んでいるのか。これに答える十分な根拠はない。だが一つには、キリスト教を巡る当時の事情があったであろうことは想像に難くない。この時代より前、六世紀から慣行化されてきた贖罪は、十一世紀に入って、信徒の罪と贖《あがな》いを成文化した「贖罪規定書」が、マインツ司教ブルカルドゥスの規定書をもって、いわばその完成をみた。そこでは殺人や強盗、放火や偽契、迷信などの罪と贖いの定め以外に、もっとも多岐にわたって詳述されるのが、性にまつわる罪である。

旧約聖書レビ記や出エジプト記には、男色や獣姦に対し、すべて死刑をもって処する旨の記述があり、ヒルデガルトは当然ながらそれに接している。また当時、司祭の間に出回っていた「贖罪規定書」にヒルデガルトが触れていた可能性も、立場上十分にある。ブルカルドゥスの記述を見れば、たしかにこの時代、近親相姦や同性愛、獣姦などがしばしば行われていたことは明らかである。

ちなみにこれら贖罪規定書や教令集によれば、夫婦であっても浴室で妻の裸身を見てはならず、妻との性交に生殖目的以外の快楽を求めてはならず、「動物的体位」までもが告解すべき罪であり、パンと水のみの断食二週間などという贖罪義務が言い渡されるのだった。教会は告解という制度を通して、生殖を穢れとする長い歴史を徹底し、信徒の性生活にまで干渉してこの世を支配しようとしていたといえようか。「告解の中で、性は告白の特権的な題材となった」とはミシェル・フーコーの指摘であるが、それは情欲を原罪の中心に据えた伝統的な神学の、当然の帰結であることはのちに述べる。

だが、告解がヨーロッパ的な個人の成立に果たした決定的な役割は別にある。

「個人としての人間は長いこと、他の人間達に保証を求め、また他者との絆を顕示することで(家族・忠誠・

庇護などの関係がそれだが）、自己の存在を認識してきた。ところが、彼が自分自身について語ることができるか、あるいは語らざるをえない真実の内容によって、他人が彼を認識することになった。真実の告白は、権力による個人の形成という社会的手続きの核心に登場していったのである。それ以来、われわれの社会は異常なほど告白を好む社会となった」（ミシェル・フーコー『知への意志』）

告白すること、自分が自分を語ること、すなわち自己表現し、自己表出することが、ヨーロッパにおける個人の自立した姿となる。そしてそれが、文学であり、絵画であり、音楽となる。市民自らが自己の内面を観照するという告解の仕組みを通して、自己表出することこそが精神の崇高な活動であるという、そういう社会が形成されてゆくこの時代にあって、ヒルデガルトはまったく別の眼射しをもって神と世界とに向き合っている。贖罪規定書の中で罪として列挙される性行動や性衝動に対しては、ヒルデガルトは自然学的な眼差しで見つめている。そして、表出する自我こそは「わたくし」という個人であるという、今日に至るヨーロッパ精神を決定づけたこの離陸点に対して、ヒルデガルトははるかに遠い眼射しを投げかけている。それは実は、魂というものを巡っている。

魂と肉体

ヒルデガルトが魂と肉体との関係やその働きを述べる口調は、きわめて明快である。

「人間の魂は天から、神から人間の中に下り、命を与え、理性を育む。魂は体に送り込まれるがゆえに、魂は息として存在する。火が水の本性であるように、魂は人間の中の特別な力なのである。体が魂と分離している場所は一つもない。魂はその熱をもって体全体を覆っている。人は魂なしに生きることはできない」（本書「61 魂の注入」、「130 魂の火」要約）

体が要求するどんな仕事も、魂は体の中で実行する。体が欲し、魂が働く。魂が体の欲求を実行するのは、魂の方が体よりも力に満ちているからである。この人間という作品は、魂ぬきにはありえないが、魂がなければ、体はその肉と血をもって動くこともないであろう。その一方で、もし人間が肉体をもっていなければ、魂はその力の源泉をもたないということになる。

ヒルデガルトにとって「わたくし」という主体は、わたしたちが通常囚われている、近代的な意味での、大脳の働きを中心とした「わたくし」という自我や意識のことではない。あえていえば、魂の住まいは心臓にある。魂は心臓に留まり、窓を通り抜けるようにして思考し、燃える火が煙突を通り抜けるようにして、思考する力を脳に送り出す。ヒルデガルトは、脳を、理解力を司る質料であるという言い方をしているが、ヒルデガルトにとって脳とは、心臓で識別した思考を体全体に広げる役割――情報を集約し、その情報を必要な部位に伝送する情報処理器官――コンピュータでいえばＣＰＵ（中央演算処理装置）と同じような機能として理解していたということであろう。

脳やその活動である意識が、「わたくし」というものの中心ではない、という感じ取り方は、近代心理学が「無意識」と呼ぶ領域をも、ヒルデガルトは魂の働きとして明記していることからもよくわかる。例えば、睡眠中、わたしたちは無意識に近く、体は脱力している。この時、その人には知性も思考力も感覚もない。だが眠っている間も魂は留まってその人を一つとして統合しており、目覚めている時と同様に、魂は生ける息を吸ったり吐いたりしている。このように、意識があるときであれ、ないときであれ、「わたくし」というものを統合している主体こそが魂なのである。だから「わたくし」とは、わたくしの意識が捉える限りのわたくしを意味するのではない。ヒルデガルトは、例えば睡眠中の寝返りや夢、ヴィジョンあるいはあくび、体の伸び、溜息など、無意識下の体の反応をも、魂の働きとして生き生きと描いている。ヒルデガルトにとっては、例えばふと心をよぎる不安も、それは魂のなにかを告げる働きであり、この不安をも含んで、わたくしは「わたくし」なのである。

この魂の働きを生死の極点で鮮明に描いているのが、BOOK Vの「生と死の兆候」である。ヒルデガルトにとって生死の兆候とは、魂が肉体を離脱しようとしているか否かを巡る、きわめて可視的で、観察できる対象でもある。それはとくに目に現われる。

「病人の目が水槽のように輝いており、いくらか潤んではいるが目覚めたばかりの人のように顔が腫れている場合、その人は病気から回復できず、間違いなく死ぬであろう。(中略)魂の火は体を離れるにあたって炎を生むので目は潤んで見える。これは魂が足早に体を離れようとしている徴《しるし》である」(本書「221 再び死の兆候について」)

魂は火である。終末期の病者の目の奥に、ヒルデガルトは火である魂の意志をじっと見つめていたということであろうか。

「甘い」と「苦い」

思いは心臓にある。ここでいう思いとは、脳の反応のことではなく、心臓に座を占める魂の感覚である。したがってこの「思い」は脳的でも言語的でもなく、人間がその内に含みもつ全被造物の、植物的な、あるいは動物的なあらゆる魂の感覚の全体を含んでいる。

この思いが心臓に留まっているとき、その思いは、甘いか苦いか、そのどちらかの感覚をもっている、とヒルデガルトはいう。甘さは脳を豊かにし、苦さは脳を虚ろにする。思いに甘さがあると、その人の目や耳や口は喜びを表わす。思いに苦さがあると、目は涙を流し、話しぶりや聞き方にさえ怒りや悲しみが表われる。魂がその奥深くにもつ知識が、自分の中に悲しいことや敵対的なもの、自分を害するようなものを感じなければ、心臓は花が太陽に向かって花開くように喜びを解き放つ。自分の中のどこにも「逆らうもの」がないとき、魂が喜びを感じた時の魂の感覚を、ヒルデガルトは「甘い」という。「苦い」とは、その逆である。魂はこれらを瞬時に感じ取り、瞬時に識別する。

これは、恋に似ている。体でもなく、感情でもなく、体の奥の奥が、あるいは心の奥の奥が甘いと感じる感覚といえばいいのだろうか。深い病を経験した者は、肉体も、感情も、意識も、記憶も、それがどれほど不確かなものであるか、ということをよく知っている。

言い換えれば、思いの「甘さ」とは、その人の意志的な選択や思考や感情や体の反応が、魂の基軸と一致したときの感覚であり、それが魂の自然的・全的な状態であることを示している。逆に、「苦さ」とは、魂の基軸から逸脱し、あるいはずれているときの感覚であり、「逆らうなにか」とは、魂が本来の働きを覆われている状態を指している。ヒルデガルトの望診の中に、霧や靄《かすみ》や蒸気という言葉がよく出てくるが、それは魂を

「覆い隠し、暗くするもの」であることがわかる。暗さは、魂が覆われているサインなのである。つまり治療とは、魂を覆い隠しているものを取り払い、魂本来の働きができるようにする、ということにほかならない。ちなみに十五～十六世紀の人、イエズス会の創始者イグナチオ・ロヨラがその著『霊操』において、魂の内にふと起こる霊の動きの善悪を見分ける感覚を表わして、「憂鬱」と「はればれ」といっているが、それはまだ「精神」に偏した感覚ではないのだろうか。ヒルデガルトの「甘い」「苦い」は、肉体を含む生命そのものの感覚に近いものである。

原罪とは何か

ヒルデガルトを読み進める時、日本人にとって「原罪」というものの重みは、理解しがたいものの一つである。我々日本人に、人間は罪を背負って生まれてきたという感覚は基本的にない。だがヒルデガルトは、自らの負う重い病の原因を求めて、とぼとぼと歩み進んだその末に、ついにはアダムとエヴァという人祖の罪と深く向き合わざるをえなかったのである。

原罪とは、ヨーロッパ的な精神を形づくる元型的な事件である。

『旧約聖書』創世記に述べられる原罪とは、かいつまんで述べれば、次のようなことである。

神は土に息を吹き込んでアダムを造り、彼をエデンの園に置かれた。園の中央には、命の木と善悪の知識の木を生え出でさせた。そしてアダムに命じて言われた。「園のすべての木から取って食べなさい。ただし善悪の知識の木からは、決して食べてはならない。食べると必ず死んでしまう」。

人が独りでいるのはよくないと考えられた神は、アダムのあばら骨の一部を抜き取り、そのあばら骨で女を造り上げられた。野の生きもののうちで、最も賢いのは蛇であった。蛇は女に言った。「知識の木の実を食べても決して死ぬことはない。それを食べると、目が開け、神のように善悪を知るものとなることを神はご存じなのだ」。

女は実を取って食べ、いっしょにいた男にも渡したので、彼も食べた。ふたりの目は開け、自分たちが裸であることを知り、ふたりはいちじくの葉をつづり合わせ、腰を覆うものとした。

神は女に向かって言われた。「お前の孕みの苦しみを大きなものにする。お前は苦しんで子を産む。お前は男を求め、彼はお前を支配する」。

そして神はアダムに向かって言われた。「お前は女の声に従い、取って食べるなと命じた木から食べた。お前のゆえに、土は呪われるものとなった。お前は生涯食べものを得ようと苦しむ。お前に対して、土はいばらとあざみを生え出でさせる。野の草を食べようとするお前に。お前は顔に汗を流してパンを得る。土に返るときまで。お前がそこから取られた土に。塵にすぎないお前は、塵に返る」。(『創世記』一～三章要約)

＊

アウグスティヌスに代表される伝統的なカトリック神学では、アダムとエヴァの罪を「神の命令への不服従」にあるとし、ヘビの唆《そその》かしにのったエヴァにこそ、第一の罪は帰せられるのが常である。

アウグスティヌスは『創世記逐語的注解』の中で次のようにいっている。

「彼らが神の命令を犯すやいなや、彼らはすっかり剥ぎ取られ裸になって、自分の目を互いの身体に投げかけて、彼らには知られていなかった情欲の動きを感じた。こうして彼らの身体は、病気や死という条件に冒されるようになった。人間の裏切りに直ちに現れた死こそが、人間が互いの視線で経験した情欲の原因であった」。

情欲の発生は死の恐怖から生まれる衝動であると、アウグスティヌスは言う。不服従、すなわち原罪の結果生まれた個体的な死と、死の恐怖がただちに導き出した情欲という三つの項の関係が、アウグスティヌスにおいてはただちに一つのものとなる。こうして不服従の罪は情欲という肉の罪に集約され、その罪の第一原因を、唆しにのったエヴァが負うという、原罪理解の男性的回路が生まれる。これが、伝統的な、「原罪」というものの理解の仕方である。この常識に対し、ヒルデガルトは、一人の女性として、驚くべき反論を開始する。

「もし、アダムがエヴァよりも先に罪を犯していたならば、その罪はあまりに重く、救いようのないものとなり、人間は、手の施しようのない絶望状態に陥り、救いを望むことだけでなく、救いを望む可能性すらなかったであろう。しかし、最初に罪を犯したのがエヴァであったため、女は男より弱いがゆえに、罪からの救いのなさを、よりたやすく消し去ることができたのである」（本書「47 なぜエヴァが先に堕落したのか」）

ヒルデガルトは女の「弱さ」を逆手に取ってみせるが、女が苦しんで子を生まねばならないこと、そして月経までもがエヴァの罪の結果であるという教えは、一人の女性であるヒルデガルトにとって、原罪はいわば月ごとに思い知らされる現実でもあったのだろうか、本書の中で月経を巡る記述は群を抜いて多い。

原罪を神の命令への不従順と捉える見方に対し、ヒルデガルトは、「言葉と聖霊の呼びかけを無視すること」、すなわち「人間の自然的本性としての魂の働きへの不服従」を対置する。

『スキヴィアス』に述べられるヒルデガルトの原罪理解は、それまで、どこのだれも口にしたことのない、意表を突くものといえよう。

「優しい一陣の風とともに鋭い燃える炎によって、あの輝く火は男に輝く白い花を差し出した。その花は、一本の草の上に降りた露の滴《しずく》のようにその炎の上にかかっていた。男はその香りを鼻で嗅いだが、口で味わうことも、両手で触れることもなかった。そのようにして彼は、自分から道を逸れ、自分で這い上がることの叶わぬ深い闇へと落ちて行った。というのも、人間は悪魔の甘言に唆されて神的な掟に背を向け、死の巨大な口へと落ちて行ったからである。なぜなら彼は、信仰においても業においても神を求めなかったからである。それゆえ自らの罪を負うものは、真の認識へと立ち戻ることができなかったのである」（図4）（『スキヴィアス』）

図4　贖われるアダム（『スキヴィアス』より）

そして自ら、このヴィジョンを解釈して言う。

「この男は、知恵という知性の働きをもって、法の掟そのものを、あたかもなにかの香りを嗅ぐためにそれを鼻に引き寄せるように、自分へ引き寄せたからである。だが人間はそのものの好ましい内的な力を完全に口に入れることはなく、また祝福の充満のうちに両手の業でこれを成就することもなかった」

「神は、人間が全世界を見ることで知り、聴くことで理解し、嗅ぐことで区別し、味わうことで消費し、触れることで支配するように、人間に創造の武具を着せたのであった」（『神の御業の書』）

すなわち神は、知識の木の実のひとかけら、脳の活動の一部に過ぎない知識によって世界と交わるのではなく、五感のすべて、存在のすべてにおいて世界と交わることを求め、そのように、人間を創造されたのである。ヒルデガルトにとって「知る」とは、全感覚を動員した魂の働きであり、被造物との全感覚的な交わりを通して、対象物を自己の内に血肉化することである。すなわち、ヒルデガルトにとって、「知る」とは、その対象を「孕む」こととひとつである。原罪とは、その全的な孕みからの逸脱を意味する。だから、バーバラ・ニューマンは次のように言うのであろう。

「ヒルデガルトは禁断の実を食べる罪を、命令された花を摘まないことにおきかえる。アダムは犯すことの罪ではなく、言葉と聖霊の呼びかけを無視することを罪としている」（『ヒルデガルト・フォン・ビンゲン——女性的なるものの神学』）。

ヒルデガルトがＢＯＯＫ Ｉでルチフェルに触れるとき、ルチフェルは無という空疎の上に、自らの力に依り頼んで立とうとしたのだと言い、それを悪と呼ぶのだが、それはヒルデガルトにあっては、原罪の理解の仕方と重なっている。

病とは何か

ヒルデガルトは幻視の内に目撃する。神に背《そむ》く以前、今、人の体内で胆汁となっているものも、アダムの中では水晶のように輝いていたことを。そして、今では人の体内で黒色胆汁となっているものも、かつてアダムの中で曙光のように輝いていたのだということを。だが、アダムがリンゴを食べ、善を知りながら悪を行った時、アダムのこの自己矛盾により、彼の中に黒色胆汁が生まれた。アダムが罪を犯してのちに抱く悲しみと絶望とは、この黒色胆汁から生まれたものである。この黒色胆汁はすべての人間にとって本性となり、すべての病を引き起こす源となった。黒色胆汁とは、ヒルデガルトにとっては、原罪の記憶の体への刻印であり、その遺伝的な継承なのである。黒色胆汁は、原罪を想起するために埋め込まれた、人類的な記憶といっていい。

黒色胆汁は黒くて苦いが、この黒色胆汁はいかなる慰めをも疑念で覆うという悲しみをもたらす。そのとき人は、天上的な命の喜びを感じることも、地上的な慰めに喜びを感じることもない。ここでいう疑念とは、「神が自分を守ってくださるという希望を見失う」ということである。もともと聖書の中で悪魔（diabolus）の語は、「中傷者」「試みる者」を意味し、それは疑念を抱くことを含んでいる。

この黒色胆汁の存在が、あらゆる病因の基軸にはっきりとあるのだが、黒色胆汁が直接の原因となる疾病として、偏頭痛や心臓の痛みなどが取り上げられている。また黒色胆汁は直接に血液や尿の中に観察できるものとして記述されている。

その上で、各々の病気は体液の不調和として捉《つか》まれる。体液がそれぞれ適切な秩序としかるべき適量を保っていれば、その人の体は健康であるが、もし体液が衝突し合うと、虚弱になり病気になる。さらには体液相互の不調和が、黒色胆汁を揺り動かす動因ともなる。

当時、悪魔憑きと思われていた精神疾患のみならず、自殺や異端すらも、ヒルデガルトにあっては体液バランスの崩壊による病理として捉まれている。カタリ派への異端審問の嵐が吹き荒れたこの時代、肉体を正当な光の下に照らし出そうとするヒルデガルトの思想が、霊肉二元論に立ち、肉体を悪とするカタリ派への防波堤として利用されたという一面もたしかにあるが、都市の広場に焚刑の炎が上がる光景を、ヒルデガルトがどのような目で見ていたかの、その一端をうかがわせる事実のようにも思える。

ヒルデガルトにとって病とは、体液の氾濫を通して魂の深部に導く働きであるということもできる。病とはすなわち、魂が身体的・精神的な自然から逸脱し、あるいはゆがみ、あるいは欠如している状態を言い当て、告げ知らせる作用であると同時にそれは、根源的な状態に戻ろうとする人間的本性の叫びであるということもできる。病とは魂の働き、魂の告げ知らせなのである。

そしてこれは非常につらいことだが、ヒルデガルトのように、なんの咎《とが》もない人間が病を負うということもあるのだ。深い病とは、自分個人ではなく、人間という普遍を背負うということである。ヒルデガルトは黒色胆汁の喚起する、アダムとエヴァの原罪の記憶を背負うようにして、人間という普遍を病むのだろう。それはキリストの欠けた部分を、身をもって満たすということでもある。

治癒することの意味

ヒルデガルトによれば、深い治癒の徴は、甘い涙となって表われる。それはわたくしという存在の奥底にある姿に、思い至ったからにほかならない。

「魂は悲しみを通して、あるいは理解力によって、本来自分は天に属するものであるのにこの世をさ迷っているのだということを悟った時、(中略)血管を通して目に穏やかな涙を送るようになる。ここにはかすみも蒸気の旋風もなく、あるのは歓喜と幸福に満ちた吐息だけである」(本書「147 涙」)

魂を眠り込ませ、魂の本来の働きを覆い隠し、どのような地上的な慰めも、どのような天上的な喜びも感じ取れないほどの疑念を取り払い、神が自分を守ってくださるという希望をふたたび魂に灯すこと――命の喜びと天上的な喜びを感じとれるようになることこそ、「治癒」の意味である。治癒するとは、魂の恢復《かいふく》を意味する。

こうして治癒とは、ひとたび病を通して自らを死に、浄化された感受性とその五感において深々と世界と向き合うことである。五感は生み直される。それは覆い隠すもののない敏感な魂が、のびのびと発現しはじめた証しであり、理性を含めた魂の全感覚領域の解放として表われる。治癒するとは、「神は人間が全世界を見ることで知り、聞くことで理解し、嗅ぐことで区別し、対象物のもつ内的な力を口に入れて味わうことで消費し、触れることで両手の業によって成就するように、人間を創造された」ように、その原初の命の状態に戻ることである。それは原罪からの根源的な恢復をも意味する。ヒルデガルトは、五感を含む感受性の恢復と解放とを、病者の恢復の徴として、じっと見つめていたのであろう。

ヒルデガルトにあって、この自然的本性の恢復と解放への確信は、「魂は善に向かう」という、実にシンプルな、この一点にかかっている。そして魂のこの善に向かう性向をこそ、ヒルデガルトは、意志で選び取る自由を越えた自由と呼ぶのであろう。それは花が太陽に向かって花開く程に、確かに揺るぎないものである。

治療法について

具体的な治療法や処方はＢＯＯＫ Ⅲから ＢＯＯＫ Ⅴに詳述されているので、その部分をお読みいただきたい。ただしここで少し注意しておきたいのは、ヒルデガルトがベネディクト会という修道会の修道院長である以上、修道会としての基本精神と固有の戒律がそのベースにあり、ヒルデガルトの飛翔する魂においても、それを無視し、あるいは軽視することはなかったであろうということである。

六世紀末、「祈り、そして働け」のモットーを掲げて、聖ベネディクトがモンテ・カッシーノに共住修道院を設立して以来、ヒルデガルトの所属するベネディクト会には、治療院や救貧院を併せもつ修道院の歴史の中で蓄積、継承された修道院医学の伝統があり、そしてまた、修道院生活を律する生活法の全般にわたってきめ細かく規定された『聖ベネディクトの戒律』が、整然とあるということである。この戒律には、光や空気、静寂などの環境、飲みものや食べもの、運動と静養、睡眠と排泄、そして感情の中庸など、生活全般にわたって節度と調和を保つべきことが規定されている。また病者への接し方についてもこの戒律に触れられており、「病者にはキリストに仕えるように仕える」と謳われたその精神は、ヒルデガルトにも貫流するものであろう。

本書の具体的な治療法の中では、ハーブの処方とともに食物及び食事に関する記述が多くみられるが、これには健康維持を目的として食養を重視した修道院の伝統があるとともに、ヒルデガルトにきわめて特異な、胃という臓器の捉え方が関係しているように思われる。

「食物の摂取において、人間は日々新たにすべての被造物との、きわめて具体的な肉体的な交わりを結ぶ。胃は世界の素材を交換する中心であり、したがって胃は宇宙の受容力と呼ぶことができる」（『神の御業の書』）

先に見た図2「宇宙＝人間」の、このイコールの位置にあたる臓器こそ、胃である。胃は食物という世界の素材を受容し、孕む場なのである。

体液論が身体論の基軸である以上、体液の調整のための瀉血《しゃけつ》、乱切法《らんせつ》、焼灼《しょうしゃく》療法は重要な治療法となる。中でも瀉血の記述はきわめて詳細で、ヒルデガルトの臨床経験の豊富さをうかがわせる。入浴について、前記『戒律』では「健康な者、若い者に対する入浴の許可は慎重であるべき」としながらも、「病者には必要とあればその都度与えられる」となっている通り、病者に対する入浴療法、とくに種々のサウナの利用については、ヒルデガルトも有効な療法として具体的に指示している。また『戒律』ではワインなどの飲酒について「一日に四分の一リットル」という、ややゆるやかに思える規定があるが、ヒルデガルトもワインやビールについては、治療的な観点を含めて寛容な印象がある。四足獣の肉食に関しても、「非常に衰弱している者以外は禁止」という表現で、病者は例外となっているが、本書においても四足獣の肉・内臓・血などは、食養・治療用薬剤として種々の形で登場する。

このように、入浴や食事・飲酒に対する寛容な態度を含め、その療法の全体から、ヒルデガルトという個性のもつおおらかな一面と、透明な精密さとを感じ取るのは、おそらくわたしだけではないだろう。本書が五感のすべてを通して読み進められることを願っている。

英訳第二版序文

プリシラ・トゥループ

ヒルデガルトは自らの宇宙観を、医学書であると同時に視幻の書でもある『病因と治療』の中で提示している。この著作のすべては、神から直接に与えられた預言を書き記したものである。

十二世紀の人、ラインラントの女子修道院長であったヒルデガルト（一〇九八～一一七九年）は、八歳の年から隠者スパンハイムのユッタ――その隠所はディジボーテンベルクのベネディクト会修道院に付属していた――のもとで教育を受けた。ヒルデガルトが修道女として誓願を立てたころ、この隠所はすでに女子修道院となっていたが、一一三六年にユッタが亡くなると、ヒルデガルトはその跡を継いで同修道院の修道院長に選出された。一一五〇年、ヒルデガルトは所属する親修道院院長の反対を押し切る形で、拡大したディジボーテンベルクの修道院から十八～二十人の修道女を引き連れ、同修道院から一日を歩く距離にあるルーペルツベルクに新しい修道院を創建した。そしてさらに十五年後にはアイビンゲンに別の共同体[1]を創設するに至るが、同修道院には週二度ほど巡回したといわれている。

「神の御旨を預託された者」と公に認められてからのちは、低い身分の者のみならず、教皇や皇帝、王や王妃、司教などからも、祈りと助言を求める手紙が相次いだ。こうした時ヒルデガルトは、必要とさえ認めれば、その身分にかかわりなく、誰に対しても助言を与えたといわれている。

ヒルデガルトは幼少の頃から幻視体験をもっていたが、それを人に明かすことはなかった。しかし四十二歳

1▼ 庶民階級出身の修道女のための第二修道院。ルーペルツベルク修道院は貴族出身の子女専用であった。

になった時、あるヴィジョンが現われて、自らの幻視を書き記すように強く勧告されたのである。その時、天からは恐ろしいほどに輝く、燃えるような光が現われ、そしてその光は彼女の中に注ぎこまれた。

「汝に見えるもの、聞こえるものを語り、そして書き記せ。汝は師のことばを聞き理解した者として、師の示す方法に従って語り、そのことばを記せ……」

ヒルデガルトの最初の著作『スキヴィアス』（Scivias『道を知れ』）は、クレルボーのベルナールの尽力によって教皇エウゲニウス三世の目に留まることとなり、著述の継続が公認されることとなった。第二の視幻の書である『生の功徳の書』（Liber Vitae Meritorum）は、悪徳の語ることばに対する徳の応答として書かれたものであるが、悪徳を退散させる方途として、改心のための種々の勤めが奨励されている。第三の視幻書『神の御業の書』（Liber Divinorum Operum）は人間界の諸事について触れたもので、その筆は、生命の起源や世界の成り立ち、人間の本性や身体の生理、天の王国や救済の歴史に及んでいる。

『スキヴィアス』と『生の功徳の書』の二書が書かれる間の期間――すなわち一一五一年から一一五八年の間の期間、ヒルデガルトは今日『フィジカ』（Physica）と『病因と治療』（Causae et Curae）の名で知られる医学的著作の執筆に多忙をきわめたが、ヒルデガルトにおいて医学書と視幻書との間に画然とした区別はない。『神の御業の書』はその大半を医学的・生理学的着想に拠っているが、先に述べたとおり、その医学的著作は神からの直接的な啓示によるものであり、より神学的な基礎に立つ幻視と同等のものであるということができる。その生涯にわたってヒルデガルトの病気に対する治癒能力は他の力に勝って有名となり、あらゆる身分の者が癒しや悪魔祓い、あるいは助言を求めて彼女の許を訪れたといわれている。

本書『病因と治療』の中でヒルデガルトは、宇宙とその中に占める人間の位置との完全なる調和について俯瞰してみせるが、その宇宙観は神学に基礎を置いている。ヒルデガルトが宇宙の機能について述べる時、マクロ・コスモスについていう場合であれ、人間すなわちミクロ・コスモスについていう場合であれ、例えば太陽系は人間の体の機能に類比して説明するといった具合に、シンプルで身近な類比をもって解説する。

ヒルデガルトという存在は、九百年前に生きた人々にとっては驚嘆すべき「ニューエイジ」であったに違いなく、その思想には今日の量子論や「思念が物質を創生する」という観念と響き合うものがある。

ヒルデガルトはかくいう

神は世界の元素を造られた。人間が元素の中で存在するように、これら元素は人間の中に在り、人間はこれら元素とともに機能している。元素とは、火・空気・水・土のことであるが、これらは互いに絡みあい、結合しあっている。一つの元素は他の元素から切り離すことができず、互いに支えあうことで保たれているがゆえに、これらを「支柱」(firmament)[2]と呼ぶ。

もし人間が神との誓約に違わず生きていたなら、すべての季節、すべての季節の風は、みな同じであったに違いない。今年の春は去年の春に等しく、今年の夏は去年の夏に等しいといった具合に。しかし人が節度を越えれば内臓に疾患を引き起こすように、人間が神への畏れや愛に注意を払わなくなると、元素と季節とはその定められた位置を越える、という事態が生ずる。人間がその過誤によって義を踏みはずせば、太陽と月は苦悶し、暗い影を落とすようになる。こうして太陽と月は、嵐や雨、洪水を送り出すのである。

元素は人間のあらゆる特性の内に潜んでいる。人間は自らの内に元素を引き込む。こうして人間は元素とと

2▼ラテン語でfirmamentum。この語は著述全体では「天空」という意味に用いられている。

もにあり、元素は人間とともにある。かくして人間の血は満ちてゆく。人間の営為の内に繰り広げられるたえまない争いが、元素をかき乱す。すなわち人間の営為に応じて、元素は微かな風を注ぎ出すのである。

元素は人間という存在に従属する。かくして元素は人間の営為に影響を受けることとなる。戦争や恐怖や憎しみ、妬みや不正な罪業の中で人間が相争う時、元素はその本来のありようとは異なる真逆のものへと変換し、熱や寒冷、あるいはとてつもない奔流や洪水をもたらすのである。

人間はその体に充満する粘液（flegmata：phlegm）により、さまざまな病気に苦しんでいる。もし人間が楽園にとどまっていたならば、病気の原因となる、こうした粘液をもつこともなかったであろう。そうすれば肉体が損なわれることもなく、リヴォル（livor）▼3をもつこともなかったであろう。だが、人間は悪に染まり、善を見放してしまったがゆえに善と悪の湿を帯びたがため、有用な植物だけでなく、無用有害な植物をも生み出す、あの大地と同じような存在となった。

元素は四種類のみ存在し、それ以上でも以下でもない。これら元素は二つの種類に分けることができる。すなわち高いものと低いものとである。高いものとは天上的なもの、低いものとは地上的なものである。天上的な世界に在るものとは触れることのできないものであり、空気と火よりなっている。地上的な世界に在るものとは、触れることができ、形質をもつものであり、水と土よりなっている。

元素がその機能を十全に発揮し、秩序正しく働いていれば、世界は調和を保って機能している。熱や露、雨は互いに分離しており、相応の調和の中で降りてきて、大地に豊かな実りと健康をもたらす。しかし、もし熱や露や雨が大地の上に一斉に、あるいは季節外れに頻繁に降ってきたとしたら、大地は裂け、大地の実りと健康は滅び去ってしまうであろう。

もし人の中の元素が秩序正しく機能していれば、元素は人を養い、健康を保つものである。しかし元素が人の中で不均衡に陥れば、元素は病気をもたらし、人を殺すようになる。熱や湿、血や肉による体液の凝結が、人間の中で穏やかに正しい均衡を保って機能している時、元素は健康をもたらすであろう。しかし元素が同時に作用して見境なく人間に影響を与え、あるいは過剰に襲った場合、元素は人の体を衰弱させ、ついには殺してしまうのである。

粘液がかき立てられると、火の熱からは乾いた粘液が、空気の湿からは湿った粘液が、水の質をもつ血からは泡だった粘液が、土の質をもつ肉からは生ぬるい粘液が生まれる。もしこれらのうちのどれかが人の中で過剰になった場合、それはその人の体を弱め、殺してしまうであろう。それとは逆に、それぞれの元素が適量であれば、元素は人間の体を正常に保ち、健康に奉仕するであろう。

四つの体液があるが、二つの優位なものは粘液と呼ばれ、それに次ぐ二つのものはリヴォルと呼ばれる。優れた方の体液はその豊かさにおいて劣った方の体液を凌駕しており、一方、劣った方の体液はその欠乏した分により、優れた方の体液の豊かさを調整している。人間がこの状態にある時、人は穏やかでいることができる。しかしいずれかの体液がその限度を超えると、その人は危険な状態に置かれることになる。もし体液が正しい秩序と正しい基準におさまっていれば、人の体は安静で健康な状態である。しかし体液が互いを壊しあうようなことになれば、その時、体液は人を弱め、病気をもたらすようになる。

魂と体が一つのものであるように、神と人間とは一つのものである。なぜなら、神は人間を、自分の似姿として造られたからである。すべてのものが影をもつように、人間こそ神の影であるということができる。その影とは、神の御業の現われであり、神のあらゆる神秘の中でも、人間という存在こそは全能の神の顕現なので

3▼「翻訳について」(p.52)を参照。

ある。人間は影に過ぎない。なぜなら人間には始まりがあるから。しかし神には始まりもなければ終わりもない。かくして天空のハーモニーのすべては神の鏡であり、そしてまた人間という存在は、神のすべての神秘的な御業の鏡である、ということができる。

翻訳について

この翻訳の初版は、トリエールの聖マキシマン修道院で発見され、現在はコペンハーゲン王立図書館に保存されているパウルス・カイザー編集による唯一の写本（Paulus Kaiser ; Leipzig, Teubner, 1903）に基づくものである。

第二版の発行に当たり、本訳ではローランス・ムリニ版（Laurence Moulinier ; Berlin, Academie Verlag, 2003）を参照の上、いくつかの点で初版に修正を加えた。ムリニはカイザー版では知られていない短い抜粋（Berlin, Staatsbibliothek Preußischer Kulturbesitz, Lat. Qu. 674, f 103r-103v）を入手することができたのである。

各節の表題は、写本およびカイザー版に表記されたものに従ったが、第二版ではムリニの編集に従い、二つまたは三つのパラグラフを適宜ひとつにまとめた箇所もある。[4]

これらの表題は単なる手引きに過ぎないと思っていただきたい。表題の中には明らかに主題から逸れているものもあり、その段落のあとでもっと大きなテーマに戻ってくるものもある。また一文または二文前ですでにそのテーマに入っているのに、テーマからは逸脱しているとしか思えないような表題がついているものもある。

文中、〈　〉はカイザー版あるいはムリニにより写本に補足した箇所を示し、｛　｝はプリシラ・トゥループによる補足を示す。[5]

「体液」（humores）とは、体が生来もつ機能的な液体であり、そのいずれかの優位によって人間を、あるいは陽気に、あるいは憂鬱［メランコリア］に、あるいは粘液質にし、あるいは怒りっぽくするということに留意されたい。このことばはまた液体をも意味する。病気の際に発生し、あるいは病気の原因となる体液は、infirmi, mali, diversi, noxi など種々の言葉で表現されている。infrimi は「弱い、または病的な」という意味であるが、もともとは伝染病や有毒な老廃物を指す。mali は「悪い」という意味で、環境上あるいは栄養上の不均衡という意味から発展したことばである。diversi は「不和の」「矛盾対立した」という意味で、有毒な流動体を指す。noxi すなわち「有毒な」という語は、ホルモンやアレルギー障害などを含む体それ自体に由来するものである。

flegmata と livor という用語は、新陳代謝の過程で生起する病的な副産物であるが、どの体液が優位に立つかによって、あるいは体液のバランス次第では、どの体液でも flegmata や livores になる可能性がある。flegma は「炎」または「炎症」を意味するギリシャ語で、病的な体液を意味し、ラテン語の pituita にあたる。これは体内の燃焼過程で生まれた残留物が、冷の状態になったものと説明されてきた。livor ——すなわち「ぬめり」あるいは「粘液」という用語は、リンパや膿、またはその他の水状の分泌物や有毒な分泌物を指す。私は「粘液」（phlegm）を前者の意味に用い、後者はリヴォルのまま用いるようにした。tabes は古典ラテン語の場合のように「腐敗物」という意味にもなれば、「リンパ」の意味にもなる。わたしは文脈に沿うように訳し分けた。viriditas ——すなわち「緑」とは、被造物の中に内在する生命力のことをいう。わたしはこの用語をしばしば「生ける力」と訳した。▼6

4▼日本語版では文献的な用に供するために、旧来から使われているカイザー版のパラグラフに従った。

5▼本書ではこれらの記号は採用せず、必要に応じ訳注を付している。

6▼日本語訳では文脈に沿って「緑」「生命力」「生ける力」などと訳し分けている。

凡例

一　翻訳にあたっては、Priscilla Throop, “Hildegard of Bingen Causes and Cures”（Lulu Books）、二〇〇六年発行の第一版と二〇〇八年発行の第二版とを用い、訳の正否については適宜、選択・判断した。また必要に応じて Paulus Kaiser 編集のラテン語版 “Hildegardis Causae et Curae”（BIBLIO LIFE）を用い、Laurence Moulinier 版 “Beate Hildegardis Cause et cure”（Akademie Verlag）を参照した。本文の脚注に断りなく「ラテン語版」とあるときは Kaiser 版を指す。なおラテン語を引用する場合は、文中の活用形のままとした。

二　各ＢＯＯＫのタイトルは原文にはないが、使用上の便宜を考慮して新たに付した。

三　文献的な参照の用に供するように、見出し項目の数字は Kaiser 版のページ数を表記した。

四　見出し語全体をカバーする［　］は、Kaiser 版において「消去されたもの、あるいは紛れ込んだものと思われる記述」を意味する。

五　本文中の［　］は、いい換え、あるいは他に可能な解釈を示した。

六　イタリック体は Kaiser 版において中高ドイツ語表記になっているものである。

七　英訳注および日本語に翻訳するにあたっての注釈は脚注に示した。

BOOK I

宇宙と元素

1

世界の創造

De mundi creatione

世界が創造される以前から神は居られ、そして今も居られる。神に始まりはない。神はかつても、そして今も、光であり輝きである。神は命である。神が世界を創るというご意思を抱かれたまさにその時、神は世界を無から創造された。世界を形造るその素材は、神の御旨《みむね》の内にあった。

素材［物質］

De hyle

神のご意志が何ものかを創ろうと動き始めるやいなや、神の御旨からその思いのままに、世界の素材はたちどころに現われた。だがそれはいまだ混沌としており、未定形の集塊にすぎなかった。

天使の創造

De angelorum creatione

御父のみことばが轟きわたる。「光あれ」（『創世記』1-3）。かくして光が創られ、天使たちは輝いた。神はいわれる。「光あれ」。こうして天体ではない光が象《かたど》られた。かくして天使は存在する。「天に光るものあれ」と神がいわれた時（『創世記』1-14）、大気の中に光が現われた。これこそが今、私たちの見る光である。

ルチフェルの墜落[1]

De Luciferi casu

ルチフェルは北の領域を見据えていた。その領域は空《うつ》ろであり、無為のままであった。彼は自らの座をそこに定めることを願ったのである。神がそののち、いかなる創造のご計画を秘めておられるのか、ルチフェルはその御旨に無知であったがゆえに、神よりも壮大で、神よりも偉大な業を為したいと高望みしたのである。だがルチフェルは御父のお顔すら拝することがなかった。神の真実の力を知らず、神の善なる本質を理解することもなかった。これらのことに気づくより以前に、彼は神に対する反逆を試みたのである。神はいまだご自分の力と善性とをあまねく示されてはおられず、むしろ隠しておられたのである。それは例えていえば、有能で力ある者が、他人には自分の力を隠すようなものである。有能である者は、相手が自分をどう感じているか、何を企んでいるか、その見極めをつけるまでは、決して自分の強さを見せないものである。ルチフェルが邪悪な意思をもって身を起こした時、そこにあったのは無であり、何ものも生み出しはしなかった。彼はその足下に拠り所をもたず、立っていることさえできず、それゆえ墜落したのである。己の上にも下にも、己を支え、墜落から免れうる何ものをも、彼はもたなかったのである。

ルチフェルが無に向かって己を拡張し始めたまさにその時、ルチフェルは悪を生み出したのである。やがてこの悪はルチフェルの中でいかなる明澄性も光もないままに、神への嫉妬を通して燃え上がった。それは円を描いて回転する車輪（rota：wheel）が、その内部に燃え立つ暗黒を顕《あらわ》にするさまに似ていよう。悪は善から逃避した。善は悪に触れなかったが、悪も善には触れなかった。そして、神は車輪のように完全なままであった。

1▼ルチフェル［ルシファー］は悪魔またはサタンと呼ばれるものの長。

神はその善性において父のごとくにある。なぜなら、神の父性は善に満ちているからである。善とはもっとも柔和でもっとも堅固、もっとも力強く、もっとも公正な父性である。かくして善は父性の尺度として、車輪のように据え置かれたのである。

車輪はあらゆるところに存在し、そしてあらゆるもので充満している。もし車輪が外輪以外のものをもたなければ、車輪は空ろであったに違いない。もしある外的な力が偶然に働き、そこで作用したいと願っても、それは不可能であったに違いない。なぜなら、一つの車輪の中で二人の働き手が仕事を始めるのは不可能だからである。ああ、汝、人間よ。己が姿を凝視せよ。人間こそは、己の内に天と地とすべての被造物を孕みもつ存在である。人間こそは、その内に万物を秘めた、ただ一つの形姿なのである。

2 父性 De paternitate

父性とは、いかなる車輪の輪を意味するのであろうか。父性とはすなわち、車輪の充満▼[2]を意味する。神性はその内にある。そこからすべてのものが生まれ出る▼[3]。ここを除いて創造主はありえないのである。それに反し、完全なものではありえない▼[4]ルチフェルが、願うべくもないものになろうと欲したまさにその時、彼は打ち砕かれ、ばらばらにされたのである。神が世界を創造されたその時、神は人となられることをお望みになったという事実が、神の最初のご計画の中に存在していた。

魂の創造 De animae creatione

神が光を創られた時、光は翼をもつもののように、どこへでも飛翔してゆくことができたが、同じご計画の中に、命の息吹である霊的な命に、身体という形象を与えねばならないということも存在していた。この身体は大地の泥から引き上げられ、形象となるであろう。この泥はそれ自体において、飛ぶことも息することもなく、不可能に直面して自分の身を引き上げることもできず、ひどく束縛されているがゆえにこそ、神をより熱烈に求めるであろう。年経るあの蛇[5]は、この成り立ちを嫌ったのである。なぜなら、人間はその身体においては重いが、理性においては、自分を神に向けて引き上げるであろうからである。

元素と支柱

De elementis et firmamento

そして、神は世界の元素を創られた。元素は人間の内にあり、人間はこれら元素とともに働く。元素とは、火・空気・水・土のことである。これら四つの元素は互いに絡みあい結合しあっている。どの一つも他から分離することはできず、一体であるがゆえに、人はこれを「支柱」(firmamentum：firmament)[6]と呼ぶ。


2▼車輪(rota：wheel)の充満は父性の完全性を表わす。また、図2、図3(「はじめに」を参照)に示されるように、車輪は回転する宇宙の時空をも意味する。

3▼英訳第二版では「その内において、その内から、すべては生まれ出る」。

4▼英訳第二版ではこのあとに「完全性を欠いた」の句が挿入されている。

5▼エデンの園の蛇。

6▼「固定手段」「要点」などの意味をもつ。ラテン語 firmare「固定する」が原義。日本聖書教会発行の『旧約聖書』では、当該語に「大空」という訳語があてられている。以下、文脈に沿って「天空」とも訳す。

3 太陽と星

De sole et stellis

これらの中で太陽は至高のものであり、諸元素を通して火と輝きを放っている。太陽の周りにはかなり大きくて明るい星があり、天空を貫いて山のように地球にまで広がっている。これらの星は、地球に近づけば近づくほど明るく輝いて見える。太陽の周りには、こうした星よりもさらに小さくて暗い星がある。これらの星は大きな星に較べれば丘のようなもので、それゆえ見えづらいのである。

嵐

De tempestate

上方の空気の凄まじい熱と強烈な火が突然水を噴き出させ、あるいは危険な洪水を地上に送ることがある。嵐が起き、雲が巻き起こるのはそのためである。それは例えていえば、強火にかけられた鍋が突然沸騰して吹きこぼれるようなものといえよう。嵐は多くの場合、過去に犯した人間の罪や、現在犯している罪に対する神の裁きとして、あるいはまた将来起きる戦争の危機や飢饉、予期せぬ死の予兆として起こるであろう。私たち人間が元素のもとにとどまっているときでさえ、その行為は元素に影響を与え、元素はかき乱されている。上空の火の熱や炎熱が小さくなれば、それに応じて水の噴出や洪水も小さなものとなる。それは弱火にかけられた鍋はわずかの泡とわずかな蒸気しか出さないのと同じである。空気が火と水によりほどよく調整されていれば、気候は穏やかなものとなる。それは適度な火にかけられた鍋が穏やかに温まってゆくのと同じである。しかしひとたび日が昇れば、太陽の火は天の頂《いただき》で強く燃え始め、太陽から放たれる熱を受けた空気は乾いてくる。さらにこの太陽の火が雷の火に影響を与えることすらある。

雷 De tonitruo

雷の中には裁きの火と冷たさ、そして不快な臭いとがある。時として雷の火が太陽の火に触れ、ある限度まで刺激を受けると、やがて穏やかに稲妻を発するようになる。

稲妻 De fulgure [4]

雷は優しく囁き、やがて止む。それは時に怒りに駆られながらも、怒りを爆発させることなく押しとどめている人に似ていよう。しかし雷の火が限度を越して強い太陽の熱に刺激を受けると、激しい興奮に駆り立てられるようなことが時としてある。この時、雷は危険きわまりない稲光を強烈に発して大音響を轟かせるであろう。それは強い怒りに駆られた者が危険な行為に走ってしまうようなものである。雷の上部の火が太陽の火に影響を受け、雷のもつ冷性を一点に凝集させるようなことがある。それは水が一点から氷へと凝固してゆくさまに似て、雷のもつ冷性は雹《ひょう》を雲に導き、そこで雲は雹を受け入れ、雹を大地に降り注ぐのである。

雹 De grandine

雹は雷の目のようなものである。冬になり太陽が下降すると、太陽はその火を空の高所まで送らなくなる。太陽は大地の上よりもむしろ、大地の下で燃えるようになる。それゆえ、空の高所では猛烈に熱いということがない。

雪

De nive

上の領域にある水は冷によって塵《ちり》のように分散し、それが雪となる。

雨

De pluvia

やがて水は熱の中で穏やかなものとなり、雨となる。もし太陽が限度を越して強い熱や強い冷を送ることがなければ、太陽は穏やかな雨を降らせるであろう。それは幸せを感じた者が、時として喜びの涙を流すさまに似ている。

風

De ventis

天空には、太陽の上下に四つの基幹的な風が存在する。この四つの風は天空とすべての天体の下部から上部までを、マントでくるむようにして包みこんでいる。東風は空気を含み、非常に穏やかな露を乾いた場所に送り出す。西風は流れる雲と混ざり、そのため水を含んでいて激発することがない。南風は万物を焼き尽くすことのないように火を支配し、火を押しとどめている。北風は外辺の闇がその境界を越えることのないように、闇を押しとどめている。これら四つの風は神の力の翼である。四つの風が同時に動く時、風はすべての元素を結びつける。風は相互に分裂し、海を揺さぶり、すべての水を干上がらせるであろう。

5

審判の日

De indicii die

風は、今や神の荘厳な関門によって囲まれている。それにより、元素は節度をもって保たれる。元素はいかなる人間も危機におとしめることはないであろう。ただしこの世の終わりを除いては。その時、すべてのものは浄化される。やがて四つの風は、シンフォニーの中で一つの歌を生むであろう。いずれの被造物もただ一つの属性から成るものはなく、すべては複数の属性から成っている。

無

De nihilo

無はそれ自身において確固として成り立つような、特有の属性をもっているわけではない。それゆえ無は無なのである。他の被造物、すなわちその自由意志によって自らを無に帰せしめたものは、その特有の属性を失い、無に帰するであろう。

天空と風

De firmamento et ventis

天空は太陽や月や星や風ばかりでなく、火をも持つ。これらを通して万物は創られ、またこれらの属性によって天空は強められるがゆえに崩壊を免れている。魂が人間の体全体を支えているように、風は天空が損なわれないようにその全体を支えている。風は神の隠された場所からやって来るものであり、魂が目には見えないように、風もまた目には見えない。礎石がなければ家が建たないように、天空も大地も深淵も、あるいはすべての構成要素（compositionibus：components）とともにあるこの世界全体も、風なしには存りえないのである。万物は風によって成り立ち、風によって本来あるべき場に保たれている。もし風がなければ地上の万物は分裂し、崩れ去ってしまうであろう。もし人に魂がなければ、人の体は四散し果ててしまうように。基幹の東風は東のすべての領土を支え、基幹の西風は西のすべての領域を保つ。基幹の南風は南の広がりを支え、基幹の北風は北の地域すべてを保つ[▼7]。

補助風

De ventis collateralibus

各々の基幹風は、二本の腕のようにして自らを補佐する、自分より弱い二つの補助風をもっている。基幹風はこの補助風を通して、時に応じてその力を現わす。弱い補助風は基幹風と同じ性質をもっている。この弱い補助風は各々が自分の頭《かしら》である基幹風を模倣する。両方の耳が頭の中で一本の聴覚の通路をもつように、はるかに小さく力の弱い補助風は基幹風とともに一本の通り道をもっている[▼8]。

この弱い補助風が神のご命令に促されて懲罰に向かう時、補助風は各々の基幹風から突風と力とを授かる。すると弱い補助風は極めて不安定な状態となり、大騒音と危険に満ちた衝突とを巻き起こす。それは悪い体液が危険に満ちた不安を人間の中に作り出し、その不安が病を生み出してゆくのに似ている。

世の初めより、基幹風がその力を全開することはいまだなかった。それは終末の日までないであろう。しかし時その日に至れば、基幹風はその力を現わし、爆風を存分に吹き放つであろう。そしてエネルギーに満ちた基幹風相互の激突によって雲は引き裂かれる。そして天空の上部は、ともに折りたたまれるようにして崩れ落ちてゆくであろう。それは例えていえば、人がその死に際し、魂が体から脱するとともに体は引き裂かれ、四肢は力なく崩折れる姿に似ているといえようか。

東風は二つの翼をもち、その翼によりすべての天体を自分に引き寄せている。一方の翼は太陽の低所から高所に至る進路を保つ。もう一方の翼は太陽が到達すべき位置を超えて進むことのないように、その遮壁となって太陽と向き合う。この風は万物に湿を与え、植物を発芽させる。

西風はすべての水をしかるべき場所に撒き散らし、散布するための口のようなものをもっている。この口により、どの水も他の水を越えて上ることはなく、正しく進むことができる。西風は水を運ぶ空気を支配し、その近くのすべての緑を干上がらせる。

南風はその上部に三本の枝の形をして底の尖った、鉄の杖のようなものをもっている。南風は天空と深淵とを包みこむ鋼鉄のような強さをもっているが、それは鋼鉄があらゆる青銅製のものに優《まさ》り、凌駕するのに似ていよう。この風の力は、天空と深淵とが衰えることのないように、心臓が人間を強めるようにして、その本来あるべき領域に保つのである。この風は三本の枝のように三つの力をもっている。

その一つは、東の方角にある太陽の熱を和らげ、いま一つは、真昼の太陽の燃えるような熱を抑える働きをする。そして残りの一つは、西の方角にある太陽の熱を冷ましている。この三つの力の働きにより、太陽がその矩《のり》を超えて進むことはない。南風の力は、湿と冷とが節度を越えることのないように深淵の中に固定されており、その下端は鋭くなっている。この同じ風が、すべてのものに実りをもたらすのである。その力により、

7▼ヒルデガルト『神の御業の書』では、風について「宇宙に秩序と命を与える至高の火の力が風の力を生み出しただけでなく、天球を支える支柱をも打ち立てた」と表現している。

8▼前掲書では「補助風の穏やかな力が強力な基幹風に対抗することで、基幹風のもつ危険性を回避しており、また基幹風が補助風を回復させることで、補助風は適正な働きをすることができる」と説明されている。

森の葉や草、穀物や果物、ワインやその他、大地の賜物は実りを得る。

北風は四本の柱をもち、この柱をもって天空と深淵のすべてを支えている。もし北風がこの柱をもちあげてしまえば、天空は深淵と混ざり合ってしまうであろう。四本の柱は四つの元素を支えているが、これら元素は北の領域で互いに接している。それは四つの元素が崩落しないように、柱の上で支えられているようなものである。しかし終末の日に至れば、北風の力は柱を揺り動かし、天空は折りたたまれてしまうであろう。それはちょうど、書字板が折りたたまれるようなものである。[9] その風は冷たく、冷性をもたらす。北風は万物を消滅から守るため、その冷性によって万物を引き締め、万物を結びつける働きをする。

7

太陽 De sole

これまでいわれてきたとおり、太陽は天空の中心をなすかのようにその頂点に位置する。太陽は火のようでもあり、空気のようでもある。この太陽の火は空気や星座、星や雲だけでなく、天空のすべての支柱と基礎を、それらが崩落したり流出したりすることのないように支えている。それはあたかも大地がその上に生息するすべての生物を支えているようなものである。太陽の火により上部の空気までもが強められる。太陽が天空の頂点に達すると、火は太陽に流れ込み、太陽に仕える。太陽は天空の全体を強め、大地の隅々にまで輝きを放つ。大地はこの光を受けて緑と花を芽吹かせるのである。この時、昼は長くなる。太陽の進路は天空の頂点にあり、季節は夏となる。

太陽が大地の方に下降する時、水に由来する大地の冷性は太陽と出会い、緑なす万物を干上がらせる。昼は短く、季節は冬となる。冬季、太陽の熱は大地の上よりも下の方が高い。もし冬季に大地の上と下とで冷気が同等であったなら、あるいはもし夏季に大地の上と下とで熱が同等であったなら、大地の全体は調和を欠き、引き裂かれてしまうであろう。

冬が近づくにつれ、嵐が水から立ち上り、影を作って太陽の光を暗くし、そのため日は暗くなる。夏が近づくにつれ、嵐は地上に降りてくる。日々は美しく、喜びに満ちている。そう、夏が来たのである。太陽は完全な円となって満ちており、欠けることがない。月に近づいた太陽はその光を月に送るが、それは男がその種を女の中に送り込むのと同じである。

8 月 De luna

月は火と薄い空気に由来する。月は空気の中にその位置を占め、空気の中にその住まいをもつ。空気は月によって強められる。月は空《から》になると太陽の下に行き、その球面は太陽によって拡張する。メノウが鉄を引きつけるように、太陽は月を引きつける。太陽は月に火を灯すが、他の惑星や星や空気、そして月の周りの他の天体も明るく輝き、月の輝きを助けるように動く。月に火が灯されると、徐々に満月へと満ちてゆく。それは火のついた薪の山や火のついた家が徐々に燃え始め、ついには全体に燃え拡がるのと同じであろう。月が十分に満ちてくると太陽は天空の上部を強めるが、この働きをやめることはない。太陽はそれ自体とともに、それ自体のうちに昼をもつ。というのも、天空の上部は輝いているからである。一方、月は夜をもつ。なぜなら地球には光がなく、暗いからである。月が満ち、妊婦のようになってくると、月は光を放って他の星に光を与える。

9▼「書字板」は、二枚の平板に蝋を塗り蝶番《ちょうつがい》で繋いだもので、書字用に用いられた。使用後は二つ折りにする。

こうして星はより明度を増すようになる。

露

De rore

やがて星はその熱で空気を温め、強め、温まった空気はその汗で――これが露であるが――大地を覆い、大地を肥沃にする。この露に覆われて大地は豊かな実りを得る。一方、月は、自らは空《から》となりながらも、その光を星に与える。月は太陽に活力を与えられ、再び満ちてゆく。星は月から受けた光と熱を徐々に空気中に放出することで空気を温め、空気を強める。すると空気はその汗を上から注ぎ、大地を肥沃にする。月が再び満ちてくるとき、星は、光と熱とを再び受け取るために空となる。こうして星が弱まる時、月は再び満ちてゆくのである。

空気の浄化

De aeris purgatione

夜になり星が現われる時、空中を火槍のような形をした火の玉が飛んでゆく光景を、ときおり目にすることがある。これは星が空気を強めるために、空気に火を送りこんでいるからである。この熱により、空気は大地を肥沃にする。空気が星の火と熱により自らを浄化する光景は、しばしば見ることができる。この時、不浄なものが澱《おり》のように空気から落ちてゆく。

9

空気の糸▼10

De aeris filis

夏と冬が分かたれ、夏が後ずさりし、冬が近づく時、あるいはその逆の時、空気が自らを浄化する際に、白い糸に似た凝固物が空中を飛ぶことがある。二つの季節の衝突により、この糸は地上に落ちてくる。

月蝕

De eclipsi

時に月蝕が見られるのは、元素と嵐が相争うもののように衝突するからである。その時、月は消えておらず弱まってもいないが、一時的に嵐が月を覆い隠すのである。月のパワーは非常に強いので、次第に嵐を圧倒し、やがて嵐のパワーよりも強くなると、月は再び輝き始める。

五つの惑星

De quinque planetis

他の五つの惑星▼11は、火と天空上方の空気に由来する光とをもっている。これらの惑星は堅牢な天空とともにあり、それゆえ堅固なのである。惑星の軌道は天空の中でも非常に高く深いところにあるため、太陽の光がまったく届かないか、あるいは滅多に届かないところで輝くことになる。惑星は自らの位置するところに経路を

10▼この項の現象が何を指すかは不明。Pierre Monat 訳のフランス語版訳注では「fils de la Vierge（聖母の糸）のこと」とし、空中を飛ぶ「蜘蛛の糸」と解釈している。

11▼英訳注：木星、土星、火星、金星、水星。当時は太陽と月も惑星と考えられていた。

もっており、そうすることで太陽の周回路を保っている。惑星は太陽の速度を抑制し、そうすることで太陽が発するはずの巨大な熱を放射させないように、太陽の火を弱めているのである。それは例えていえば、人の五感がその体を抑制する働きをすると同時に、体の装飾（ornamenta：ornament）でもあるというのと同じである。こうしてこれら五つの惑星は太陽を抑制すると同時に、その装飾物（decor：decor）であるということができる。[12]

天空の減速

De firmamenti retardatione

天空は非常に早い速度で回転している。太陽は他の惑星とともに、天空とは反対方向に少しずつ移動することで、天空のスピードを制御している。太陽が天空を制御し、その運行を減速させることがなければ、あるいは太陽や他の惑星が天空と同じスピードで運行していたとしたら、太陽や惑星のすべては一気に流出し、天空全体は引き裂かれていたであろう。あるいはもし天空が静止したままで回転していなかったとしたら、太陽は夏の間中、地球の上に居座り続けて夜というものがなく、逆に冬の間中、太陽はほとんど地球の下にあって昼というものがなかったであろう。しかしまさに今、天空は回転している。天空が太陽と出会い、太陽が天空に出会うと、天空はたちまちにしてその強度を増し、太陽の熱の働きによって堅牢となる。太陽は天空の中を走り抜け、その火で天空を満たすのである。

アダムの堕落以前、天空は動きもせず回りもしなかった。だがアダムが堕落してのち、天空は動き始め、回り始めた。終末の日に至ったその時には、アダムの堕落する以前、すなわち創造の時の初めのように、天空は不動のものとなるであろう。しかしながら今や回転する天空は、太陽や月、あるいは星々によって強められ、堅牢なものとなっている。もし天空が不動のままであったなら、天空はたちまちにして液体のように軟化し、流出してしまうであろう。なぜなら今や天空は、回転することによって元素を浄化しているからである。この浄化の働きは、時として目に見える水状の暗い雲となって現われる。それを例えていえば、火にかけた鍋の水が沸騰し、泡を出して清められるようなものである。

10

天空のハーモニー

De firmamenti consonantiis

回転する石臼や、荷を運ぶ荷車が一種独特の音を出すように、天空もその回転に伴って不思議な音を発している。だが天空はきわめて高くかつ広大であるため、その音を聞くことはできない。天空は地球の周りで凄まじい高度と広がりをもっているが、人間や動物が死ぬようなことのないように、地上の人間や動物からは遠く離れている。もし動物や人間が火や風や水や雲に近づけば、死滅してしまうであろう。体と魂が一つのものとして互いに強め合っているように、天空と惑星とは互いに温め合い、強め合っている。また魂が体を元気づけ、強めているように、太陽や月や他の惑星も、その火によって天空を温め、強めている。天空はいわば人間の頭のようなもの、太陽や月や星は目のようなものである。空気は聴覚、風は嗅覚、露は味覚、世界の縁は両腕、あるいは触覚のようなものである。世界に棲み暮らす他の被造物は胃のようなもの、地球は心臓のようなものである。心臓が体の上部と下部を支えるように、乾いた大地は、水が破滅的に溢れ出ることのないように、地上の水を囲い込み、地下の水に対しては、その妨げとなっている。

12▼「10　天空のハーモニー」（p.71）を参照。

11
ルチフェルの墜落と天空の創造
De Luciferi casu et firmamenti creatione

深淵は人間の足とその足取りのようなものである。ルチフェルは居つき、君臨することを望んだのだが、何ものも創り出すことができず、何ものも生み出すことのないままに天から墜落したが、まさにその時、神は間髪を入れずに天空を創られたのである。こうすることで、悪魔は神が行われる偉大な創造の業とその可能性を、その目で見、理解することができるかもしれないからである。神はルチフェルがどれほどの美しさと輝きを失ったかを見せつけ、それを理解させるために、天空に太陽や月や星を配置されたのである。

星
De stellis

星はみなが同じ大きさと同じ輝きをもっているわけではない。あるものは大きく、あるものは小さい。またある星は強く輝くが、他の星は弱く輝く。天空は自らの境界を越えて上昇することがないように、その上方を太陽によって抑えられている。また下方においても、天空がその下限を越えることがないように、地球の空気――それは土と雲をもつ――によって抑えられている。こうして天空は、今述べたように、上方と下方をともに抑えられているがゆえに、その正しい境界を越えることがないのである。

十二宮と惑星
De duodecim signis et planetis

天空は七つの惑星――これらは天空に対して奴隷のごとく仕え、十二宮として現われる――によって、その軌道内に制御されている。太陽が磨羯宮《まかつ》［山羊座］[13]の位置まで到達すると、磨羯宮から人馬宮《じんば》［射手座］まで太陽に同行して来た二つの惑星は、互いに会釈しあうようにして、それぞれ自分の以前の軌道へと戻る。そして太陽を以前の上昇へと促す。この、上昇しようとする宮を磨羯宮と呼ぶ。

他の五つの惑星がそれぞれの役割に応じて太陽に——夏、太陽が上昇するように駆り立てるにしろ、冬、太陽が下降するように迎え入れるにしろ——奉仕する以外、十二宮はその名前以外の何ものでもない。太陽が磨羯宮のところまで来ると、他の三つの惑星は太陽の下に走り、宝瓶宮《ほうへい》［水瓶座］の方へ太陽が昇るように、徐々に駆り立ててゆく。太陽が宝瓶宮まで昇り始めると、太陽はその下にある地球を温めるように大地の下にある水をも温め、こうしてその水は夏より冬の方が温かくなる。

次に宝瓶宮の中の惑星についていえば、この惑星は常にその火を太陽から受けとっているが、巨蟹宮《きょかい》［蟹座］の中の太陽より低い位置にあるこの惑星と、そこに到達した他の惑星とは後退してゆく。これらの惑星は双魚宮《そうぎょ》［魚座］までは太陽に同行するが、双魚宮に達すると、太陽は水の中央にいるかのようである。[14]冷たい水から身を隠していた魚も、今は熱を感じ、繁殖を始める。巨蟹宮の中の太陽の右にいたもう一つの惑星は、太陽と出会い、太陽を白羊宮《はくよう》［牡羊座］へと引き上げる。

太陽が白羊宮に達すると、それより低い位置にある二つの惑星が太陽と出会う。この二つの惑星は太陽を受け継ぎ、太陽とともに少しずつ上昇しながら、角をもった羊のように太陽の前に身を伸ばす。太陽がさらに上昇し、金牛宮《きんぎゅう》［牡牛座］に達するほどになると、これら二つの惑星はそこにとどまり、他の二つの惑星が太

13▼黄道十二宮の名称の後ろに星座の一般呼称を併記しておいたが、両者には歳差によるずれがあることに注意。
14▼「22 太陽とその水」(p.88)を参照。

陽の軌道に入ってくる。この二つの惑星は、奇跡を予兆する場合を除けば、めったに見えることはなく、また現われることもない。二つの惑星は、ちょうど角で激しく突きたてる牡牛のように大きな力で、太陽を自分たちの前に駆り立ててゆく。そして太陽をきわめて高い位置まで運び上げ、太陽が双児宮《そうじ》［双子座］にまで達すると、これら二つの惑星は分かれて、一方は太陽の片側に、他方はもう一方の側へと進み、ついに両者は最高の高度にまで達する。

その後、巨蟹宮のあたりで太陽がちょうど下降する時に至れば、太陽の右に進む惑星は太陽を先導して少し進み、太陽の下にもう一方の惑星があることに気づく。やがてその惑星は、一方の惑星の存在をわずかに感じとりながら、少しばかり後退してその惑星を追う。再び一方が引き戻されると、他方が先に後退して一方の後を追ってゆく。このようにして、しばらくの間、二つの惑星は先になり後になりながら、太陽が下降するまで、蟹のように前進する。太陽の左側に位置した惑星はそこに留まるが、この二つの惑星は太陽に随伴し、太陽が下降の限度を越えて急ぎ過ぎることのないように、太陽の下降を支える。

こうしてこれら二つの惑星は、太陽を獅子宮［獅子座］へと導く。その時、白羊宮にあった惑星がざわめきながら太陽と出会う。すると太陽は回転することが困難になるので、怒り始める。太陽は無理を押して下降に転ずるため、多大な熱を放散するようになる。そのため、稲光を発し、雷鳴を轟かせる。

太陽が処女宮［乙女座］に達すると、以前、金牛宮の中で太陽の邪魔をした二つの惑星が太陽と出会う。すると太陽はそれまでよりは穏やかにゆっくりと進み、その熱と苛烈さとは和らいでくる。今や大地はいかなるものも生まず、ただ成熟を楽しむに留まる。これらの星は、天秤宮［天秤座］の位置まで太陽につき従ってともに進むが、その時、緑なす力は後退して乾燥が広がり、緑なす力と乾燥とは天秤にかかったような状態となる。そこで二つの惑星は別れ、双児宮のところでしたのと同じように、一方は太陽の片側へ進み、他方は別の側へと進んでいく。

こうして二つの惑星は太陽を天蝎宮《てんかつ》［蠍座］にまで導き、二つのうち一つの惑星はそこに留まる。やがて別の惑星が太陽に近づいてくる。その惑星とは巨蟹宮の下に来た惑星のことである。巨蟹宮の位置で太陽に近づき、先になり後になりしていた二つの惑星は、今はまだ太陽とともにあって、太陽とともに前進している。やがて天蝎宮の下では地を這うものすべてが自分の穴を捜し出し、冬中、その穴の中にこもるようになる。先に触れた二つの惑星は太陽とともに人馬宮まで進み、そこに留まる。

次に人馬宮の中では、それまでのように太陽とともに進む惑星はなく、太陽は単独で穏やかに、かつ滑らかに進むことができる。というのもこの時、太陽は低い位置に下降しようとしているからである。それは例えていえば、川を下る船のオールが利かなくなり、流されるままにゆるやかに進んでいるようなものといえようか。太陽は下降状態にあるので、その熱はほとんどが大地の下か、大地からは遠く離れた水域にある。人馬宮まで太陽に随伴した二つの惑星は、上昇して雲の中に入り、その空気を普段以上に温める。もしそうでなければ、地上のすべてのものは消滅してしまうであろう。このようにして、二つの惑星は磨羯宮に至るまで太陽に仕える。これらの惑星は、太陽を以前のコースである上昇へと促し、太陽を補佐する。

太陽は天空の帽子のようなものであり、自ら姿を現わしてその熱を天空や大地、水域に分配するが、その分配は必ずしも均等ではない。熱は大地の中央部でもっとも強く、太陽により非常に強められている。そこでは動物だけでなく植物やすべてのものが、他の土地のものよりも強くできている。太陽の及ぶ力が遠い土地では、土地も、その土地の産物も、動物も、大地の中央部よりは弱くなる。ワインは強い熱を求め、熱から育つ。それゆえ、太陽の熱が強い土地では強いワインができる。穀物は温と冷の双方を求めるので、太陽の温と冷の双方を備える土地では、豊かな穀物に恵まれる。

14

産物の多様性

De fructuum differentia

ある土地は暑いが他の土地は寒く、また別の土地は温かいということがある。大地の上にある人間や動物、地上の産物は、この土地の状態に応じて成り立っている。すべてのものは一つの源から生じているが、太陽から多大な力を得ているものもあれば、そうでないものもある。

天空の堅牢性

De firmamenti firmitate

人間においてもその体が分解して四散しないように血管が支えているように、天空もまた分解して四散しないように星が抑制している。血管が足の先から頭の先まで体全体を経巡るように、星も天空の全体を経巡っている。血管を流れる血液が血管を鼓動させて脈拍を生じるように、火は星の中で跳ね、飛び散るように動きまわって星を揺り動かし、閃光を発する。

時々の人間の業に応じ、星の中で嵐がまき起こるようなことがよくあるが、惑星の場合、太陽と月から受ける影響を除いて、あるいはもっと大きな兆候を示す時を除いて、こうした人間の業に常に影響されているわけではない。血管が人の足から頭へと上昇するように、どの星も自分の位置するところから天空全体を突き抜け、上昇してゆく。人間の肝臓の中を走る血管が肝臓に血と熱を与えるように、星は天空全体に輝きと熱とを与えている。星は天空の全体に配置されており、その数は、昼、私たちが天空に見るものも、夜、私たちが天空に見るものも同じである。星は、昼の間は、太陽の強烈な光によって隠されているに過ぎない。太陽の光は星の光よりもずっと強力であるために、昼間、星は見えないのである。それは例えていえば、リーダーが指名されると控えめになるが、そのリーダーが引き下がると、とたんに前に出てくる普通の人のようなものである。もしそうでなければ、星は昼間でも夜と同じに見えるであろう。

15

星の意味
De stellarum significationibus

星は人間がその行いにおいてどのように身を処したかに応じ、時として数々の徴を表わすことがある。しかし星は、未来の出来事や人間の思いを予示するのではなく、人間がその意思によってすでに露わにしたもの、あるいはことばや行いによって示していることだけを表わす。空気はこうした人間の業を採りあげる。それを空気は星に伝え、こうして星は、人間の所業をただちに表わす。しかし神は、星が人に光を与え、人に仕えるように、人のために星を造られた。奴隷がその主人の意思と業を証《あか》しするように、星も人間の業を証しするためにある。魂がまずは人間の体の中で輝き、やがて自分の仕事にとりかかるように、星は天空に輝き、人が何ごとかをなす時、その業を表わすのである。

惑星の意味
De planetarum significatione

太陽や月、あるいはその他の惑星が人間の業を表わすことは稀《まれ》である。もしこれら惑星が何かを表わすとすれば、それは公事《くじ》に関わる大事を意味する。もっとも高い惑星で、オクルス（oculus）――「目」と呼ばれるもの、そしてパウペル（pauper）――「貧しい男」と呼ばれ、月のすぐ上にあるもう一つの惑星は、ちょうど二本の釘のように天空の奥深くに配置されている。この二つの惑星は、雲に覆われた束の間にしか、人の目に触れることはない。未来の出来事を予兆する時、これらの惑星から雲の中に、ある種の光が現われる。予兆は、時として太陽の中にも現われる。この先、未来に不思議な出来事が起ころうとする時、これら二つの惑星が太陽に近づくことによって、太陽の中にその予兆が現われるのである。これら二つの惑星は、最後の審判の日の直前を除いて現われることはなく、またその姿の全貌を見ることもない。最後の審判の日に至れば、その時、これらの惑星は、およそ信じられないような仕方で、高所から地上に向け、その大いなる光を発するであろう。そして賢明な人々はこの光を見て、最後の審判が近づいたということを悟るであろう。

二番目に高い位置にある惑星で、ピューピラ（pupilla）――「孤児の少女」と呼ばれる惑星は、洪水を予兆し、また洪水をもたらす。この惑星は、今では星として姿を現わすことはないが、弓を使って矢のようなものを発射する。この惑星は時に応じて青白い光を発し、必ず起こる出来事を予兆する。二番目の惑星の次にある惑星はディヴェス（dives）――「豊かな男」と呼ばれるが、この星はまさに悪魔と戦おうとしているキリストを表わす。この惑星は今では星としてではなく、かすかな光としてその姿を現わすにすぎないが、未来に起こる不可思議な出来事を明確に示す。太陽の中に何かが欠けて見える時、あるいは通常とは違う色に変化する時、それは世界に起こる重大事の予兆を意味する。

16

夜明け

De aurora

朝、太陽が昇る時、太陽は空気のもつ冷と湿により赤く染まって見えるが、それは朝の冷と湿が人間の目に赤い色を送り届けるからである。同じように一日の終わり、すなわち夕方になると、夕日は空気の冷によって赤く見える。この時、太陽は西に向かって傾いているからである。夕方の星ヴェスパー（vesper）「宵の明星」

——それはコメス（comes）「友」とも呼ばれる——は、太陽の親密な友のようなものである。この星は穀物とワインの出来を、他の時よりもよいものとする。その後、パウペル（pauper）——「貧しい男」と呼ばれる惑星が際立つようになると、その名のとおりに兆しを表わし、豊かであるはずの地上の実りは、貧しいものとなるであろう。

月の意味

De lunae significatione

天空の奥深く、二本の釘のように配置された惑星により、月の中にある種の兆しが現われる。これらの惑星は予兆を表わすために太陽に近づき、焚きつけるにしろ、曇らせるにしろ、月を刺激する。無益な微風の放つ悪臭や、純粋な空気のもつ熱、有益な微風のもつ安定性や嵐の危険性、緑なす強い力をもつ空気や実りをもたらす空気、乾燥と欠乏をもたらす冬の空気など、こうしたあらゆる影響を月は受け取る。ワインを壜《びん》詰めにして蓄えておき、それを後で飲む男のように、月はこれらさまざまなものを自分の内に集めておく。月は満ちる時にこれらを自分の内に集め、欠けていく時にそれを飲み干すのである。

こうしてよい日もあれば悪い日もあり、有益な日もあれば無益な日もある。日によって強い日もあれば弱い日もあり、悪臭がする日もある。緑豊かな日もあれば、乾燥した日もあり、何も生み出さない日すらある。月がこうした変わりやすさを内に秘めているのと同じように、人間の湿という性質も、苦悩や労苦、知恵や繁栄ということに関しては、変わりやすさを内に秘めている。この湿という性質は太陽に帰すべきものではなく、むしろそれは太陽によって調整されるものである。なぜなら太陽は満ちもせず欠けもせず、一つところに留まっているからである。この湿という性質は、自ら変化することのない星に帰すべきではなく、むしろそれは月に帰すべきであろう。またそれは季節に帰すべきものでもない。なぜなら季節は、月によって調整されているからである。あるいはまたそれは、空気の微かな風に帰すべきでもない。空気の微風は、月の動きと一致する冬や夏の雨や乾燥に拠っているからである。こうしてすべてのものは、季節の母である月によって調整されているということができる。子どもがその母親に帰するように、すべての季節は月に帰する。

　空気と星とは、時により人間の業の影響を受けることがある。また時として神のご意思に引き寄せられて、自ら計らい、風を送ることもある。この微かな風により空気と星がもち上げられる時、月は動く。その動きに応じて、晴朗な日もあれば荒れる日もある。月は無数の危険と嵐に晒されるが、それは出産時の母親が幾多の危険と難儀に晒されるのと同じである。こうして月の導く季節は、健康な時もあれば不健康な時もあり、時宜を得たものもあればそうでないものもある。もし人がその定めどおりに生きていたなら、すべての季節とその季節に吹く微かな風は——今年の春は去年の春に同じく、また今年の夏は去年の夏に同じといった具合に——いつも均等に働いていたであろう。

　しかし人間が不従順に陥り、神への畏れやその愛に目を注がなくなると、すべての元素と季節とは、その定められた位置を越えてゆく。これは人間の内臓と同じである。人もその節度を越えると、内臓諸器官はそれに即して反応する。人がその悪行をもって義を踏み外せば、太陽や月は怒りを発して険悪になる。こうして太陽や月は、嵐や雨、旱魃《かんばつ》を引き起こす。人間の胃や嚢《のう》（vesica）▼15は、体のために栄養を摂取する。これら二つの臓器が食べものや飲みものを過分に摂取すると——元素が人間に即して働くように——これらの臓器は、嵐のように悪い体液を体全体にもたらすようになる。暑さ、寒さが適当な時期に種を蒔くからこそ、種は発芽し、実を結ぶことができる。猛暑の夏に種を蒔いたり、極寒の冬に種を蒔く愚か者がはたしているだろうか。もしこのようなことをすれば、種は死に、発芽することはないであろう。

18

生殖の時期

De tempore gignendi

子どもを設けるのに最適な年齢や月齢にまったく頓着せず、ただ自分の意思だけで、いつでも子どもが造れると思っている人がいる。こうしてできた子どもの体は、ひ弱で病気がちである。だがたとえ子どもの体にどのような欠陥があろうとも、神は自分の宝である子どもを、自分の手元に引き寄せてくださるであろう。心を尽くして純粋に祈り、自分の体の適切な時期を見極め、月の相［月齢］を正しく見定めねばならない。その祈りとは、自分の子どもが死なないですむように、時宜に適って授かりますようにと祈ることである。食べものの適切な時期をわきまえず、ただ胃に詰め込むだけの暴飲暴食家のようになってはならない。適切な時期を見極め、欲望に支配されてはならない。人は、子を設けるための適切な時期を見定めるべきなのである▼[16]。

男は未熟な少女に接近してはならない。若い娘になったならば接近してもよい。その時、女は成熟しているからである。男の場合、まだ髭《ひげ》の生えそろっていない年齢で女に触れるべきではない。髭が生えそろえば、それは子を設けるほどに成熟したということである。暴飲暴食する者や大酒飲みは、しばしばレプラ（leprosus：leprous）▼[17]を患い、手足が捻じれるようなことがある。これとは反対に、飲食を慎む者は、良質な血と健康な体を保つことができる。一方、常に激しい欲望と過剰な肉欲に突き動かされて、その欲望をとげる者もいる。生

15▼英訳では bladder（膀胱）となっているが、ラテン語原文 vesica は膀胱または胆嚢を意味する。ここでは胆嚢を指すと思われる。

16▼受胎時の月齢と生まれた子どもの心身との関連は「235 新月後の第一日」（p.385）以降に詳述されている。

17▼ヒルデガルト医学において lepra は「ハンセン氏病」［癩《らい》病］のみならず種々の皮膚疾患を含めて用いられる用語なので、本訳ではすべてレプラのままとした。

殖の嵐が体内に渦巻くと、男はかえって種をうまく放出できず、その種はしばしば無駄なものとなる。これに反して、種を正しく注ぎだす者は、正しい生殖能力をもっているということである。

元素
De elementis

元素は人間の性質をあまさず吸収し、人間は自分の内に元素を引き寄せる。人は常に元素とともにあり、また元素は人とともにある。人の血はそれに応じて満たされる。それゆえ聖書にはこう書かれている。――「天と地は、人間を嘆き悲しむ」[18]と。手に網をもち、それを振り回す者のように、人間の間の絶え間ない争いが、繰り返し元素をかき乱す。こうして人間は元素をかき乱しているのである。元素はこの人間の業に応じて、微風を発する。

19
月の影響
De lunae effectu

月の相を、それが神であるかのように受けとめたり、あるいは人間は月から本性的な力を受けているかのように思われがちであるが、人間の本性はそこまで月に支配されてはいない。人間の本性に対して月が何かを付け加えたり、取り除いたりすることもなければ、何がしかのものを作り上げることもない。しかし月は人間の生活や行動において、空気のような本性という形でその姿を現わすことがある。例えば人間の中の血液と体液は、月が活発に活動する時期の後に、顕著な影響を現わす。天候の良し悪しに応じて、月が空気をどのように動かすか、またその時、血液や体液がどのように充満するかということに応じて、人間の湿は自らの行動の内に空気の本性を引き込むのである。

怒りや憤り、かんしゃくや快楽、悲しみや肉体的な病により、あるいは人間の驚くほどに気まぐれな混乱によって血管が膨張するような時でさえ、人間の湿は自分の本性の中に、空気のもつ本性の影響を適宜受け入れている。それは調理された食べものが、その具材に応じた味を保ち続けるようなものである。しかし聖書に書かれているように、預言者においてであれ、善良で高潔な者においてであれ、人間の本性全体を貫くものこそ、聖霊なのである。聖霊は、あらゆる善き選択を通して、人間を自分自身へと導いてゆく。過ぎ行く太陽が嵐を清めるように、聖霊の注ぐ火の力は、人間の移ろいやすい本性を圧倒する。それはまさしく聖書に書かれているとおりである。「神から生まれたすべてのものは、世に打ち勝つ」(『ヨハネの手紙 一』5-4)。それゆえにこそ、人は罪を犯さないのである。それは例えていえば、ごくありふれた食べものがスパイスの香りに助けられて、本来のもち味よりもずっとよい味に変わるのと同じであり、ありふれた人間の本性は、聖霊の炎により、自分が思うものよりもずっと高潔な本性へと変えられてゆくのである。

天上的なものは地上的なものを打ち破り、圧倒する。それゆえにこそ、人はその本性において別のものとなってゆくのである。それゆえにこそ、すべての者は神にあって喜び、かの年経る蛇は蔑まれてきたのである。すでに触れたように、他のもっと小さな星は、人間のさまざまな日常的で些細な業を表わしている。雲が静かで、空気の中に風の動きも嵐や雨の動きもなく、星が現われて輝いていたのに、その後、雲が満天の星を覆って見えなくなり、一晩あるいは二晩、三晩と続いて空気が動かないような場合、これは何かの凶兆を表わすと考えるべきであろう。だが空気がまったく動かない場合であっても、雲が星の一部を覆い隠しているにすぎず、

18▼英訳注:『エレミア書』4-28。新共同訳聖書では「それゆえ地は喪に服し、上なる天は嘆く」となっている。

またその雲がすぐに消えてしまうような場合、それは凶兆を表わすものではない。

20 惑星は自らの本性からは何も表わさない

Quod planetae ex sui natura nihil significent

これらの惑星や星、あるいは雲それ自体の徳から意味が生まれるのではなく、神の赦《ゆる》しやご意思、あるいは神のご計画から意味は生まれる。神は自らの赦しやご意思、ご計画に応じて人間にその業を示すことを望まれた。それはちょうど硬貨の表が、その主人を表わすようなものである。

火の力

De viribus ignis

これまでいわれてきたとおり、神が世界を創られたまさにその時、火・空気・水・土の四元素は創られたのである。火は――それは天空の中で、また四元素の中でもっとも高い位置にあるが――五つの力をもっている。それは人間のもつ五感に等しく、激しい熱、冷、湿、空気、そして運動性という五つの力である。火が燃える時、熱がその適正な限度を超えることのないように、冷が火の働きを抑えている。水は火に湿の性質を与え、そうすることで、火は激しく燃えたつ。火は空気によって煽られ、火のもつ運動性によって駆り立てられ、こうして炎は輝くのである。

空気の力

De viribus aeris

空気は四つの力をもっている。すなわち露を降らせ、すべての緑に生気を与え、花を咲かせる微風を送り、すべてのものを成熟させる熱を放散する力である。それは空気自身が、いわば、世界の四つの要素を通して広がるということでもある。空気は、露となって芽吹くものに水分を与える息であり、こうして、これらすべてのものは緑に染まる。空気は微風となって花を咲かせ、その熱を通してすべてのものを成熟に導く。月や星の近くにある空気は、天体に潤いを与えているが、だからといって空気が天体の中で減ることはない。それは地上の空気が理性をもつ動物や理性をもたない動物の双方に対し、その本性に応じて生気を与えるのと同じであり、空気は大地に生気を与え、大地を動かす。これら地上の動物が死ねば、その空気は以前の状態に戻るであろう。つまり、空気が増えることはなく、以前と同じ状態のままである。地上の空気は大地を潤し、木や植物を緑に染め、成長を促し、活気づける。空気がこうしたものの中にある時、空気が不足するということはない。また植物が切られ、あるいは引き抜かれて、植物の中から空気が消え去る時であっても、空気が増えることはなく、以前と同じ状態のままである。

21

魂の力

De animae viribus

人間の魂は天から、すなわち神から人間の中に下り、命を与え、理性を育む。魂が人間を離れる時、魂は死ぬのではなく、生の報いへ向かうか、あるいは永遠に課される死の苦しみに向かうか、そのいずれかである。

水の力

De aquae viribus

水は十五の力をもつ。熱、空気、湿、氾濫、速度、可動性などである。水は木に樹液を与え、果樹に味を与え、草を繁らせる。水はその湿によってすべてのものを湿らせ、鳥を養い、魚を育て、その熱の中で獣の命を育む。水はその泡の中で爬虫類[19]を支え、すべてのものを養う。旧約聖書中にモーゼの十戒とモーゼ五書があるように、神はこれらすべてのものを、霊的な認識（spiritalem intelligentiam : spiritual understanding）に変えられるのである。

生ける源から、すべての不浄を洗い去る水が流れ出す。すべての動く生きものの中にある水は不安定であるが、動けない生きものにとって、水はすべての生きる力の源である火の熱を意味する。湿った空気の熱により、水は滴《したた》り落ちるのである。もし水に熱がなければ、その冷性により水は硬いものとなったであろう。水は熱によって流れ出し、空気の湿によって滴り落ちる。水は空気なしに流れることはできない。これら三つの力——熱・湿・空気の力によって水は素早く動くがゆえに、ひとたび水が限度を越えて流れ出すと、何ものも抵抗することはできない。水は木に樹液を与え、その熱により木はしなやかになる。

水はその温かな湿をもって、果実にその本性に応じた各種の風味を与える。草は流れる水の湿をもって緑に染まり、石は水の湿をもって水滴を結ぶ。なぜなら、水の湿はすべてのものに滲み入ることができ、こうしてすべてのものが弱まることのないように、水の力は万物を結びつけているからである。水はその穏やかな熱によって水鳥を育み、魚を養う。これらの生きものは水の中で生まれ、水の蒸気によって命を育んできたものである。水中に棲む動物は、水の熱によって生き、爬虫類は水の蒸気を通して呼吸し、生きることができる。このように、水はその力によって万物を育み、養っているのである。

22

素材［物質］と被造物の生命力

De hyle et creaturarum vivificatione

創造の初め、神のみことばが響き渡った時、創造された世界はいまだ冷たく、火というものはなかった。そして主の霊――それは火と命である――が水の表《おもて》を覆っていた。この霊が、それぞれの被造物に対し、その本性に応じて命の息を吹き込まれたのである。この息吹をもって、霊は被造物の中に火を灯《とも》された。こうして被造物は、その本性に応じて、その内に火と命をもつようになったのである。緑、すなわち生ける力は、主のみことばがもたらすものであるが、もし被造物が火と熱の中で支えられることがなければ、生ける力を保つことはなかったであろう。もし被造物の霊が、火の質をもつ命の礎《いしずえ》によって強められることがなければ、これら被造物は絶望的な悲惨の果てに四散し、死滅し果てていたであろう。

水の流動性

De aquae labilitate

主の霊は火であるとともに命であり、すべての被造物に命と存在とをお与えになったが、それと同じように、被造物の中にある水を流動的なものとされた。というのも、水は他の被造物を集め、養い、強めるからである。水はとらえどころなく不安定なものであり、無数の生をもたらせば、無数の死をももたらす。水は自らの内に他の被造物（quadam etiam in aliena genitura : certain things of unnatural procreation）[20]を養うが、これら被造物は水がなければ死んでしまい、生き延びることはできなかったであろう。水は、時として、これら被造物を殺すこともあ

19▼「34 爬虫類」(p.103) を参照。

20▼英訳では「不自然に生まれたあるもの」となっているが、ここはラテン語原文に従った。

る。それでも、水が水の経路を流れるところには、風もあれば火もまたある。

太陽とその水

De sole et aquis eius

太陽が天空の中央にある時に、あたかも太陽の中央にあって天空の心臓部にあるかのように見える水は、偉大なる力と広大な円周とをもっている。この水は太陽からの熱で密度が高くなっており、また空気によって強められている。この水は流れてはおらず、したがって流動することで弱まるということもない。この水は風によってのみ動く。時として太陽は水の中にある火を引き寄せることがある。そして風の嵐はこの水を集め、すべてを焼き尽くす炎のような巨大なうねりを生むことがある。すると炎が燃え上がるようにして水がせり上がり、水は火のあとを追う。こうして水と火とは、まるで丘や山のように高くもちあがる。しかしこれらの動きが止んで水の勢いが治まると、水は自らの種——すなわち火と水からなる塩を投げおろすが、それは植物が実って種を生むようなものである。[21]

23

塩

De sale

塩は火に由来して乾の性をもつ。また塩は湿に由来して水の味をもつ。

水の多様性

De aquarum diversitate

水の巨大な本体――すなわち海と湧き出る泉――からの流れは塩を含み、また他の水よりも強大な火と力をもっている。それは人間の心臓が体の他の部分よりも大きな力をもつのと同じである。そこから流れ出る大きな川さえ、他の川よりは大きな力をもっている。なぜなら、この川の水は、流れの中で生まれたり、掘り起こされた砂ではなく、天地創造以来そこにある原始の、無垢の砂上を流れくるからである。大地にとって水は液状の体のようなものであり、他方、水にとって大地は心臓のようなものである。なぜなら水は、人間の体が心臓を囲い覆っているように、大地を循環し、大地に注がれるからである。心臓が体を養うように、大地は水を支えている。

巨大な海が世界を取り囲んでいる。その水は天空の上にある水の一端のようにもみえる。なぜなら、天空の上方にある水の表面と、天空の下方にある水の末端とは、互いに接しているからである。これらの水の反対側には、書字板の平板のように互いに折りたたまれた、天空の複雑な層がある。この層が、水のさまざまな突出や氾濫を封じ込めている。魂が自分自身の内に、理性や知性、知識や感情をもつように、天空もまた自らの内に四つの元素を、その本性に応じて保ち、支えている。

これらの水は、その据えられた場所に、絶えることなく存在する。水は注ぎ込む時と注ぎ出す時に、その盾である大地を潤す。水はある時には大地の上で平坦であるが、ある時は波となって打ち寄せ、その嵩《かさ》を増す。そして水は再び雨となって注ぎ出す。こうして水は、大地という盾が流れ去ったり、あるいは崩れ落ちたりし

21▼ヒルデガルト『神の御業の書』に示される宇宙像では、地球を取り巻く六層のうち、太陽は一番外側の「明るい火の層」に位置し、その内側に「暗い火の層」、さらに内側の「エーテル層」に次いで「水の層」があるとなっている。この項で述べられる「偉大なる力と広大な円周をもった、流れることのない水」とは、この第三の「水の層」のことを指すと考えるのが妥当と思われる。「23 水の多様性」(p.89)、第二パラグラフを参照。

ないように、風と空気をもって大地を強めているのである。

創造の初めから東にある海の砂は、繰り返し、絶え間なく、大地の空気に触れている。それゆえ、香料(aromata：spices)やその他の薬はこの砂中にある。もしこれらのものが手に入るのであれば、人は病気に侵されることもないであろう。もしその砂と同じ石が露出していて、それが手に入るのであれば、人は病気や伝染病や腐敗から遠ざかることができるであろう。しかしそれを覆う水は膨大であり、かつまた水深も深いため、この石を手に入れることは不可能である。

24

海の流れ

De maris effluxione

東には大いなる深さの砂と岸とが存在し、そのため、この地域の豊かに広がる海が流れ出ることはない。しかし西や南、あるいは北の地域には、東のような大いなる深さの砂と岸とは存在していない。そのため、こうした地域では、これまでいわれてきたように、嵐のような火の力によって海が逆上すると、海は大量の水を繰り返し広い地域に注ぎ出すことになる。こうして海はその内に害をなす汚物を大量に寄せ集め、あるいは人や動物、鳥や虫の腐敗物を引き寄せる。それゆえ、こうした地域の海から流れ出る泉や川は、東の海から流れ出る泉や川に比べると不健康であり、良質ではないのである。

水の違い

De aquarum diversitate

東の地域の水から流れ出て、さまざまな土地に流れ込む塩分を含んだ泉や小川の水は、空気と調和しているので純粋である。その純粋さゆえに、こうした泉や小川の水は、やや緑がかってみえる。これら泉や小川の水は、砂の中を跳ねるようにして流れてくるので、健康かつ有益である。飲用として利用でき、また調理にも最適である。病人が頻繁にこの水を飲むように心がければ、それは軟膏のように働いて、悪い体液の蒸気や悪臭、腐敗を流し去り、健康を回復することができるであろう。しかしこの水を健康な人が飲むと、かえって体を害することがある。それというのも、水はその人の中に清めるべきものを見出せず、かえって内臓を傷めるからである。

東の地域から流れ出る川の水と、同じ東の地域から湧き出る泉から流れ出る水――塩分を含まず、東から流れる水――は、ともに純粋であり、好ましい冷たさで、見た目にも美しい色をしている。これらの水は適度に温かく、適度に冷たいので、料理や飲用、風呂や洗濯などに使うことができる。しかしこの水を手に掬ってみると、少しざらざらして刺すような感触がある。

西の地域から流れてくる塩辛い水には、渦のような乱れがかすかにある。加熱すれば少しは清められるので、食材といっしょであれば調理用に使えるが、生水のまま飲むのは危険である。というのも、西の海では、水は死者の屍や不潔で腐敗したものなら、なんでもひき寄せてしまうからである。どうしても必要である場合や水がない時には、この水を使うしかないが、飲用として使う時には、まず沸騰させ、その湯冷ましを飲むようにすべきである。

しかし西――そこで太陽が沈むため、太陽の力が弱い地域――を源とし、この西から流れ出る塩気のない川と、西に源をもち、そこから勢いよく流れ出る無塩の泉の水は、白くかつ濃いものである。これらの水は、温めても冷ましても、完全なものとはならない。というのも、ここ西の地域では、熱も冷もともに弱いからである。太陽に温められていないこの水は、飲用や洗濯、入浴には不向きである。どうしても使わなければならない時には、沸騰させ、適当な温度に冷ましてから用いる。調理に用いる場合は、食材といっしょに強い熱を加えれば、使えなくもない。

海の南にあたる地域に源をもつ塩辛い水は、泉の水であれ川の水であれ、やや白っぽく、あまり清潔なものではない。この水には毒性があり、食用にも飲用にも適さない。毒のある小さな虫やわずかに毒をもつ小動物は、寒さから逃れてここに避難してくる。ここには熱があるため、水の中でその体を洗い清めて寛ぐことができ、快適に棲めるからである。これらの虫や小動物は塩の性質をもっているので、熱には耐えられるが、冷に対しては弱いのである。

川と泉から湧き出る塩気のない水が、南の地域を水源として生まれる。この水は、その地域にある熱によって温められている。もしこの水が他の水と合流せず、単独で流れてくる場合、この水がもつ火の熱を抑えるのは困難であろう。というのも、この水は消すことのできる火（extinguibilibus ignibus：extinguishable fires）[22]に長い間、触れており、またその火に由来しているからである。そのため、この水には火の熱が浸み込み、十分に加熱されているので、この水を調理やその他の用途に用いることは可能である。この水は、冷たい川に合流すると直にかき立てられて波となり、すぐに泡を発して銀色に近い色に変化する。火の熱によって鍋の水が清められるように、この水のもつ粗さは熱によって取り除かれており、食用や飲用、あるいは風呂や洗濯に利用できる。しかしこの水を使うと人は肥《ふと》り、体は黒ずんでくるであろう。

東の地域に隣り合う北の地域に源をもち、そこから流れ出る塩辛い水は有害であり、動物だけでなく人間までもすぐに病気にしてしまう。というのも、この地域では寒暖の変化があるため、ここで生まれた塩は、健康な力をもっていないからである。それゆえ、この水は食用にも飲用にも適しておらず、また他の用途に用いられることもほとんどない。

同じく東の地域から流れ出る塩分を含まない水は、冷の性質をもっているが有用である。というのも、この水は東から吹く空気にいくらかは接触しているからである。この空気は温かすぎもせず冷たすぎもせず、適度であって健康的である。この空気は、世の初めからそこにある山々を吹き抜けてくる。その空気は生ける大地から生まれた羽毛のようで、他の空気よりも有益で健康的である。この水源から流れ出る川や泉の水は清潔であるが、少し混じり気があって水の味がせず、ワインか何かのような香りがする。水腫や麻痺を患って苦しんでいる人がこの水を飲めば、効果を発揮することがある。この水の性質は、正しい性質をもった水を含めて、他の水の性質に影響されることはない。この水にはもともと刺激性があり、側を流れる水の性質を妨げ、圧倒する。このように、他の水の性質を妨げるため、食用や飲用、入浴や洗濯には適していない。

しかし北の地域の中央部を源として流れ出る塩辛い水は、人間だけでなく動物にも適していて有益であり、食用や飲用、あるいは他の用途にも適っている。というのも、この水は熱すぎもせず冷たすぎもしない適度な空気の中にあるからである。実際この水を飲めば、悪い体液を体の内側から清めることができるであろう。

同じ北の地域の中央部を源として流れ出る塩分を含まない川と、滔々と湧き出る、塩分を含まない泉の水は清潔であり、鉄色の混じった水晶のような色をしている。こうした川や泉の水は非常に冷たく、またきわめて有用である。この水には不浄なものがなく、悪臭も毒性もない。というのもこの水は、さまざまに変化する太陽の影響を受けていないからである。この水は適度な水の風味をもち、人間や動物の食用あるいは飲用として

22▼ムリニ版脚注では、該当語 extinguibilibus が「断片資料」(Fragmetum) においては inextinguibilibus「消すことのできない」となっている事実を示している。フランス語版はこの脚注を採用し、inextinguible と修正している。文脈上はこの方が正しいと思われるが、ここは英訳――ラテン語原文のままとした。「233 罪の浄め」(p.381) を参照。

有用なだけでなく、医薬用としても用いることができる。

しかし西側の北の隅から流れ出る川と泉の塩辛い水は、少し黒ずんでおり、清潔でないため、食用にも飲用にも適していない。この水は死をもたらすであろう。西に隣り合う北の地域には、死んだ時以外には見ることも触れることもできない、大きくて獰猛な虫がいるからである。この水はこの虫の食物であり、この水を吸ったり吐いたりしている。この水は熱と寒とを併せもっているため、危険である。この虫はその性が冷であるので寒冷に耐え、熱のない状態に耐えてここに棲むことができる。

同じ西に近い北の地域から流れ出る塩分を含まない水は清潔で、白っぽい色をしている。この水は、動物や人間の食用、飲用には適しておらず、また他の用途に使うのも危険である。この水はほとんど消化されないため、この水を使うと、人の体はすぐに腫れだしてしまう。この水には毒が含まれており、人間の内臓に潰瘍を起こすからである。病人がこの水を飲むと衰弱を早める。健康な人であっても、この水を消化するのは困難であろう。

この同じ北の地域にある水の性質は、他の東や南、西の地域——水が太陽の熱に覆われて温められている地域——の水の性質に比べると多様で複雑である。北の地域には太陽が近づかないため、そうしたことが起こらないからである。

沼地の水は、大地のどの場所であれ、すべて毒性をもっている。というのも、この水は大地の有害で不適切な湿気と、虫の吐き出す有毒な唾液を含んでいるからである。どうしてもこの水を使わなければならない場合でも、洗濯を除き、飲用など人間の用途に供すべきではない。他に水がなく、どうしても飲まなければならない時には、必ず煮沸し、その湯冷ましを飲むようにする。この水を使って作ったパンや食べもの、ビールは、ある程度なら口にすることはできる。調理することで、水は火によって清められるからである。

沼地から湧き出る井戸水や泉の水は、単なる沼地の水に比べれば、いくらかはましであろう。というのは、ある種の不純物が取り除かれているからである。この水は、さほどいいわけでも有用なわけでもないが、ある程度であれば我慢して使うことができる。この源から発する水そのものは、すべて有害である。しかしその源から遠く離れているのであれば、いくらかは使える。なぜなら、この水に含まれる有害で有毒な物質は、長い旅の間にろ過され、その毒性が消えてゆくからである。

地中深く掘られた井戸の水で、流れ出る水路をもたずに貯留されているものは、流れ出る泉の水に比べれば、食用や飲用、あるいは人間の他の用途には、より適している。流れ出る水路をもたない井戸水は、空気の穏やかな性質によって適度に調整されており、そのため、流れ出て動く泉の水に比べれば、穏やかな軟膏のような性質をもつのである。

湧き出る泉の水は苦く、その苦味は食材の持ち味に抗い、火によって食材が軟らかくなるのを妨げるため、この水を使って調理するのは容易ではない。この水は清潔で純粋ではあるが、ほとんど泡を含まないため、通常であれば調理によって清められるようには、食材を清めることができない。泉から湧く水は川の水よりも薄く、純粋である。というのも、この水は湧いて流れる場所の土や砂、あるいは石によって清められ、浄化されているからである。この水には不純なものがなく、すこしぴりっとはするが、わずかにワインに似た力があり、人間の飲用には適している。しかしこの水は粗く、調理に用いるには不向きで、目を洗っても害となる。

大地の高いところを流れる川の水は、太陽と空気が浸透しているために、濃密である。この水には、異なる性質の空気と元素が混ざり合っており、少し泡だっていて、飲用には適さない。この水は、山から下りてくる病的な原因となる蒸気と雲により、また時には、ある種の罰によって汚れた空気により、かすかな色を帯びている。この水は飲用には適しておらず、人間にはむしろ有害なものであるが、どうしても使わなければならない時には、煮沸して悪い泡を清め、その湯冷ましを飲むようにする。

調理によって清められれば、この水の風味はよくなり、それなりのものとなるので、どうしても必要な場合は、調理に使うことができる。山からときおり下りてきて病的な原因となる、悪い蒸気や険悪な雲、あるいは罰によって汚れた空気は、元素を汚し、川や井戸、泉の水と混ざり合う。そのため、この水は、死を運ぶ疫病のように、悪性の高い毒を含むことになる。もし人間や動物がこの水を飲めば、死に至るか、四肢が変形するか、衰弱するかである。それゆえ、煮沸せずに飲んではならず、沸騰して泡を吹きこぼし、毒を抜かねばならない。必要に迫られて、どうしてもこの水を飲まねばならない時には、必ず煮沸して、その湯冷ましを飲むようにする。空気によるのか、この水を浴びた鳥によるのか、あるいは、この水に漬かった死体の邪悪によるのか、その原因ははっきりしないが、この水に危険がないということはまったくありえず、煮沸したもの以外、決して使ってはならない。このことは肝に銘じておくべきであろう。

他の水域から流れ出る、純粋で澄んだ小川の水は、血流によって血管が清められるように、その水も清められている。こうした流れの水は、人間や他の動物のどのような用途にも適しており、有益である。しかし雨水には粗さがある。雨水は病人から悪臭や悪い体液、腐敗物を運び去るが、健康な人の中には清めるべきものがないため、わずかながらに害となる。貯水槽に貯められた雨水は柔らかさを増し、健康な人にも病人にも適ったものとなるが、それでも泉から湧き出て流れる水の方がもっとよい。太陽がこうした水のもつ熱を自分に引き寄せると、その水はひどく冷え、泡を発するようになる。これが雪である。この雪は地表を覆い、地上の緑を豊かにし、緑を養う。雪が地上の産物を傷めることはない。だが雪水には力がなく、また汚れているため、人の役には立たない。雪水を飲むと、潰瘍や湿疹ができ、内臓はリヴォルで満たされる。雨水を飲むと、その刺激によって胃のリヴォルが取り除かれることはあるが、内臓は興奮するであろう。

雪水を飲んだとしても、渇きが十分に和らぐわけではない。というのも、雪水には力がなく、また早く消化されてしまうからである。厚い雲から大量に降り注ぐ霰《あられ》や雨は、危険である。同じように、豚や他の動物の毛を刈りとるために用意した水を、たとえ煮沸したものであれ、食用や飲用に使うのは危険である。裂けた雲から降り注ぐ雨や霰の水を飲む者は、誰であれ、長い間、衰弱し、体の肉はひび割れてくる。そのため多くの人が死ぬことすらある。

30

土の力

De terrarum viribus

土本来の性は冷であるが、七つの力を併せもっている。その小さな粒子ゆえに、土の性は夏の間は冷であるが、冬の間は温となる。土はその中に緑と乾とをもっている。土は芽吹きをもたらし、動物を養い、万物を支える。神は六日間お働きになり、すべての被造物が人間に仕えるようにされてのち、七日目に休息された。夏の間、大地の下は冷えている。夏のその時期、太陽はその強い光によって作物をもたらすからである。冬になれば、大地の下は温かくなる。もしそうでなければ、大地は冷と乾によって引き裂かれてしまうであろう。

こうして大地は温の中で緑を現わし、冷の中で乾を現わす。冬になると大地の上に太陽は乏しく、その熱は大地の下に留まるが、そうすることで、地上では種々の植物が発芽の準備をするようになる。こうして温と冷とを通して、すべての芽は芽吹くのである。温と冷双方の働きにより大地は堅固なものとなり、その堅固さをもって、地上を動くすべての動物が大地に沈みこまないように支え、またすべてのものを効果的に支えるであろう。月が満ち欠けするように、大地が適切な時期に芽吹き、適切な時期に芽吹き終えることができるように、神は、大地をそのような位置に据えられたのである。

木の芽吹き：穀物そしてワイン

De arborum germine

東の地域に生える樹木は、東の水で潤っているためによく成長し、また種々の果樹もよい実を結ぶ。この果実の味はよいが、日もちはしない。ここで採れる穀物の粒は小さく、大きくない。というのも、この土地にはやや湿があるからである。穀物が豊かに実るためには、土地はやや乾いている方がよい。というのも、穀物には熱よりも極度の冷の方が害を与えるからである。穀物は、どちらかといえば乾を好む。東の地域にあるブドウ園は最適であり、きわめて上質なワインを生む。

水辺に接した東の地域に生える庭先のハーブやその他の植物の中で、東から流れてくる水で潤う植物は、非常に丈夫で、よい香りをもち、薬用としても価値があり、食用にも適している。こうした植物に虫がつくことはめったになく、これらの植物を虫が食べることもほとんどない。こうした植物は熱と冷がほどよく調和しているので、虫の方が逃げ出してゆくのであろう。というのも、こうした虫は、悪臭を放つ湿そのものだからである。これらの虫は、空気の泡から育った芋虫や、それと同類のものたちである。

西の地域に生える樹木は、西の水で潤っているために、よく成長する。しかし大地に接し、その湿に触れている植物の実には、やや害がある。高い木から採れる実は、高所の空気に触れているので、無害である。この実は味がよく、食べ過ぎても害にならず、日もちがする。西の地域で採れる穀物は丈夫であるが、栄養価は高くない。ワインは強いが、その味はまずい。しかし、西の大地は熱と冷の性質を併せもっているため、このワインは長もちする。

西の地域に生え、西の水に接して潤う山野や庭に生えるハーブは、肉体的な欲求、あるいは種々の興奮を引き起こす作用がある。これらのハーブは、性欲や怒り、不安や放浪癖をかき立てる。こうしたハーブを食べると、楽観したり悲観したり、あるいは短気になったりすることがある。この地域では、温める働きをする熱と、冷ます働きをする冷とが急速に衰えることがないため、ハーブの液汁とハーブ自体の成長はよく、大きく育つ。この地域に生えるハーブは、生命力に富んでいるが、先に触れた無用な点では害となる。これらのハーブは、魔術やその他、幻覚作用を引き起こすためには役に立つが、人間の体にさして有用なものではない。というのも、西という地域は日が没し、夜が現われる所だからである。王が賞賛の中に立った時、悪意は雄叫びを上げ、至高の王を闇で覆うことを願った。しかし悪意と彼の軍隊とは、茫然自失したのである。[23]

南の地域から流れ出る水で潤う南の樹木は、熱を多く受けているためによく育ち、日もちする果実を豊かに実らせる。ここでは穀物も豊かで、栄養価も高く、おいしく育つ。またワインも強い力をもっており、おいしいものができる。このワインは力強い南の熱に調整されているため、すぐに腐るようなことはなく、日もちする。ワインは冷よりも熱によって熟成し、熱よりも冷の方が害となるからである。南に生えていて、南からの水で潤う山野や庭に生えるハーブは脆弱であり、灰色をしていてすぐに枯れてしまう。というのも、この地域の空気には、適度の湿を欠くからである。この水は、食用や飲用にはあまり適していない。これらの水は乾きやすいものであり、薬用としてであれば、いくらかは役に立つであろうが、動物にさえ、さほどの役に立ちはしない。動物にとっても人間にとっても、この水から得るものはほとんどない。

北の地域で育ち、北の地域の水で潤う樹木は枯れやすく、リンゴやその他、同じような果樹の実は冷によって傷みやすく、あまりよく育たない。ここで穀物を育てるには大変な手間が必要となるが、その実は小さく、毒麦と混ざり合うようなこともある。だがその穀物は丈夫である。ワインも適度に育つ。しかし太陽の熱がワ

23▼「1 ルチフェルの堕落」（p.57）を参照。

インを適度に調整するということがないために、その味はぴりっとして苦く、甘みに乏しいものである。山野のものであれ庭のものであれ、北の水に潤ったハーブはあまり滋味に富まず、また薬用としてもさほど有益ではない。健康な人であれば、害になることはないのだが、病人には勧められない。というのも、この地域のハーブは適正な熱や湿を受けて生育しておらず、むしろ冷によって育っているために、成長が悪く、繁殖力に乏しいからである。

32
雨
De pluvia

大量に、そして頻繁に地上に降り注ぐ雨は、大地とその実りにとっては有害である。というのも、その雨には、ある種のリヴォルが含まれているからである。適度な雨は、有益である。それは大地を潤し、実りをもたらす。その性質は穏やかで、実際の利用に適う、純粋さと清潔さを兼ね備えており、豊穣な実りをもたらす。

BOOK II

人間の本性と病の原因

33

アダムの堕落　De Adae casu

神は人を創られた。そしてすべての動物は人に仕えるべく従った。だが人が神の御旨《みむね》に背いた時、人の心と体とは変質した。血の純潔は別のものとなり、その純潔に代わって精液という泡を放つようになった。もし楽園にとどまり続けていたなら、人は変わりなく完全なままであったであろう。しかし罪を犯してからのち、すべてのものは別のもの、すなわち苦いもの（amarum modum : bitter type）▼24へと変化したのである。

精液　De spermate

激しい熱情や欲望の熱で煮えたぎった男の血は、泡を放つようになる。それを人は精液と呼ぶ。例えていえば、それは火にかけられた鍋が、火の熱によって水の泡を吐くようなものである。

受胎　De conceptu

病気の男の精液から、あるいは衰弱したり腐敗したものの混ざった、ひ弱で未熟な精液から胎《たい》に宿った子どもは、生涯を通して非常に病弱であろう。こうして生を受けた者は、虫に喰われ、腐敗物を分泌する樹木のように、腐敗したもので満たされやすい。そのため、潰瘍や腐敗に見舞われやすく、またその人自身の腐敗が食べものの腐敗をも容易に引き起こす。こうした欠陥のない人は健康であろう。これとは反対に、精液が過剰である場合、その精液から生を受けた者は淫乱で不節制、心が弱く極端な性格となるであろう。

なぜ人間は体毛に覆われていないのか

Quare homo hirsutus non est

人間の体毛が薄いのは、人間には理性があるからである。人間は体毛や羽毛に覆われていないが、それは自分で自分を守ることができ、また行きたいところにはどこへでも移動できる、理性というものをもっているからである。男には髭が生えるし、女に比べて体毛も多いが、それは男が土から造られたからである。男は女よりも勇敢で、より大きな熱をもっており、また女よりも移動することが多いからである。それは雨や太陽の熱に覆われた大地が、ハーブや草を生い茂らせ、あるいは体毛や羽毛に覆われた動物を育むのと同じであろう。女に髭がないのは、女は男の肉から造られたからであり、また男に従順であることにより、大いなる平安の内にあるからである。土から生まれた爬虫類にも体毛はないが、それは地中に棲んでいるために、地上の動物よりも雨や太陽の影響が少ないからである。女もこれと同じであろう。

34

爬虫類[25]

De reptilibus

動物が人間に奉仕するために創られたように、爬虫類もまた雨や水が大地を潤すように、大地に穴を穿《うが》つことで人間の手助けをしている。そのために、これら爬虫類は、いつも大地の湿った場所にいるのである。彼らは大地をその息で温め、その泡と汗とで大地を湿らせている。こうして、彼らの掘る穴や吐息によって大地は

24▼「苦い」「甘い」はヒルデガルトにとっては基本概念である。「はじめに」を参照。
25▼ reptilibus（reptile）は本来「地を這うもの」の意で、爬虫類だけでなく蛙などの両生類や蜘蛛・ミミズなどを含む。

いくばくかの力を増し、地力を保つのである。湿った場所にいる虫は、大地の悪臭や腐敗物よりも毒性をもっている。雨や露が大地の表《おもて》を洗い、また太陽が温めてくれるおかげで、大地の表層は清潔であり、清潔な収穫物をもたらすことができる。不浄なものや腐敗したものが大地の内部に流れ込み、そこから毒をもつ虫が発生するのは、人間の腐った排出物から虫が湧き、人間を害するのと同じであろう。

こうして、虫も土の中に生を受け、土によって育つが、通常、これらの虫には骨がない。彼らにとっては、その毒が骨や血のようなものであり、毒は自分自身を強める働きをする。中には体毛のないものもあるが、それは彼らが土の湿から生まれたからである。彼らは地表を逃れて地中に棲息しているため、空気や、空から降りる露、太陽の熱を浴びることがない。空気や露、太陽の熱を浴びている他の動物は体毛をもっている。彼らは人間やその他、自分より高い場所で暮す動物とは正反対の性質である。これらの虫は人間や動物に対して敵意を抱き、その毒をもって殺し、あるいは害を与えることがある。だが毒をもっていても、中には人間や動物の薬用として利用できるものもある。体の全体ではないが、その一部分が土のよい湿に由来するからである。土のよい湿は良質のハーブを育て、蛇を貪り食う牡鹿は若さを保ち、強壮である。

空を飛ぶ生きもの

De volatilibus

空を飛ぶ生きものは、動物であれ獣であれ、人間にとっては有益であり、あるいは有益となる可能性がある。彼らは神の定めに従い、その命を空気から得ている。そのため、彼らは地上をあちこちと飛びまわる。一方、虫や爬虫類はその命を土の生気から得ているので、大地の上や下にいてさえ、嬉々としていることができるのである。

35

魚

De piscibus

魚は、川の湿った空気から命を得る。それゆえ、彼らは水の中に棲み、乾燥には耐えられない。魚が死ぬと、体の中の命は、暑さに溶ける雪のように消えてゆく。残ったものは空気に、あるいは大地の液汁（succum terrae : the sap of the earth）に、あるいは自分の生まれた川の水っぽい空気の、そのいずれかに変化する。干からびたがゆえに消滅したものが、他の生きものに命を与えることはない。それは例えていえば、木やハーブが切り倒されて、その中の液汁や緑が干上がってしまうと、他の植物の緑を蘇らせることができないのと同じである。それと同じように、理性をもたない野獣の命でさえ、干からびて水分をなくしてしまうと、もはやいかなる動物に対しても、命を与えることはない。もはやその命は存在せず、完全に消滅したからである。

受胎の諸相

De conceptus diversitate

男が自分の強い精液を注ぎ出したいという欲望をもって女に近づく時、男が女を正しく敬愛しており、女もまた男を敬愛しているならば、男子を孕むであろう。それは神の定めであり、それ以外のことはありえないのである。なぜなら、アダムは肉よりも強い質料である土から造られたからである。こうして生まれた男子は聡明で高潔な者となるであろう。なぜならこの子は、強い精液と両親の正しい相愛によって胎に宿ったからである。

女の側に男への愛が欠けており、男の側にのみ女への正しい敬愛があって、その男の精液が強い場合には、男の敬愛がまさっているがゆえに男子を孕むであろう。しかしこの男子はひ弱であり、高潔な性格でもない。

それは女の側に男への愛が欠けているからである。

男の精液が弱い場合でも、男が女へのひたむきな愛をもっており、また女も同様である場合には、高潔な女子が生まれるであろう。もし両親のうち、どちらか一方だけが相手を正しく敬愛しており、かつ男の精液が弱い場合には、その弱さゆえに女子が生まれる。

たとえ男の精液が強くても、男女が互いに愛し合っていない場合には、男子が生まれる。種が強くても両親が辛らつな［苦い］(amaritudine : bitterness) 関係にあるがゆえに、その子も辛らつな［苦い］性格となるであろう。

もし男の精液が弱く、両親のどちらにもひたむきな愛がない場合には、辛らつな［苦い］性格の女子が生まれるであろう。よく太った女の熱が男の精液にまさった場合、子どもの容姿はその母親に似ることが多く、痩せた女は、父親似の子を生むであろう。

36
病気
De infirmitatibus

体の中にある過剰な粘液によって、さまざまな病気に苦しむ人がいる。もし人間が楽園にとどまっていたなら、種々の病の原因となる粘液を、体の中にもつことはなかったであろう。もしそうであれば、その肉が損なわれることはなく、またリヴォルを生むこともなかったであろう。だが悪に同意し、善を見捨ててからのち、人間は大地——すなわち無益で害をなす植物だけでなく、良質で有益な植物をも生むという、善悪双方の水蒸気を併せもった大地に似たものとなったのである。

アダムの息子たちの血には、いくぶんかの悪も潜んでいて、それが有毒な精液に変化して、この精液から子どもが造られるのである。それゆえ、人の肉には潰瘍が生まれ、穴が開き、嵐や蒸気のような湿が起こる。そこから粘液が生まれて凝結し、人間の体に種々の病気が派生するのである。病は、人間の犯した最初の悪に由来する。もし、アダムが楽園にとどまっていたならば、体は最良の棲み家であり、快適で申し分のない健康を保てたであろう。それは強靭なバルサムの木[26]が最高の芳香を放つようなものである。だがそれとは反対に、いまや人間は自分の体の内に毒や粘液、あるいは種々の病気を抱えこんでしまったのである。

自制心

De continentia

節制しようと思えば節制できる人が慎みを失うと、その欲は非常に強いものとなる。こうした人は貪欲で、贅沢な食べものを見境なく食べる。これらの食べものがもとで、危険で有毒な、濃くて乾燥した粘液が体内で凝結する。この粘液は湿をもっておらず、むしろ苦くて硬く黒ずんだ脆弱な肉を作り上げる。彼らが栄養価の高い食べものに対して自制心を失えば、たちまち皮膚病を患うようになる。この粘液の苦味は、肝臓や肺の周りで黒色胆汁の蒸気に似た蒸気を発生させる。そのため彼らは怒りっぽく、無慈悲であり、その汗の湿は異常で、不潔である。ひどく虚弱というわけではなく、正直で大胆な性格でもある。こうした気質により、その怒りには暴君のような専横さと強欲とが潜んでいる。この気質の粘液は急速に消耗し、また粘液の力が非常に強いため、命を失う人もいるが、中にはこの粘液にもかかわらず生き延びる人もいる。

26▼バルサムと呼ばれる樹木類が分泌する樹脂で、強い芳香を発する。『フィジカ』では「バルサムは高貴な資質をもつ」とされている。

37

不節制

De incontinentia

生来情欲が過剰で、またその抑制が利かない人の中には、病気に罹《かか》りやすい人もいる。このような人は湿った粘液に満たされている。その原因は、卑しむべき体液が体内で発生し、その有害な粘液が体内で凝結するからである。この粘液は頭と胸に悪性の蒸気を送り込む。この蒸気を生む、胸の中にある粘液の湿は、胃の中に冷たい湿を作り出す。頭の中にある粘液の湿は、聴力を弱める。この粘液は、胃と耳の中にあって、有益なハーブや果物を傷め害を与える雲のような状態である。しかしこの粘液は湿をもっているため、肺を傷めることはない。この粘液が脾臓を傷めるようなことがあるが、それは脾臓のもつ脂質が、この粘液の湿と合わないからである。もし脾臓に湿があれば、脾臓はたちまち液状化してしまい、溶けてしまうであろう。この粘液は心臓を弱める。心臓はその完璧な剛毅さを常に保つために、いかなる時にも過剰な湿を拒むからである。こうした体質の人は穏やかであり、また愉快な性格であるが、その一方でのろまでもある。こうした人たちの内のいくらかは、かなり長寿であろう。この粘液が彼らを殺すことはないが、完璧な健康をもたらすということもない。彼らのうちのある者は短気だが、その怒りはすぐに治まり、善良で幸せそうに見えるが冷淡でもある。その態度はくるくると変わり、また小食で満足する。彼らは三つの粘液（乾・湿・生ぬるい）の働きにより、水の泡のようなものを自分にひき寄せる。その泡は血管や髄や肉に毒矢のようなものを送り出すが、それはちょうど沸騰した水が泡を吐き出すようなものである。▼27

38

粘液質

〈De〉flegmaticis

こうした人には種々の粘液が湧き起こる。この粘液は過度な飲食やぬか喜び、悲しみや怒り、節度を越えた肉欲などによって頭角を現わす。そして、火にかけたヤカンの水のように粘液が噴き出し、火の滴のようなものを吐き出すようになる。肉や血や血管に矢のように注ぎ出された粘液は、目の前に広がる苦い蒸気のように、非常に深刻な病を引き起こす。この体質の人はすぐかっとなるが、愛すべき善良な人柄でもあり、嵐が過ぎ去って太陽が顔を出すように、その怒りはすぐに治まる。彼らの粘液の質は強力であるため、すぐに一喜一憂するのである。このような体質の人が、相当な高齢まで生を全うするということはない。

メランコリア［鬱気質］　De melancolicis

悲しみやすく臆病、しかも心が空ろであるために、正しい気質や正しい状態を保てないような人がいる。この気質は、あらゆる植物や果実に害を与える強風のようなものである。この気質から湿っぽくも濃くもない、いわゆる生ぬるい粘液がこの人たちの中に育ってくる。それはリヴォルのようで粘っこく、ゴム質の松脂《まつやに》のように伸びる性質をもつ。この粘液がメランコリアを引き起こすのであるが、このメランコリアこそ、アダムの種から最初に生まれた蛇の吐息に起源をもつものである。なぜなら、アダムは食べものについて蛇の勧めに従ったからである。[28]

27▼ここで使われる「生ぬるい」（tepidus : tepid）の語は、本書においては体液状態を示すものとしてしばしば用いられるが、前出『スキヴィアス』の中では「魂の生ぬるさゆえに緩慢に善行をなす者」（第2部　第7の幻視）というように、魂の弛緩した状態——無気力でたるんだ状態を指す語としても用いられている。

黒色胆汁

De melancoliae morbo

黒色胆汁は黒くて苦く、すべての病を引き起こす源である。ある時は頭や心臓に病をもたらし、血管が破裂するような感じさえ与える。この黒色胆汁は、いかなる慰めも疑念[29]で覆うという悲しみをもたらす。こうした人は、天上的な命の喜びを感じることも、地上的な慰めに喜びを感じることもない。人がその初めに悪魔に唆されてリンゴを食べてしまい、神の戒めに背いたその時、この黒色胆汁はすべての人間にとって本性となった。このリンゴという食べものから、アダムとその子孫に黒色胆汁が生まれ、この黒色胆汁が人間の中であらゆる病気をかき立てるのである。

先に述べた粘液は生ぬるいため、前に触れた二つの粘液のように黒色胆汁の力を弱めることはない。湿った方の粘液ともう一方の濃くて苦い粘液は、黒色胆汁に対して強力な抵抗力をもつ。それは火にかけられたヤカンが、炎が高く上がるのを抑える役割をするのと同じである。こうした気質の人は怒りっぽく、神と人に対し、多くの恐れを抱く。この気質の人の中には、まれに長生きする人もいる。というのも、この粘液は人を完全に殺すことはないかわりに、完全に元気にすることもないからである。それは殺されるでもなく釈放されるでもないままに、幽閉され続けている人の中でよく起きることである。このようにして、人間は——これまでいわれてきたように——世界が四つの元素で成りたつように、四つの体液により成っている。

39

元素の連関

De elementorum commixtione

神は互いに分離することのできない四つの元素をもって、世界を一つのものとした。もしこのうちの一つの元素でも他の元素から切り離されれば、世界は存続しないであろう。元素は互いに分離できないように鎖で繋がっている。火は空気にまさって空気を支配し、空気をかき立て、空気よりも強い。空気は火の次に位置し、ふいごのごとく火を燃やし、火を調整する。こうして火は空気の体であり、空気は火の内臓、翼、そして羽毛である。人の体が内臓なしにはありえないように、火もまた空気なしにはありえないのである。空気は火を煽るが、火は空気なしに燃えることも輝くこともない。また水にとって、火は熱情と熱を意味するが、水が流れるのは、この火があるからである。

もし水が火の熱を内に秘めていないとしたら――それは氷をみれば実際わかることであるが――水が液体であることはなく、また流れることもなく、鉄や鋼よりも強靭で、分解不能であったであろう。水とは、冷たい火のことである。水は、火を消すことができるがゆえに、火よりも強い。創造の初め、大地は空しく、何ものも存在しなかった時、水は冷たく、また流れてもいなかった。だが主の霊が水の表を覆い、水を温められたことをもって、水はその内に熱を含んで液体となり、流動するものとなったのである。

これと同じ水の冷性が、その本性として、自分自身の内から火を発するのである。それゆえに水の冷性とは熱いものである。水はその内に火を含んでおり、火は本性として水の中にあり、火は水の冷性となる。もし水がその内に火を秘めていなければ、水が流れることはなかったであろう。そしてもし水の冷性が火の内になかったとしたら、火は決して消えることなく、燃え続けていたであろう。

28▼旧約聖書『創世記』によれば、蛇の勧めに従ってまずエヴァが禁断の知恵の木の実を食べ、次いでエヴァに勧められたアダムも口にしたとなっている。これがいわゆる「原罪」と呼ばれるものであるが、ヒルデガルトの原罪理解については、「はじめに」を参照。

29▼単なる「疑い」ではなく、神の愛への疑いという人間の根源的な不幸を指す語で「癡（チ／おろか）」の字をあてるのが適当であるかもしれない。

火は土を調《ととの》え、その作物を強め、乾かし、成熟をもたらす。しかし火がその節度と限度を越えて進むことのないように、土は火の妨げとなる。空気はまた風でもあるが、空気は火を抑えるだけでなく、火を助け、空気もまた水を助ける。空気は水の高下をしかるべき均衡に保っている。もし空気が水の高下とその流路を正しく保たなければ、水は過剰に流れ出し、その及ぶ限りのすべてを、水中に没してしまうであろう。

水は空気を機敏にし、素早く動かし、その滲出を豊かにし、その露を大地に送って肥沃にする。大地にとって空気は外套のようなものである。空気は土を調え、地上に露を送って土の熱と冷とを調整するからである。土は空気から肥沃さを引き出し、それを受け取るスポンジのようなものである。もし土がなければ、空気は土を実り多いものにするという、自分の役割を果たすことができないであろう。水は土が消え去ることがないように圧縮し、あるいは抑制し、土に対して、凝固剤のような役割を果たしている。土は水を支え、水を封じ込め、水の正しい流路を定める。土よりも上にある水が正しい流路を保つように、また土よりも下にある水が高まり過ぎることのないように、土は水を支えている。土は水をその下に隠し、土の下の水を封じ込めている。先に述べたように、土を肥沃にする露は、火と空気が混ざり合って生まれるものである。

40

露

De rore

夏、嵐の気配もなく、静かで澄み切った風の中で、火と空気が穏やかな均衡を保ちながら共同の役割を果たす時、火と空気の双方がまさにその時孕んでいる露が滲み出してくる。露は精液のように健康な手法で、実りをもたらす肥沃と豊穣とを、大地に降り注ぐ。

霜

De pruina

冬の空気が土の冷へと向かうと、空気と冷双方の結合と衝突により、霜が生まれる。この霜はハーブや花の芽吹きにとっては有害であり、土を乾燥させ、凍てつかせる。すでに触れてきたように、世界を構成する諸元素は、互いに強く結び合い繋がり合っており、分離することなどできないものである。空気なくして火はなく、水なくして空気はなく、土なくして水はない。火は空気より強い力をもっているが、空気と水は火よりも強く、そして土は、他の三つの元素に比べれば、豊穣と肥沃をもたらす力をもっている。ある元素の苛烈さは、他の元素の穏やかさで緩和され、ある元素の穏やかさは、他の元素の苛烈さで補われている。こうして元素同士の関係は、その本性からして、よく調和して節度を保ち、協調しあっているものであり、他の何ものも、これら元素をかき乱すことはない。ただし、諸元素が神の裁きに従って、火災や嵐や洪水、あるいは不毛をもたらす場合を除いては。

41

霧

De nebula

神の裁きに従い、山や低地やその他の場所に、時として黒い霧が発生することがある。この霧は広がったとみればすぐに荒れ狂い、険悪で危険極まりない悪臭を放つようになる。この黒い霧が世界を覆うと、人間や動物の間には、病気や疫病、死が広がり始める。あるいは、水の湿から生まれ、地上のものに軽く触れるように立ち込めた霧が、世界に広がることもある。この霧が、人間や動物に病気や疫病を広げる可能性はわずかにあるが、死に至らしめるようなことはない。この霧は、咲きかけた作物の花を傷め、果実に害を与え、木や植物の葉は、湯を浴びたように萎《しお》れて干上がることもある。

大きな熱と豊かな雲の空気、雲の湿から生まれる、別の種類の霧もあるが、この霧は危険なものではない。またある種の霧は大地の冷気と湿から生じ、また別の霧はさまざまな水から生じたりもする。こうした霧が、人間や動物、大地の作物に害を与えることはないが、こうした霧が生じた時に、その霧の本性は現われるのである。

朝、太陽が昇る時に赤く見えるのは、その時の空気の冷えと湿によるもので、それが人の目には赤く映るのである。これと同じように、夕方の太陽が赤く見えるのは、太陽が沈む刻限になると空気が冷えているからである。

42

四つの元素だけが存在する
Quod quatuor sunt elementa tantum

元素の数は、四つ以上でも以下でもない。この元素には二種類あり、それは高いものと低いものとである。高い方の元素は天上的なもの、低い方の元素は地上的なものである。天上の領域に生きるものは、触れることのできないもので、空気と火より成っている。地上の領域に棲むものは、触れることができ、形あるもので、水と土より成っている。

魂と霊
De anima et spiritibus

霊は、火と空気より成る。だが、人間という存在は、水のようでもあり、土のようでもある。

アダムの創造

De Adae creatione

神が人を創られた時、その素材は水とこねた土であった。神はその形象の内に、火と空気からなる命の息を吹き込まれた。火からなる命の息によって土は肉となり、命の息である空気から、土とこね合わされた水は血となった。

神がアダムを創られた時、アダムの造られる土塊《つちくれ》を、神は光輝で照らされた。こうして土塊は、外に手足の輪郭をもち、内に空洞をもつものとして象られた。次いで神は、その土塊の内側に、心臓や肝臓・肺・胃・腸・脳、目や舌、その他の内臓を配置された。

神がアダムに命の息を吹き込まれると、アダムの内実、すなわち骨・髄・血管は、その息によって強められた。そして息は、その塊の中で、異なる質のものとなった。それはちょうど、自分の巣に合わせて体をまるめ納まっている虫のようでもあり、あるいはまた、木の内に秘められた、緑のようなものといえようか。職人が銀を火に投げ入れれば、銀が違ったものになるようにして、アダムの内実は強められたのである。こうして、命の息は人間の心臓に宿ったのであった。そしてまさにその時、同じ塊の中で、肉と血は、霊の火によって造りあげられたのである。

髪の毛

De capillis

魂のもつ命の力は、頭、すなわち脳の中に、泡と湿とを送り込んだ。そのため脳は湿っており、この湿によって、頭には毛が生えてくるのである。

人間の内部

De interioribus hominis

魂には、火と、風と、湿の性質がある。それは人間の心臓全体を支配している。肝臓は心臓を温め、肺は心臓に触れ、胃は人間の体にあって食物を受容する容器である。知識は心臓に属し、感情は肝臓に、ふいごの機能と理性の回路は肺に属する。口は人間がものをいい表わすためのラッパであり、体のために飲食物を受け取る場所でもある。口は声を発するが、声を受け取りはしないように、耳は声を受けとるが、声を発することはない。

43

耳

De auribus

二つの翼のようにして、二つの耳がある。鳥を空中に羽ばたかせる翼のように、耳はすべての声音《こわね》を取り込み、そして聞きとる。

目と鼻

De oculis et naribus

目は人の小径《こみち》であり、鼻は人の知恵である。人間は、その他の部位の隅から隅まで、このようにして造られている。

人間の中の元素

Quod in homine sunt elementa

すでに述べたとおり、元素——すなわち火・空気・土・水は人間の中にあり、その中で各々の力は働いている。これら元素は、人間の行為の中で、回転する車輪のようにすばやく一巡する。

五つの力をもつ火は、人の脳と髄の中にある。人がその初めに土から造られた時、神の力で燃える火が、人の血の中で燃えていた。それゆえにこそ、人の血は赤いのである。火は視力において熱を、嗅覚において冷を、味覚において湿を、聴覚において空気を、触覚において動きを現わすであろう。

四つの力をもつ空気は、人の息と理性の中にある。空気は魂に仕えるが、人の中にあって魂は、人を支える生ける息でもある。息を吐いたり吸ったりする時、空気は、魂の飛翔する翼となる。こうして魂は、生きていることができるのである。魂は体全体を貫き、人に命を吹き込む火でもある。空気もまた火を燃え立たせ、火は、空気を通して、すべてのものを燃え立たせる。空気は、その放散において露を、その活力において生命力を、その運動性において微風を、成長において熱を現わす。しかしすでに述べた十五の力をもつ水は、人間の湿と血の中にある。[30]

[30] 水の十五の力について触れているのは「21 水の力」(p.86) であるが、そこでは「熱、空気、湿、氾濫、速度、可動性など」とし、木に樹液を与え、果実に味を与えるなど、具体的な例を八点あげている。また次項「血」(p.118) では水のもつ力について十点触れている。

血

De sanguine

血が欠乏しなければ水は人の中にあり、人の中で湿を生む。これによって人の命の力は活発となり、骨は互いにばらばらになることがない。水の冷性は人の血管を強める。この冷性によって血は流れ、小さな滴となり、そして体全体が動くのである。水は土を膠着するようにして肉を持続させ、肉を血で覆う。火は水の冷性にまさっている。それゆえ水は流れ、水はその火と冷性とをもって土を覆い、土を強めるのである。

寒冷（gelu：frost）は水を硬くして氷にするが、寒冷は石の中にあり、それゆえ石が軟らかくなることはない。それは人間の体の中にあって骨が硬いのと同じである。水は人の血において熱を、呼吸において空気を、完全な状態において湿を、清めとして洪水を、活気づけることにおいて俊敏さを、強めることにおいて液汁を、結実において味覚を、勃起することにおいて活力を、強さにおいて湿を、すべての関節において湿を現わす。土もまた、すでに述べた七つの力として人の肉と骨の中にある。肉は湿性であるが、これら土の諸力から肉は成長する。▼31

44

肉

De carne

土が火と水によって強められるように、人の肉は血管と湿とから成っている。寒冷は人の骨を稠密にする。しかし火はこれらすべてにまさる力をもっており、それゆえ人の中には強さがある。人の肉は土に由来しており、冷たい湿性をもっているが、血が体を温める。もし血が温めることをしなければ、肉はそれが以前そうであったように、土塊に戻ってしまうであろう。肉が血の熱で強められるのは、土が太陽の熱によって強められるのと同じである。肉はその柔軟さから血の色をしており、また土の力を含んでいる。肉は冷たい湿によって汗をかき、熱によって燃える。肉は土と同じように、冷なしにはもちこたえられないものである。

生殖　De generatione

熱と冷の働きによって人間は生殖可能となる。他の被造物とともにあって、人は幸せな生活を営み、子孫をもうける。人間の熱は活力の源であり、人間の冷は乾でもある。これらの性質により、すべてのものは発芽する。年老いてくると、外側の熱は内に戻る。そうでなければ、その人は生きておれないだろう。外側の肉は冷たくなり、内側を温める。そのため、高齢者は何をしてもすぐに疲れるようになる。人間が動物に餌を与える時、あるいは食用にする時でさえ、動物は人間の近くに居続ける。すべての被造物は人間の内にあり、人間とは、万物を内に孕む存在であるということができる。

土は、人間の肉とともに、熱において冷を、冷において熱を、成長において生命力を、弱さにおいて乾を、発生において活力を、繁殖において滋養を、そのすべての部分を支える中で憐みを現わす。人は、火から官能と欲望を、空気から思考と放浪癖（vagationem：wanderlust）を、水から知識と運動性を引き出す。

31▼「39　元素の連関」（p.110）、および「44　生殖」（p.119）を参照。

45

アダムの生命力

De Adae vivificatione

土であったアダムを、火が目覚めさせ、空気が動かし、水が満たし、こうして彼は完璧に動けるようになった。神がアダムを眠らせると、アダムの中で力が熟し、その肉は火によって温められ、空気によって呼吸し、そして水は水車のように体を駆け巡った。目覚めたのちのアダムは、天上については預言する者となり、あらゆる被造物の力とあらゆる技に関しては知恵ある者となった。

アダムの預言の賜物

De Adae prophetia

神はアダムに、すべての被造物をお与えになった。するとアダムは男性的な力をもって被造物に眼差しを注ぎ、こうして被造物を知り、それを認識することができた。なぜなら、人間とは、それ自身が全被造物の要約体であり、人の中には終わることのない命の息吹が息づいているからである。

魂の注入

De animae infusione

魂は体に注ぎ込まれて、呼吸となる。魂は神から送られ、肉体の業を通し、良し悪しいずれにおいても、その賞罰を負う。肉体の業とは、功罪の連鎖のようなものである。それは例えていえば、後になれば理解できることを、その時は理解できなかった子どもが、成長するに及んで、そのすべてを理解する知性を身につけるようなものといえようか。あるいはまた、自分の行いをあれこれ吟味しその愛おしさに夢中になっても、やがて年をとり、そういうことに疲れてくると、魂はより完全な状態を目指して前進を開始するようなものである。魂は国王のマントのように善行に包まれており、あるいは大地を水が覆い尽くすように悪行に覆い隠されている。しかし魂は、水が決まった場所を流れるようにして肉体を覆い尽くし、肉体を凌駕するようになる。肉の目は閉じていても、魂は、預言を通して未来を見るということがよくある。というのも、魂は肉体をもたない生の記憶をもっているからである。

アダムの眠り

De Adae somno

アダムが、最初の眠りから醒めた後に見た預言は、真実であった。なぜなら、彼はまだ罪を犯していなかったからである。しかしその後、預言には誤りが含まれるようになった。こうして土から造られ、元素によって目覚めたアダムは変化したが、アダムのあばら骨から造られたエヴァに、変化はなかった。

46

エヴァの奸策

De Evae malitia

アダムは大地の生気を受けて男らしく、また元素の働きによって強健であった。アダムの髄から生まれたエヴァは、土の質をもつ大地の重みに押しつぶされることがなかったので、空気のように軽やかで、鋭敏な頭脳をもち、快活な生活を送っていた。エヴァが一人の男から生まれたように、すべての人類はエヴァから生まれた。人間という存在は、二つの部分、すなわち覚醒と睡眠とに分けられるが、人間の体も二つの方法で養われている。すなわち、食べものによって回復し、眠りによって再生する。魂が肉体を離れたあと、魂はこれとは別の方法で、肉体とともに生きることになる。しかしその性が善である魂が、このことに耐えるのは稀である。そこで魂は、神に向かって叫び声をあげ、こういうのである。

「永遠に続く日々に生きたあの肉体に、私はいつ戻れるのでしょうか」と。

それは神が被造物のすべてを造った時、夜はまだ昼から分かたれておらず、一日は途絶えることのない光とともにあったからである。

アダムの追放
De exilio Adae

アダムが罪を犯してのち、夜が現われ、すべての元素はその巨大な闇によって暗いものとなった。その闇の中でアダムは追放された。この世の光を見た時、闇に覆われていたアダムは喜び、そして叫んだ。

「神が最初に与えてくださった生き方ではなく、別の生き方をしなければならないのだ」

こうして彼は、額に汗して働き始めた。神に背く以前、アダムとエヴァは太陽のように壮麗に光り輝き、その輝きは彼らの衣服のようであった。しかし神の戒めに背いてのちは、もはや以前のような輝きはなく、暗さの内に沈み込み、闇の中に居続けることとなった。もはや自分たちは、以前のようには輝いていない、ということを知った時、二人は自分たちが裸であることに気づき、自分自身を樹木のように木の葉で覆った。これは、創世記に書かれているとおりである。

神に背く原罪の以前、アダムは働きもせず、ただひたすら太陽のように輝いていた。なぜなら彼はそれまで、苦役というものを知らなかったからである。世の終わりの日に至れば、正しい者は、太陽のごとくに輝くであろう。それは聖書に書かれているとおりである。

「正しい者たちは太陽のように、その父の王国で輝くであろう」（『マタイによる福音書』13-43）

確かに、彼ら正しい者は、その聖なる功《いさお》によって光り輝くであろう。その時、彼らの聖なる功は、諸聖人のもつ光輝の中で、金の中にはめ込まれた宝石のように輝くであろう。

47 なぜエヴァが先に堕落したのか

Quare Eva prius cecidit

もし、アダムがエヴァよりも先に罪を犯していたならば、その罪はあまりに重く、救いようのないものとなり、人間は、手の施しようのない絶望状態に陥り、救いを望むことだけでなく、救いを望む可能性すらなかったであろう。しかし、最初に罪を犯したのがエヴァであったため、女は男より弱いがゆえに、罪からの救いのなさを、よりたやすく消し去ることができたのである。かつてアダムの肉と肌は、今の男よりもずっと堅く強いものであった。アダムは土から造られ、エヴァはそのアダムから造られたからである。彼らが子どもを生むようになってのち、肉はますます脆弱なものとなり、それが常となってしまったが、それはこの世の終わりまで続くであろう。

洪水

De diluvio

ノアの大洪水より前のこと、アダムが楽園から追放された時、水の流れは後の世ほどに速くはなく、また流動的でもなかった。水はある種の膜をその上部にもっていて、その膜が水の流れを遅め、緩やかにしていたのである。またその当時、大地はどろどろしたものではなく、乾燥して不安定なものであった。というのも、大地にはまだ水が注がれていなかったからである。やがて、神の至高の御旨により、大地に豊穣な実りがもたらされた。しかしそののち、人間は神を忘れ去り、神とともにあるよりは、他の動物とともに行動するようになった。その多くは、人よりも動物と親密になり、男だけでなく女までもが動物と交わり、動物と情を通わすといった具合で、神の御姿を忘却しているような始末であった。すべての人間は変質し、怪物のようなものに成り果ててしまったのである。そのうちのある者は野獣のような習性を身につけ、野獣のような声で走り回り、吠えまわるなどして、野獣同然の暮らしをしていたのである。

大洪水の以前、野の獣や家畜は、後の世ほどに粗暴なものではなかった。人間が動物を避けることはなく、また動物も人間を避けることはなかった。人間と動物とは、互いに怖れることがなかった。野の獣や家畜は、喜々として人間とともに暮らし、人間もまたそうであった。というのも、世の初め、人間も動物も、その起源をほとんど同じくしていたからである。野獣や家畜は人間を舐めまわし、人間もまた、こうした動物を舐めまわしていた。人間と動物とは互いに愛し合い、体をすり合わせるようにして離れることがなかった。しかし、アダムの生んだ息子たちは、神から与えられた理性に満ちていたので、このおぞましい行為に混じることをせず、聖なる生き方を堅く守ることを祈り願ったのである。それゆえ彼らは、「神の息子」と呼ばれた。

48

なぜ彼らは神の息子か

Quare filli dei

前項で述べたように、彼らは神に背いたものの息子たちであったが、動物と交わることだけはしなかった。彼らは、家畜と交わることを拒んだ人間がどこにいるのか、周囲を見渡し、探し求めた。探しあてた人間たちは、その姿形においてのみならず、家畜と交わることを拒んだがゆえにこそ「人間の息子」と呼ばれたのである。この人間の息子たちの娘を神の息子たちは妻として娶り、そして子どもをもうけたと、聖書には書いてある。

「神の息子たちは、人の娘を見た。娘たちは美しかった」（『創世記』6-2）と書かれているとおりである。ある種の野獣や家畜の中には、すでに述べたように、その当時の人間の本性に応じて、人間と交わるものがまだいたのである。こうしたおぞましい行為が、神の眼前で繰り広げられていた。というのも、この時すでに人間の中で神の存在は影を潜め、粉々に砕け散っており、一方、人間の理性は邪淫に溺れ、混乱を極めていたからである。それゆえ、創造の初めに水面を覆った神の霊は、とめどなく水を送り、洪水を起こされたのである。[32]

今、水が速く流れるのは、当たり前のように思われるであろうが、かつては水の流れを遅めるために、水の膜というものがあった。その膜が破れたため、水はその流れを速め、人々は溺れ死んだのである。水が大地に流れ込んだことで、大地は鉄のように引き締まり、こうしてすべての果実には、洪水の前よりも強く新鮮な樹液が与えられ、それ以前にはなかったワインが生まれた。洪水より以前に、大地とともに造られ、土に覆われていた石が、この洪水によって露出するようになった。こうした石の一部には、かつては一つの塊であったものが、割れてばらばらになったものもある。

32▼前項「47 洪水」（p.123）を含むこれらの不思議な記述は、『創世記』6-1～6-4に関するヒルデガルトの見解を示している。『創世記』には「神の子らは、人の娘たちが美しいのを見て、おのおの選んだ者を妻にした」（6-2）、「当時もその後も、地上にはネフィリムがいた。これは、神の子らが人の娘たちのところに入って産ませた者であり、大昔の名高い英雄たちであった」（6-4）という記述がある。なお、前記ネフィリムはウルガタ版ラテン語聖書ではGigantes（巨人族）となっている。

石の起源

De lapidum gingnitione

川の中にある、丸く透明な形の石を除けば、石は洪水より以前にも以後にも、新たに造られたものはない。石は大地とともに造られたものであり、今ある石は、洪水によって露《あら》わになったものである。

虹

De iri

次いで、神は天空を強め、水に抵抗するために、天空に虹を置かれた。虹は火の性質をもち、水の色をしているが、その色は水に対しては、ちょうど雲のように、非常に強い力をもっている。虹はこの火とこの色により、網が魚を捕らえて逃さないようにして水を保持するのである。

洪水ののち、知恵と力とが——以前にもあり、あるいは認められたものよりははるかに大きな知恵と力とが——人間にもたらされた。洪水の以前、大地のすべては人と野獣に満ちており、彼らは互いに水や森によって隔てられることはなかった。なぜなら、いまだ大きな川や森は存在せず、せいぜい泉や、狭くて簡単に渉《わた》ることのできる小川や、人間が容易に踏破できる小さな森などが、わずかにあっただけだからである。

洪水ののち、一部の泉や小川から水が流れ出して大きく危険な川となり、そして大きな森が繁るようになった。この川と森が、人間と野生の動物を隔てたことにより、人間と動物とは互いに恐れを抱くようになったのである。洪水の前には雨が降ることもなく、ただ大地を露が覆うばかりであったが、洪水によって大地は水に覆われ、締め固められたために、大地は自然に雨を求めるようになったのである。

49

地球の位置

De terrae situ

地球は小さく、天空の基礎近くにある。もし地球が天空の中央に位置していたならば、地球はもっと大きくなければならず、また地球の上と同じくらいに下にも厚い空気がなければ、簡単に落下し、砕けてしまったであろう。南の方角では、大地は山の裾のようになっている。そこでは太陽の熱はより強く、太陽と天空は大地に、より近くなる。北の方角では、大地は罰に対峙するように、高く聳《そび》えている。この方角では、天空も太陽も大地から遠いために寒冷が厳しく、また天空の深さも、より深くなっている。

人間は元素で構成されている

Quod homo constat de elementis

諸元素が世界を一つに結びつけているように、人間の体にとって、元素はその枠組みである。元素の流れとその働きは——ちょうど元素が世界中に流れ出て、忙しく立ち働いているように——人間が一つに統合されるように、その内部でほどよく按分されている。人間の中には火・空気・水・土があり、これら四つの元素によって人間は構成されている。人間は火から熱を、空気から呼吸を、水から血を、土から肉体を得ている。そして火から見ることを、空気から聞くことを、水から可動性を、土から歩く力を得ているのである。

元素がその役割を秩序立ててうまく発揮できている時には、世界は順調に機能している。熱や露、そして雨は、互いに節度をもって季節を分かち合い、しかるべき度合いで降り注ぎ、豊かな実りと健康を大地にもたらす。しかし、もしこれらのすべてが同時に、しかも季節はずれな時期に、頻繁に降り注ぐようなことになれば、大地は裂け、作物や健康は最悪の状態に陥るであろう。

これと同じく、人間の中で元素が秩序正しく機能していれば、元素は人間を守り、健康を保つことができる。しかしもし人間の中で元素相互のバランスが壊れてしまえば、元素は人間に病気をもたらし、人間を殺すことになる。人間の中に降りてきて、人間の中に存在する熱や湿気、血や肉のもたらす体液の凝結が穏やかで、適切なバランスを保ち、機能していれば、人は健康でいることができる。しかし熱や湿気、血や肉が見境なく、しかも同時に人間を襲い、過剰に降り注ぐようなことになれば、人間は衰弱し、死んでしまうであろう。アダムの犯した罪により、人間の中の熱や湿気、血や肉は、有害な粘液へと変質してしまったからである。

50

さまざまな粘液

De flegmatis diversitate

火の性をもつ熱から乾いた粘液が、空気の性をもつ湿から湿った粘液が、水の性をもつ血から泡だった粘液が、土の性をもつ肉から生ぬるい粘液がかき立てられ、引き出される。もしこれらの粘液のうちどれか一つが過剰となったとき、もう一つの粘液によって抑制されたり調整されたりすることがなければ、その人は衰弱し、死んでしまうであろう。もしそれぞれの粘液がしかるべき適量を守り、他の粘液によって相応の量を守るように調整されているのであれば、それぞれの粘液は、人の体を調和のとれた状態に保ち、健康にする。もし一つの粘液が支配的になった場合、もう一つの粘液はその下に忠実に従い、それ以外の二つの粘液はリヴォルとして節度をもって従うようになる。こうした作用が働くことにより、人の体は鎮まった状態でいることができる。

体液

De humoribus

四つの体液がある。二つの優位な体液は粘液と呼ばれ、それに次ぐ二つの体液はリヴォルと呼ばれる。首位の体液はそれに次ぐ（第二位の）体液よりも八分の三だけ多い。その下位［第二位］にある体液は、しかるべき量を超えないように、八分の五を調整している。首位の体液は第二位の体液を、このように凌駕している。この二つの体液が、粘液と呼ばれるものである。第二位の体液は第三位の体液を、第三位の体液は第四位の体液を、それぞれ凌いでいる。上位にある体液は、量的に下位の体液にまさっているが、下位の体液はその欠乏した分により、上位の体液の過剰を調整している。こういう状態にある時、人は鎮まった状態にある。

どれかある体液がその限度を越えた場合、その人は危険な状態に陥るであろう。もしいずれかのリヴォルが誤ってその適量を越えた場合、そのリヴォルが上位のものであれば、下位のリヴォルから鼓舞されない限り、そのリヴォルは、上位の体液に打ち勝つだけの十分な力を発揮することができない。あるいは、そのリヴォルが下位の場合、それより上位のリヴォルから補佐されない限り、そのリヴォルは、上位の体液に打ち勝つだけの十分な力を発揮することができない。

この種のリヴォルが適量を超えて過剰になった場合、他の体液を鎮めることは誰にもできないのである。ただし、神の恩寵により、サムソン[33]のように力に満ちた者、あるいはソロモン[34]のように知恵に満ちた者や、エレミヤ[35]のように預言の力に満ちた者、あるいはプラトン[36]や彼と同類の異教徒などの場合を除いては。もし彼らの中で今述べたような体液が猛威をふるったとしても、神の恩寵により、彼らは驚くべき強靭さを示すであろう。

33▼旧約聖書『士師記』に登場する英雄で、神の霊に満たされると素手で獅子を殺すなどした。

34▼ダビデの末子で、イスラエル第三代の王。夢に現われた神に、民を正しく裁くための知恵を求めて許された。旧約聖書「知恵文学」の父とされる。

35▼旧約聖書『エレミア書』の著者とされる紀元前七〜六世紀古代ユダヤの預言者。エルサレム滅亡などを予言した。

彼らは神の恩寵に恵まれており、重篤な変調をきたしてもすぐに回復し、病気に罹ってもすぐに健康を取り戻し、怯えてもすぐに勇気を回復し、悲しみに沈んでもすぐに快活さを取り戻すことができる。神は彼らが病めば健康にし、怯えている時は勇気を与え、悲しみの時は喜びを与え、こうして彼らを回復させてくださる。

もしも乾いた粘液が湿った粘液にまさり、湿った粘液が泡だった体液と生ぬるい体液にまさるとする。この場合、乾いた粘液は女主人のようであり、湿った粘液は女中のようなもの、泡だった体液と生ぬるい体液は、とるに足らない、卑屈で嫉妬深い奴隷のようなものである。こうして後の二つの下位の体液は、その力に応じて自分より上位にある体液のリヴォルとして働く。この状態にある人は生まれつき賢いが怒りっぽく、行動が激しやすい傾向にある。こうした人の行動は長続きしない。火勢が衰えたかと思えばすぐに燃えさかる炎のように、乾いた粘液は他の体液を消耗し、そしてすぐに湧きあがるからである。彼らは健康に恵まれ長生きできたとしても、完全な長寿を全うすることはない。というのも、肉が火によって乾ききってしまうと、湿から十分な補佐を得ることができないからである。

52

一時的精神錯乱

De frenesi

通常なら休止しているはずの乾いた粘液と湿った粘液の、リヴォルとして引き寄せられた泡だった体液と生ぬるい体液が、何かのきっかけでその限度を越えてしまうと、水が過剰に動いて波になるように、これらの体液は毒性へと変化する。どの体液も互いに調和できない嵐のような状態に陥り、体液は正常な機能を失う。これら二つの体液は上位の粘液にひどく抵抗し、四つの体液すべてが互いに衝突し合うようになる。

体内がこのような逸脱と対立の状態にある人は、一時的な精神錯乱に陥るであろう。体液が互いに敵対し合っていると、その人は、縄で縛りつけられてでもいない限り暴れまわり、自分の体をかきむしったりする。こうした状態は、泡だった体液と生ぬるい体液が弱まり、本来の状態に戻るまで続く。このような人は長生きしない。しかし湿った体液が乾いた体液にまさり、乾いた体液が泡だった体液と生ぬるい体液にまさるようになれば、今度はそれがリヴォルとなって自然に分別をわきまえるようになり、落ち着いてくる。この体液状態が持続できれば、体は健康を回復し、長生きするであろう。

萎縮[37] De contractis

湿った粘液と乾いた粘液のリヴォルである、泡だった体液と生ぬるい体液がその限度を越えてしまい、泡だった体液が増加して沸騰した湯気のようなものが発生し、生ぬるい体液が滴となって落ちる――この不調和な状態から旋風のように激しい混乱が生まれると、これらの体液によって首は曲がり、背中は湾曲し、泡だった体液と生ぬるい体液のこの劣悪な状態が止むまで、すっかり萎縮する。このような人は長生きしないであろう。

36▼紀元前五～四世紀、古代ギリシャの哲学者。その著『ティマイオス』はヒルデガルトと同時代の十二世紀にアラビアを経由してラテン語に翻訳され、ヨーロッパ世界に再復興した。ヒルデガルトが同書に触れていた可能性はある。

37▼英訳では「関節炎リウマチ」。

愚者

De stultis

乾いた粘液が泡だった粘液にまさり、泡だった粘液が湿った体液と生ぬるい体液にまさっている人は、怒っている時であれ、機嫌のよい時であれ、愚かしいものである。この体液状態にある人の体は弱くはなく、むしろ強健な方で、神の御旨《みむね》次第では長生きできる。

麻痺▼38

De paralysi

乾いた粘液と泡だった粘液のリヴォルである、湿った体液と生ぬるい体液が、嵐の時の危険きわまりない暴風のようにその限度を越えて流れてしまうと、これらの体液は変化して雷鳴のような威嚇音を発するようになる。この音は人の血管や髄、あるいはこめかみで鳴り響く。この音に苦しむ人は麻痺状態に陥り、全身から力が抜けてゆく。この状態は、今述べたリヴォルが治まり、本来の通り道に戻るまで続く。もし神の赦《ゆる》しがあれば、この人は長生きするであろう。

53

善良な性格

De bonis moribus

もし泡だった粘液が乾いた粘液にまさり、乾いた粘液が湿った体液と生ぬるい体液にまさっている場合、その人は善良な性格である。このような人は心優しくて体は繊細であるが、長生きしない。

狂気[39]

De amentia

泡だった粘液と乾いた粘液のリヴォルである、湿った体液と生ぬるい体液が適量を超えると、湿った体液が車輪のように体を駆け巡り、ある時は水の中に、ある時は火の中に人を投げ入れるようなことがある。生ぬるい体液は人を狂気に導く。この体液状態の人は理性を失っており、狂気に走るようになる。彼らは完全に健康ではないが、完全に病気というわけでもない。

精神錯乱[40]

De insania

乾いた粘液が生ぬるい粘液にまさり、生ぬるい粘液がそれに続く湿った体液と泡だった体液にまさっている場合、このような人は心身ともに不健康である。その振る舞いは、本人にとっても他人にとっても、おぞましいものとなる。考えることすべてが無駄で、矯激ですらあるが、それでも多少は健康で、長生きすることもある。


38▼paralysiは聖書訳では「中風」とされるもので、現代医学的には脳血管障害の後遺症である半身不随や言語障害、手足の麻痺などを指すが、ここでは一般的な訳語として「麻痺」を採った。

39▼「狂気」「狂った」「正気」などの訳語は差別語として指摘されるものであるが、ヒルデガルトの病理解釈に関わる重要な表現であるため、ここではあえてそのままとした。

40▼英訳ではdementia「痴呆」に置き換えられているが、ラテン語原文ではinsaniaとdementiaとは区別されており、それに従った。

自暴自棄 De desperatione

乾いた粘液と生ぬるい粘液のリヴォルである、湿った体液と泡だった体液が過剰に流れ出し、湿った体液の方が苦い蒸気を送り込み、泡だった体液の方が亀のように陰気で、とらえどころのない状態にしてしまうと、これらの体液はその人の中で北風が吹くような音を発するようになる。体液はその人の心臓と感覚を襲うが、そうすると、その人は神に対しても人間に対しても、あるいはどのような被造物に対しても、希望や信頼をもつことができなくなる。こうした状態はリヴォルの脅威が止むまで続く。こうなってしまうと、生きているよりは死んだ方がましだと思うようになるだろうが、長生きする可能性もある。

臆病な人々 De timidis

生ぬるい粘液が乾いた粘液にまさり、乾いた粘液が湿った体液と泡だった体液にまさる人は、性格的に多くの困難を抱えることになる。怒りや悲しみ、時には喜びさえも内に溜め込んでしまい、万事につけ、水面に波立つ波のように臆病で、自分の感情を表に出すということがまったくない。それは自分の心の動きすべてに対して恐れを抱くからである。こうした人の中には長生きする者もいるが、どちらかといえば早死にである。

54

唖者 De mutis

湿った体液あるいは泡だった体液が、本来は休止しているはずの生ぬるい粘液と乾いた粘液▼41のリヴォルとしてそこに引き寄せられ、その限度を越えてしまうと、湿った体液は水蒸気のようなものを猛烈に発生させ、泡だった体液は人の理性を束縛して抑え込んでしまう。これらのことが作用して、その人は話すことができなくなり、唖者となる。しかし彼らは口で喋れないかわりに、内なる魂は賢くできている。外に現われる理性が束縛されている分、内なる知識は明快で、洞察力に富んでいる。こうした人に悪人はいない。身体的には健康で、長生きする。

善良 De bonitate

どのような人であれ、湿った粘液が泡だった粘液にまさり、泡だった粘液がそれに続く乾いた体液と生ぬるい体液——これらは先立つ二つのもの、すなわち湿った粘液と泡だった粘液のリヴォルである——にまさると、この体液状態の人は、生まれつき善行に富み、幸福な人生を送ることができる。彼らは豊かな体格に恵まれ、腹を立てることも少なく、激することもない。しかし乾の性質に乏しいため虚弱であり、長生きはしないであろう。

癌▼42 De cancrosis

湿った粘液と泡だった粘液のリヴォルである、乾いた体液あるいは生ぬるい体液が適量を越えると、これら

41▼英訳では「温かい粘液と乾いた粘液」となっているが、ここはラテン語版に従った。

42▼英訳では「壊疽をもつ人」。

の体液は嗄声《させい》や喘鳴《ぜいめい》の原因となり、癌を引き起こす。虫が肉を蝕むために肉は腫れ、醜い潰瘍となる。この腫れにより、一方の手足がもう一方より肥大化することがあるが、この症状は手足が動かなくなるまで続く。したがって、こういう人は長生きできない。

痛風▼[43] De podagra

泡だった粘液が湿った粘液にまさり、湿った粘液が乾いた体液と生ぬるい体液にまさると、その人は十分な知力に富んでいても矯激に過ぎ、風に舞い飛ぶ麦わらのように、その知力をあらぬ方向に拡散させてしまう。また他人を支配しようとする傾向がある。足を弱めやすく、痛風に罹りやすいが、身体的には健康である。神がその長寿を嘉《よみ》すれば、長生きできる。

55

自殺 Qui se interficiunt

泡だった粘液と湿った粘液のリヴォルである、乾いた体液と生ぬるい体液がその経路を逸脱すると、乾いた体液は泡だった体液と湿った体液を凌駕してさらに混乱をまき起こし、生ぬるい体液は、その人の中に熱い水蒸気を生み出す。これらが作用すると、その人は神や人が止めない限り、まっしぐらに自殺へと向かうであろう。この体液状態の人は、完全に健康でもなければ完全に虚弱というわけでもなく、その中間状態にある。もし神の御加護があれば、長生きできる。

グッタ[44]

De gutta

湿った粘液が生ぬるい粘液にまさり[45]、生ぬるい粘液がここに滞留する乾いた体液と泡だった体液にまさると、その人は自分の中の相反するものに苦しむようなことがある。彼は人との交わりの中にあっても、心に悲しみを抱いている。だが激しく怒ることもなく、有能な気質をもっている。グッタと呼ばれる悪疫により、ときおり疲れる以外には、さして重い病気に罹ることもなく、長命であろう。

不安定

De instabilitate

湿った粘液と生ぬるい粘液のリヴォルである、乾いた体液あるいは泡だった体液が適量を越えると、乾いた体液は体の中を蔓草《つるくさ》のように上方へと拡散し、泡だった体液は苦いげっぷを出すようになる。この双方がいっしょになって無秩序な流れを形成すると、そこらじゅうを駆け回り、止める者がいなければ、自傷行為に至ることすらある。こうした状態は、リヴォルの作用が止まるまで続く。神と人によって庇護されるなら、長生き

43▼「55 グッタ」(p.137)を参照。

44▼gutta は元々「滴」の意であるが、本書では痛風や糖尿病、関節炎やリウマチなど、幅広い病態を表すことばとして用いられている。「213 グッタ」(p.351)にあるとおり、*gicht*(「ギヒト」または *gich*)の語とも意味が重なるが、ラテン語原文を尊重し、原文に即してグッタまたはギヒトとそのまま用いた。

45▼原文は「乾いた」であるが、「生ぬるい」の誤記と判断し訂正した。英訳も誤記を示唆して、ここに「原文のママ」という語を挿入している。

できる。

短気な人

De iracundis

生ぬるい粘液が湿った粘液にまさり、湿った粘液が乾いた体液と泡だった体液にまさると、その人はずる賢く、和やかさからはほど遠い性格となり、対立や口論を好むようになる。体は乾燥していて大食漢である。この体液状態の人は、健康ではないにしても床に就く程ではなく、徘徊してまわる。長生きしても寿命を全うすることはなく、寿命が来る前に死ぬ。

失神

De syncopi

生ぬるい粘液と湿った粘液のリヴォルである、乾いた体液あるいは泡だった体液が適量を越えると、乾いた体液は炎を煽るため、その人はワインを過剰に飲むようになり、また泡だった体液のせいで、食物に対して貪欲となる。そのため、この体液状態の人はときおり車輪のようにぐるぐると回転し、やがて死人のように地面に倒れこむようなことがある。しかしこの苦痛の最中にあっても、その人には霊が伴っているので死ぬことはなく、やがてこの状態は治まるであろう。このような人は虚弱であり、長寿を全うすることはない。

56

不安定

De instabilitate

泡だった粘液が生ぬるい粘液にまさり、生ぬるい粘液が乾いた体液と湿った体液にまさると、こうした体液状態の人は、親切ではあっても感情的には不安定で、喜んだり悲しんだり、時には怒りだしたりすることがある。こうした人は、体内で悪臭を放つ不潔な粘液や不的確な嗅覚、あるいは味覚に苦しむ。賢明な性格ではなく、高齢に達することはまずない。

とり憑かれた人々

De obsessis

通常なら休止しているはずの泡だった粘液と生ぬるい粘液の、リヴォルとしてそこに引き寄せられた乾いた体液あるいは湿った体液が、その適正な度合を越えてしまうと、その人の魂がもつ知識(scientia：knowledge)▼46は感覚作用や味覚とともに衰え、消失する。やがて空気のようにはかない霊が来て、その人の邪魔をするようになる。魂のもつ知識は眠りこんでいるため、霊はその人の中に異端(haeresim：heresy)を生み出し、彼を虜《とりこ》にしてしまう。神がこの霊を追い出さない限り、彼は危険な状態に陥る。この体液状態の人は、その内部が燃え盛っているため長生きできない。

46▼英訳ではscientiaの訳語としてawarenessあるいはknowledgeがあてられているが、本訳では「知的能力」あるいは「知識」「意識」と、適宜訳し分けた。ヒルデガルトにおいてscientiaは「胎児に魂が吹き込まれると同時に、胎児はscientiaをもつようになる」という使われ方をするように、学習によって身に着く、いわゆる知識ではなく、本来、神によって魂に与えられた「知恵」という概念に近い、広範な意味に用いられている。

非情な性格

De severitate

生ぬるい粘液が泡だった粘液を上回り、泡だった粘液が他の二つの粘液、すなわち乾いた粘液と湿った粘液――これらはその時のそれぞれの力に応じて、リヴォルとして反映される――を上回ると、その人は非情な性格となり、誰に対しても容赦しない。彼は悪を咎めだて、その振る舞いは峻烈で、また何ごとにも満足しない。こういう人は長生きできないが、体は丸々として健康的である。

再び一時的精神錯乱について

Item de frenesi

通常なら休止しているはずの生ぬるい粘液と泡だった粘液のリヴォルとして、その時そこに引き寄せられた乾いた体液や湿った体液がその限度を超えると、乾いたリヴォルはその適量を超えて増加する。この乾いたリヴォルは体の中で身もだえし、その人の霊を衝動的に追い出したりする。湿ったリヴォルは妄想を生み、そのため彼は心をかき乱し、不吉で正気とは思えない言葉を発するようになる。彼はまた邪悪でもあり、怒りやすく、脳は逆上していて落ち着きがない。このような人が高齢まで生きるということはめったにない。

健康

De sanitate

これまで述べてきた体液が、それぞれに適切な秩序としかるべき適量を保っていれば、その人の体は安らいでいて健康である。もし体液が衝突し合えば、その人は虚弱になり病気となる。

57

あるのは四体液のみである

Quod quatuor sunt humores tantum

世界が互いに調和する四つの元素によって構成されているように、人間も一つや二つ、あるいは三つの体液によって構成されているのではない。人間は互いに一つのハーモニーを醸し出す四つの体液によって構成されている。

神の懲罰

De dei vindicta

神の裁きに従って元素が過度に恐怖を撒き散らすと、世界や人間は深刻な危機に陥るであろう。元素が神の懲罰として発動すると、火は槍のように、空気は刀のように、水は盾のように、土は投槍のようになる。元素は人間に従属しており、それゆえ元素は、人間の所業の影響を受けて、時に応じ、その役割を果たすのである。人間が闘争や恐怖、憎悪や嫉《そね》み、正道から逸れた罪業によって互いに相争う時、元素は熱や冷、あるいは大雨や洪水をもって、平時とは異なるさかしまな出現の仕方をするのである。

このことは、元素は人間の所業に応じて働く、と定められた神の最初の計画に拠っている。人間は元素とともにあり、元素の中で働くものであり、元素は人間の所業を反映する。人間が正道を歩み、善も悪も節度の内にあるならば、神の恩寵により、元素は人間の必要に応じてその役割を果たすであろう。

悔い改め

De paenitentia

前に述べたように、元素が人間に恐怖を撒き散らすと、人々は嘆きの声を上げ、涙を流しながら大声で叫ぶであろう。「元素は私たち人間を守り、汚れなき子羊の血へと私たちを導いてくれるのではなかったか。神はその恩寵をもって、急いで助けに来てくださるべきではないのか」と。

ルチフェルの墜落

De casu Luciferi

偉大な力により天から放逐されたルチフェルは、冥府から移動することを許されなかった。もし仮にルチフェルが冥府から逃れることができれば、彼は自らに備わった身体の力をもってすべての元素を変貌させ、天空を逆回転させてしまうであろう。あるいは、太陽や月や星を暗転せしめ、水の流れを逆流させ、被造物に対して測り知れない不幸をもたらすことであろう。大勢の悪霊の群が、力の強いものも弱いものも、ルチフェルに付き従っている。こうした悪霊の中には、普段は人間と一緒に暮らしており、神聖な場所から逃げ出すようなこともめったになく、また十字架と聖務日課に対する嫌悪もさほど示さないものもいる。しかし悪霊というものはすべて、ルチフェルとともにこの世で謀《はかりごと》を企むものである。悪魔は、ルチフェルのあくなき貪欲と意志力とを体現したものであり、その強さや力、悪意において、ルチフェルとの間に大差はない。▼47

冥府から移動することの許されないルチフェルは、悪霊である大蛇のようにして、この世に悪魔を送り込んだ。悪魔は、偽り事や数限りない悪事によって、人を欺く力をもっている。悪魔は楽園のアダムをこの大地の主と呼んで、唆《そそのか》したのである。悪魔はその力をもって、キリストに敵する者の中にルチフェルの息を吹き込み、悪を孕ませる。元素の中でしきりに燃え盛り、分裂し、恐怖の声を発するほどに強く峻烈な火の嵐を、神の熱情（zelus domini：the zeal of the Lord）[48]が暗黒物質（nigra materia：dark matter）の中に創り出したまさにその時、悪魔がまっさかさまに墜落し始めたその場所まで、悪魔の力は上昇するであろう。しかし悪魔はそれを恐れてもいるので、盗人のような振る舞いをするだけであり、自分の力をあからさまに発揮するほどの勇気はない。だからこそ彼は虚言者なのである。

神の報いであるこの熱情は、最後の審判の日に至れば元素を燃え立たせ、分裂させるであろう。これは福音記者聖ヨハネに禁じられたこと——すなわち「雷の発した声を書きとめてはならない」（『ヨハネ黙示録』10-4）ということなのである。その声は人間がかつて経験し、あるいは今後経験するであろうすべての恐怖と苦難とを予示するものである。もし最後の審判以前にそれを知ることになれば、人はその脆弱な肉ゆえに、また測り知れない恐怖のゆえに、到底耐えることができないであろう。

ものごとを前もって知るにしても、一時間も前に知るよりは、現実に起きるまさにその時、あるいはその直前に知る方が、人間にはずっと耐えやすいものである。だからこそヨハネは、雷の声を書き表わすことを禁じられたのである。雷はそれほどまでに凄まじく強い力をもち、恐怖を抱かせるからである。雷がどのように轟

47▼「11 ルチフェルの墜落と天空の創造」（p.72）で触れられているように、天地創造の前から存在していたルチフェルは、神を超えようとした傲慢により天から墜落する。ヒルデガルトにおいては、冥府から動くことを許されていないルチフェルがその使いとして悪魔を地上に送ったという理解になっている。この悪魔とは、聖書の記述に従えばサタンのことである。

48▼『出エジプト記』20-5に「わたしは主、あなたの神。わたしは熱情の神である」とある。『スキヴィアス』第一部中第三の幻視「宇宙卵」の細密画（p.29　図3）において、この神の熱情は善悪それぞれに報いるほの暗い炎として描かれている。

くか、前もって知ってしまうと、人間は雷に恐れおののくであろう。そして雷への恐怖から、本当の神を二の次にして、雷の声に従うに違いないのである［風は太陽の上にも下にも、そしてその周りにも存在するが、この風の力によってこそ太陽の火は放射し、四囲に満ちている。もし風がこのように働かなければ、太陽はあまりに激しく猛烈な熱を放出することになり、土やその他の元素、あるいは他の生きものは到底耐えることができないであろう］。

59

狂乱

De furore

ある元素が他の元素を上回り、その調和した秩序と適量を超えると、その人は衰弱し、あるいは病気に陥る。もし二つの体液が同じように過度に増長した場合、人はそれに耐えることができない。二つの体液が正しく混ざり合っていないため、この体液状態の人は激怒するか、さもなくば体を完全に壊してしまうであろう。もし四つの体液すべてが同時にその適量を超えてしまうと、その人は衰弱し、早々死に至るであろう。もし四つの体液すべてが過度に燃え上がるようなことになれば、その人は瞬きをする間もないほど、一瞬にして死ぬことになるであろう。それは最後の審判の日に至れば四つの元素が互いに衝突し、万物が揺れ動くのと同じであり、その人は抵抗する間もないほど完璧に破壊され尽くすであろう。

アダムの創造

De Adae plasmatione

神は男を土から造られた。男は土から肉に変えられたがゆえに、土は男の起源であると同時に、男は被造物の統治者でもある。男は大地を耕し、大地は作物をもたらす。土は男の骨、血管、そして肉の力である。土は男の完全無欠の頭（integro capitae : entire head）[49]と、厚い皮膚の中にある。男はその内に土の力をもち、太陽が光を放つように種を生む。しかし女は、男の肉から取られたがゆえに変わることがなく、肉のままである。そのため女には、器用な手仕事が与えられたのである。女は子宮に子を宿し、子を産むがゆえに、守られた巣のようでもある。子宮に宿した子が空気を得やすいように、女は割れた頭（divisum caput : divided head）[50]と柔らかい皮膚をもつのである。

受胎
De conceptu

人間の受胎とその凝結は次のように進む。人間には意志、思慮、力、そして同意がある。この中で最初に来るのは意志である。なぜなら、あらゆる人間は、何をやりたいという意志をもつからである。次に思慮が続き、その行為が適切か否か、穏当か不穏当かを吟味する。力がそれに続く。力はその行為を成し遂げる役割を負う。そして同意がこれに続く。この力の働きに調和の保たれていることが同意されない限り、その行為は成就できないからである。これら四つの力が人間の誕生には関与している。

その時には、人の四つの体液を動かす四つの元素が、過剰に、しかも嵐のようにやってくる。火すなわち乾いた体液の働きにより、「意思」が常軌を逸して燃え上がる。空気すなわち湿った体液の働きにより、「思慮」はその則《のり》を越えてゆく。水すなわち泡だった体液の働きにより、「力」は激しく揺り動かされる。土すなわち

49▼以下に述べられる女の「割れた頭」と対比されている。
50▼「107 頭蓋」（p.210）を参照。

生ぬるい体液の働きにより、「同意」がその限度を突き破る。これらすべての過剰が引き金となり、暴風のような状態が生み出され、血から有毒な泡が生まれる。これが精液である。精液がしかるべきところに落ちると、母親の血は精液と結合する。そのため、この結合したものは血のように見えるのである。

人間の受胎は歓びから生じるが、この歓びは、アダムの食べた最初の果実に蛇が忍び込ませ、人間の中に吹き込んだものである。男の血は歓びによって駆り立てられ、その血が女の中に冷たい泡を送り込む。母親の肉のもつ熱はそれを凝集させ、血の形となって膨張する。そして泡は母の熱の中に保たれながらやがて凝結し、母親の乾いた滋養分の汗から、小さな人間の形をした大きさにまで成育してゆく。そして人間の姿が創造主の書かれた設計図に一致する精度になるまで、仕上げられてゆくのである。それは陶工が大きな壷を造るのに似ているといえよう。

アダムの原罪により、男の生殖器の内にある力は有毒な泡に変化し、女の血は危険な滲出物へと変化した。だが男の肉は土から造られているので、その血は強く正しい本性の精液をもっている。女の血もまた正しい本性をもっている。女は弱くか細いものなので精液はもたないかわりに、わずかばかりの水っぽい泡を放出する。それは女が男のように土と肉の双方から造られたのではなく、男の肉によって造られたからである。それゆえ、女は弱くて脆く、そしてまた男の器なのである。男の愛によって女の血は奮い立ち、白というよりはむしろ血を含んで泡のようになった血を男の精液に送りこむ。女の血は精液と結合することで精液に形を与え、精液を温め、そして血のようにするのである。

精液はしかるべき場所に落ちたのち、そこで冷たくなってくる。火すなわち熱がそれを温め、空気すなわち息がそれを乾かし、水すなわち液体が純粋な湿の進入を許し、土すなわち皮膜（cutecula : membrane）がそれを閉じ込めなければ、精液は有毒な泡のままである。それはやがて血のように変化するが、完全な血のような状態ではなく、少量の血と結合したものである。男が四つの元素から引き寄せた四つの体液は、この精液の周りに適度なバランスで留まり、やがてそれは肉のように凝結して固まり、その中に人間の形姿が形造られてゆく。

この凝結したものは、やがて人間の形象（forma：form）へと形造られる。形象全体のしかるべき場所には、糸のように、髄と血管が張り巡らされる。この髄と血管は体中に分岐して、やがて結節のようなものになる。卵の皮膜のようなものが髄を取り囲み、それはのちに骨の中に入ってゆく。やがて人の細部までがくっきりと形造られてゆくが、それはあたかも画家が描く精密な肖像画のようなものである。

まだ手足の分岐していない皮膜の中に裂け目ができ、そこが将来手足となってゆく。それは泥が太陽の火を受けて裂けてゆくのに似ている。やがて引き締める作用（veneno：poison）[51]によって乾いた肉ができあがり、正しい肉が正しい血で覆われる。母親の熱によって、それは――まだ生命をもっていないが（nondum vivens：not yet alive）[52]――前に触れたように、母親の熱の中にいながら、脂肪質をもった凝固物へと成長してゆく。これが一か月、すなわち、月が満ち欠けする間に起こる時間の業である。凝固物は成長して脂肪質をもつようになる。もし脂肪質がこの凝固物を活気づけることがなければ、それは完全に干上がってしまうであろう。この時、母親が乾の状態であれば、この変化のプロセスは遅滞し、凝固物は哀れなものとなるであろう。

51▼原義は「毒」。次項「61 魂の注入」（p.148）に「血のようなリヴォルによって肉を引き締めてゆく」という記述があり、veneno はこのリヴォルと同一の働きを指すと思われる。

52▼「まだ活発ではないが」とも読めるが、次項「61 魂の注入」において、ヒルデガルトは形象に魂が注入されて以降を人間となった命とみなしていることから、ここは「生命をもっていない」とした。

61

魂の注入

De animae infusione

続いて神がお望みになり、準備されたとおり、母親が知らないうちに生命の息がやってきて、力強く、温かい風のように、その形象に触れる。それは風が騒々しく壁に吹き付けるさまに似ている。その息は、四肢のすべての関節に入り込み、すべての関節に激しく衝《つ》き当たる。分岐した部分は、徐々に互いから独立してゆくが、それはあたかも太陽の熱を受けて花が枝葉をつけていくかのようである。しかし、この形象にはまだ重大な弱点がある。それは動くことができずに横たわったままであり、眠っているかのようにかすかに呼吸しているにすぎないのである。

霊は形象全体を経巡《へめぐ》り、髄と血管を満たして強めてゆく。形象は以前よりもずっと成長し、骨は髄を覆って広がり、血管は強められて血を保つようになる。次に胎児は、一瞬にして揺り動かされるようにして動くようになる――母親もその動きを感じ取っている。この時以降、胎児は動くようになる。それはこれまでいわれてきたとおりに、全能の神の御意志を通して、生ける風――すなわち魂が形姿（figuram : form）▼53に入り、形姿を強めるからにほかならない。魂はこの形姿を命あるものとし、形姿のいたるところを駆け抜ける。それはちょうど、絹を吐く蚕が繭《まゆ》の中で守られ、絹に包まれているさまに似ているといえようか。この形姿の中で、魂は自分がどこで分岐し、どこで曲がり、あるいはどこで折れればいいかということを感じ取っている。魂は血管に適した場所を調べあげると、まず最初に、中が空洞の葦《あし》のように血管を乾燥させる。次いで血管を肉の中に固定し、火の熱をもって血管を血の赤い色に変えてゆく。それというのも、魂は火だからである。

次に魂はその息で形姿の全体を覆うが、それは家の中で灯された火が家全体を照らすのに似ている。すべての血管は、ちょうど土が水に制約されるように、魂によってそれ自身の位置にとどまる。魂は生ける空気のようにして、血がすべての場所を流れるようにし、また一定の湿の中で、血のようなリヴォルによって肉を引き締めてゆく。それは食物が火によって調理されるのと同じである。肉が骨によって支えられ、その強度を失わないように、魂は肉の中に骨を造り、骨を固定する。それは家が倒壊しないように木材を使って家を建てるのと同じである。

そしてこれは二か月目のこと、月の満ち欠けによって形姿が強められる時のことである。魂は血管の中にあり、肉と骨とを血で満たすが、それは満ちていく月によって表わされる。欠けていく月は、その形姿がまだ自力では動けないことを表わしている。魂はこの形姿の中に留まり、自分が働きかけるべきすべての場所を、丹念に調べ上げる。水車が粉挽機を回すように、魂は形姿全体を動かそうとしていることを感じ取っているからである。魂は太陽のコースに合わせ、この働きを開始する。朝、日が昇り、朝課[54]から第三時に至るまで、さらに第三時から第六時まで、そして第六時から第九時まで、さらにまた第九時から晩課まで、太陽がコースを進むのに時を合わせて、魂は目の中に留まり、窓を通して光を見るように目を準備する。さらに魂は胸に留まり、形姿が思考する力をもって動き回るようにする。そして魂は心臓に留まり、心臓が知識とともに飛翔できるようにする。さらにまた魂は、胃とすべての腸をつなぐ網のようにして胃と腸に留まり、形姿を養うための食物

53▼現代医学の用語では「胎芽」に当たるが、ここでは form「形象」に対比して、figura は「形姿」と訳した。なおラテン語原文では、魂が形象に入った瞬間であるこの箇所の記述から forma は figura に変わっているが、英訳版では二つ後のパラグラフから figure の語を使い始めている。ヒルデガルトにあって forma と figura は、命の成りたちを決定付ける重要な語と思われるので、本訳ではラテン語原文に従って訳し分けた。

54▼「時課」は修道院における日課の表現。季節や修道会によって若干異なるが、基本は朝課：午前二時　第一時：午前六時　第三時：午前九時　第六時：正午　第九時：午後三時　終課：午後六時　晩課：午後九時となる。

を貯える空洞を造り上げてゆく。

歯は食物を砕く。歯は根のようなもので、水を含まない魂の湿った火により、髄なしに生えてくる。食物は胃に送られ、こなれるためにしばらくそこに留まる。魂はまた食物の湿を、脳や心臓、肺や肝臓、そしてすべての血管に送り届ける。魂はその強い熱の力により食物を運ぶ胃と腸を強めているので、胃腸は溶けることなくその位置に留まることができる。次に魂は脚に向かい、火の性である熱で脚を強め、家が柱に支えられてその強度を保つようにして、脚の上にある身体の構造全体を支える。神が足を彫り刻まれたように、魂は足と足の指の一本ずつに入り込んでゆき、こうして足は、礎石が柱を支えるようにして脚を支えるのである。

魂は、それが体の中の燃える火となるまで、体の形姿を整え、生気を与え、光を灯す。それはちょうど家の隅々で灯される火が、家全体を照らすようなものである。それゆえ、人間という存在の在りようは、太陽や月に似たものであるといえよう。第一時［午前六時］が一日の始まりであるように、魂は目という窓を通して外を見、光を見る。一日の第三時［午前九時］が魂を拡張するように、魂も胸の中で思考力を深める。第六時［正午］の太陽が強く燃え、その中に一切の力を蓄えているように、心臓の中にある魂は多くのことを知っており、その業において多くのことを表わす。そして第九時［午後三時］の太陽が一日の仕事を終えて冷えてゆくように、人に栄養を与える食物を胃で処理する時の魂も、これと同じである。これらの食物は太陽の光を受けて根をおろし、成長し、そして成熟したものである。夕方になると太陽は大地の下に隠れ、そして夜が現われる。この時、魂は、身体の構造全体を支えている脚の中に留まっている。その時刻、人々は仕事で疲れ、食物も空になっており、太陽が再び昇るまで、眠りにつく。魂は食物のもつ湿を体全体に供給し、休息をもたらす。それはワインがその滓《おり》によって自らを清めるようなものといえよう。

体が魂と分離している場所は一つもない。魂はその熱をもって体全体を覆っている。人は四つの元素によって成っているが、そのうちの二つは霊的なものであり、あとの二つは肉的なものである。すなわち、火と空気は霊的なもの、水と土とは肉的なものである。これら四つの元素は、人の中で結び合い、人を温め、こうして肉や血、身体諸器官が形造られてゆく。しかし火と水は相反するものであり、共存できない。それゆえ各々は一人の主人に仕えるということが起きてくる。水は火に抵抗するがゆえに、火は燃えさかる所より先に広がることはない。乾のもつ熱がその適正な限度を越えて流出しないように、火は水を抑制する。火と水という二つの力は、雲のもつ空気とともに土の全体を調整しており、それゆえ、すべてのものはしっかりと安定して消えることがない。

これと同じように、火のもつ熱と水のもつ流動性によって、人の血は赤くなる。もし熱をもつ血に水の性がなければ、血は流れることなく干上がってしまい、鱗《うろこ》のように剥がれ落ちてしまうであろう。もし土に水分がなければ、土はわらのように飛び散ってしまい、生を全うできる生きものは存在しなくなるであろう。このように、すべての被造物は、火と水という二つの力に依って成っているのである。もしこの二つの力がなければ、いかなる被造物もその形姿を結ぶことはない。もしこの二つが結び合わなければ、いかなる形姿も存在しえないであろう。

神はこのようにして大地の泥から男を造り出されたがゆえに、魂の息をもつ男は、水と火と空気の性をもつ土から成っており、魂はこれら四つの元素を通して人を動かすのである。神の指から造り出された形姿は土から成っており、水と混ぜ合わさり、空気によって動き、火によって温められる。体は味覚をもち、味覚は喜びを感じとる。魂は欲求を抱き、欲求は意志をもつ。魂は火のごとく、体は水のごとくであり、そして両者はともにある。かくして人間という存在は、神の創られた作品なのである。

体が要求するいかなる仕事も、魂は体の中で実行する。体が欲し、魂が働く。魂は体の欲求を実行するので、体よりも魂の方が力に満ちているということができる。もし人間が肉体をもたなければ、魂はその力の源泉をもつことがない。こうして魂は、神の作品である人間の存在全体を経巡り、人間を突き動かしているのである。この人間という作品は、魂抜きにはありえないものであり、もし魂がなければ、体はその肉と血をもって動くこともないであろう。

　魂は肉体なしに生きることができても、肉体は魂なしに生きることはできない。最後の審判の日ののち、魂は自分の衣を求め、魂の望みに応じてその衣を定めるであろう。このように、人間は魂と肉体という二つの本性において在る。それは肉と血が本性においてまったく異なったものであっても、肉は血なしにありえず、血は肉なしにありえないのと同じである。魂は肉体なしにはけっしてすまされない。それは神がその御業を措《お》いてはありえないのと同じである。時の始まる以前においても、あるいは永遠の時の内においても、神はその御業をご自分の内に隠しておられた。これと同じように、魂も体の中に、見えないように隠れている。肉体なしで生きてきた魂は、最後の審判の日ののち、神に身にまとう衣を求め、その衣を自分に引き寄せるであろう。これは時の始まる以前においても永遠の時の内においても、始まりのない命である神ご自身が、時間というものを創り出された時、ご自身の内に永遠に隠されていた衣を、ご自身に引き寄せられたのと同じである。

　このように、魂と肉体が一つであるように、神と人間は一つである。なぜなら、神は人間を自分の似姿としてお造りになったからである。すべてのものに影があるように、人間は、神の影である。影は神の御業の顕れであり、神のなさるあらゆる偉大な神秘の中で、人間とは、全能の神の顕現であるということができる。人間とは、すなわち影である。なぜか。人間には始まりがあるからである。だが、神には始まりもなければ終わりもない。それゆえ、天空に響き渡るハーモニーのすべては神の鏡であり、そしてまた人間とは、神のすべての神秘を映し出す鏡である、ということができる。

65

成長

De generatione

男の種《たね》の本性に応じて、子どもの中で粘液と体液は増加する。それは小麦やライ麦、大麦がその蒔かれた種に応じて、ごく自然にその実を結ぶのと同じである。あるいはまた過剰な体液が長く体に留まると健康を害し、幾多の危険をもたらすが、やがてその過剰が治まって落ち着けば、体液は適切なバランスを取り戻してゆくのと同じである。最初に種が蒔かれてのち、胎児の中では幾多の変化が起こり、あちこちかき回されもするが、やがて胎児の中に霊が入ると、霊は胎児の中で適切に働くようになる。

胎盤

De secundina

男の種が正しい場所に落ち、人間の形が形成されてくると、まるでその器のようにして月経の血から覆いが成長してくる。この覆いは胎児を取り囲んでおり、あちこち動き回ることもなく、崩れることもない。そこに凝結した血が集まり、胎児は自分の家でくつろぐようにしてその真ん中に横たわる。胎児は生まれ出るまでの間、この覆いの中で熱と保護を受け、母親の肝臓の黒い血から栄養を与えられるのである。

66

理性

De rationabilitate

胎児はその器の中に囲まれて横たわっているが、いよいよ胎児の中で理性が完成されてくると、理性は外に飛び出したくなってくる。理性はそれ以上閉じこめられたまま黙っておれなくなり、またそうすべきでもない。

なぜなら、母親の子宮の中にいる胎児は、叫ぶことができないからである。

出産 De partu

出産が差し迫ると、胎児の入った器が割れる。アダムの脇腹からエヴァを生み出した、あの永遠の力がすぐさま現われ、女の体の隅々を駆けめぐる。すると、女の体のすべての関節はその力に巻き込まれ、自らその力に助勢して関節が開く。胎児が出てくる間、関節は開いたままに保たれるが、出産後は前の状態に戻る。胎児が出てくる間、胎児の魂は、この永遠の力を感じて幸福である。

感覚 De sensualitate

赤ん坊は生まれるとすぐに悲嘆の声を挙げる。それはこの世の闇を感じ取るからである。神が人間の体に魂を送り込まれると、人間には知的能力が内在するようになるが、その知的能力は、まだ眠ったままの状態である。魂は体の中に入ってのち、肉と血管のうちに定着するが、その時、知識は目覚める。

知的能力 De scientia

誕生の瞬間が近づき、母親の子宮という保塁《ほるい》を神の力が開く時、胎児は神の力を感じ取る。そして自由な選択（optionem：choice）や欲求によって、胎児に宿る魂の中の知的能力が刺激されると、胎児の中の知的な能力は高まり、ものごとを最大限に学び取って理解するようになる。

どのような活動であれ、どれほどの技芸であれ、人が自由な選択や欲求によって知りたいと望めば、聖霊はその露をもって知識の生ける力を満たしてくれる。こうして人は、自分が知りたいことを知り、理解するようになる。それはちょうど子どもが何かを尋ねると父親や母親が答えるのと同じで、人が自由な選択や欲求、努力によって技を学ぼうとする時、聖霊は人の知的能力を援助する。

しかし邪悪なことや邪悪な技に走り、それを知りたいと望んだ時には、悪魔はこれを見てとり、邪心と姦計とをもってこの知的能力に息を吹きかける。すると人は、自分が知りたがっている邪悪なことをただちに知るようになる。というのも、人間の知的能力には、善いものと悪いものとがあるからである。

母親の子宮を出ると、赤ん坊は動くことができ、機敏になって、生理的な機能も働くようになる。赤ん坊は汗をかくようになるが、生まれつきの気質や、飲食物による粘液や体液の増減に応じて、さまざまな粘液や体液をもつようになる。

67

乳 De lacte

女が男の種を受け取り、女の中でその種が育ち始めると、その同じ自然の力により、女の血は胸まで引き上げられてくる。飲みものや食べものから、本来は血になるはずのものが乳に変わってゆく。この乳が、母親の子宮で育つ赤ん坊の栄養となる。赤ん坊が子宮で育つにつれて母親の胸の乳は増え、赤ん坊は乳によって栄養を得ることができるようになる。

女の従属性

De mulieris subiectione

男と女が一つになるまで，女は男に従属している。しかし女は自分の血をもって男の精液と合流し、こうして一つの肉となる。

再び妊娠について

Item de conceptu

男の精液がその場所に落ちると、女の血は愛という意志の働きによってそれを受け取り、そよ風が何かを拾いあげるようにして、精液を自分の内へと引き入れる。こうして女の血は男の種と混ざりあい、一つの血となる。この混ざりあった血によって、女の肉は温められ、成長し、増大してゆく。こうして女は男と一つの肉となる。

男の肉は、女の熱と汗によって内も外も温められ、男は、女の泡と汗とを自分の中に引き入れる。男の意志の大きな力によって、男の血は溶け、あたりを流れてミルのように回り出す。男の血は、女の泡と汗の一部を取り込み、男の肉は女の肉と混ざり、女の肉とともに、女の肉から、一つの肉となる。

男と女は、一つの肉であるから、女に出産能力さえあれば、女は簡単に子を孕む。男と女が一つの肉になったという事実、一つの肉であるという事実は、男の脇腹――女は男の脇腹から取られ、男の肉となった――に秘められていた。男と女は、血と汗の中である方が妊娠しやすい。母親の子宮から子どもを生みだす、あの永遠の力が、男と女を一つの肉とするのである。

68

姦通

De adulterio

男女が正当な性の交わりから逸脱し、激情に駆られ、欲望に負けて別の深い関係に走り、その相手と不適切な交わりをもったとすれば、男は自分の血、すなわち男の正当な相手である妻の血を、別の女の血と混ぜ合わせたことになる。同じように、女は自分の血、すなわち女の正当な相手である夫の血を、別の男の血と混ぜ合わせたことになる。こうしたことのあったのちに、正当な相手ではない夫や妻から生まれた子どもの場合はもちろん、正当な相手である夫や妻から生まれた子どもの場合であっても、女だけでなく、男の異なった人格と血から妊娠に至った場合、このような子どもは不幸に陥るケースが多いであろう。[55]

神に誓っていえば、このような親は、神がアダムとエヴァとともに整えた正しい手はずに対する裏切り者であろう。神の警告を無視したアダムとエヴァが、自分たちだけでなく自分たちの子々孫々を死に導いたように、神の手はずを汚した者は、自分だけでなく、自分から生まれる者たちをも汚したことになる。彼らは子どもを不幸の只中に放置したのである。というのも、彼らの理性は汚れており、またその行いにおいても、自分たちを動物に等しいものに貶《おとし》めたからである。

弱い精液

De semine tenui

もし受胎直後、その精液がまだ弱い時に、女が別の男と交わると、その男の汗と熱がいくらかはこの精液に

55▼ヒルデガルトは、既婚者の血はその配偶者の血とすでに混ざり合っており、このどちらかが不適切な交わりをもつと、胎児には三つあるいは四つの血が混ざることになると考えていた。

加わることになる。こうして精液は臭い空気に汚されたもののようになるが、それは凝固したミルクに何者かが別の液体を加えて汚すようなものである。

69

種々の精液 De seminis diversitate

乾いた体液、すなわち火が優勢な人は、技芸（artes：art）を学ぼうとする傾向が強い。このような人は、学んだ技芸をしっかりとよく覚えている。湿った体液、すなわち空気の優勢な人は、器用に技芸を学び取る傾向にあるが、その知識は長続きしない。彼らは学んだことをすぐに忘れてしまう。泡だった体液、すなわち水の性質がもっとも豊かな人は、すばやく技芸を学び取る傾向にあるが、十分に学ぼうとせず、分かっていないのに分かっていると思いこむふしがある。そのため、彼らはいい気になって失敗する。というのも、彼らは完全には理解していないからである。

生ぬるい体液、すなわち土の性質の豊かな人は、技芸を修得することが困難である。苦労しながら、なにがしかの技芸を学んだとしても、土という気質的な硬さゆえに、覚え続けることができない。覚えていられないので、すぐにうんざりして学ぶことをやめ、また覚えたことも忘れてしまう。しかし大地に関連することや、世俗的なことがらについては、時として分別を示すことがある。

肉の歓び De carnis delectatione

男の肝臓の血管と胃の中の血管は、生殖器まで延びている。男の髄から快感の風が吹き出すと、その風は男の腰の中に落ち、血の中に性的な快感の前触れを引き起こす。男の腰は、どちらかといえば狭く引き締って閉じており、その風は拡散することができないために、快感はその場で激しく燃え上がる。男はその熱情に駆られて我を忘れ、自分を抑制できなくなって精液の泡を放出するようになる。男の腰は囲われているため、歓びの火が燃え広がることは稀ではあるが、燃えると女よりも激しいものとなる。

小さな船が、強風と嵐のために大きな波の立つ川の中で危険に晒されると、ばらけずに帰還するのは困難であるように、男が快感の嵐の中にあってなおその本性を抑制し、あるいはこらえるのは困難である。しかし、穏やかな風や、軽やかなつむじ風の嵐から湧き立つ程度の波であるなら、小さな舟であっても、どうにかばらけずにすむであろう。これが女の肉の歓びの本性であり、男より抑えやすくできている。男の快楽は火のようなもので、消えることもあれば燃え立つこともある。もし火が絶えることなく燃え続けていたら、多くのものを焼き尽くしてしまうであろうが、男の快楽は、高まったり消えたりするものである。もし快楽の火が常に燃え盛っているとしたら、それは男にとっても耐えがたいものとなるであろう。

70

男性的で胆汁質の男

De virilibus et colericis

男性的で、強く濃密な脳をもっている男がいる。脳の覆いに栄養を送る外側の小さな血管が、時には赤くみえることがある。こういう男は、赤く塗られた絵のような赤ら顔をしている。厚くて丈夫な血管は、蝋のような色をしており、燃えるような血が流れている。胸は厚く、腕っぷしも強い方だが、あまり太っていない。それは頑丈な血管や血、手足のために、肉があまり太れないからである。

睾丸[56] De renibus

男性的な男の陰部に吹く風は、風というよりはむしろ火の性質に近く、陰茎に侍《はべ》る二つの神殿の中で、ふいごの中の風のように吹いている。この神殿は、男性的な力のすべての源泉である陰茎を取り囲むようにして保護しており、塔の側に配置された小さな建物のようにして、陰茎を守護している。その神殿は二つあるが、二つあることで一層強力にこの陰茎を取り囲み、強め、支えることができるのである。それによって、火に向け確実に風を送り込む二つのふいごのように、より強く、より的確に先の風を受け取り、引き入れ、均等に送り出すことができる。これら二つの神殿がその力をもって陰茎を活気づけ、強力な支えとなるときこそ、陰茎は子孫を芽吹くことができるのである。

アダムの追放についての補足 Item de Adae exilio

アダムが罪を犯したことで、盲目にされ、聾《ろう》にされた時、この力[57]は追い出されて生殖器の中に逃げ込み、そこに留まった。先に触れた男性的なタイプの男は、用心深い性格で、他の者に恐れられはするが、女への愛欲はもっている。彼らは男よりも女を愛し、他の男から逃げようとしたり、避けたりする。この男たちは、女の体と交わることに無上の歓びを感じ、自分を抑制することができないタイプである。女の姿を見たり、声を聞いたりしただけで、あるいは、頭の中に女のことを想像しただけで、その血は熱のように激しく燃えあがる。この男たちの目は、女の姿を見ただけで、たちまち女への愛に突き進む矢のようになり、その耳は、女の声を聞いただけで、たちまち強い風のようになる。その妄想には歯止めがきかず、大地を襲う凶暴な嵐のようになる。

これが「多産の職人」と呼ばれる、男性的なタイプの男の姿である。彼らは常に情熱豊かで、多くの枝を広げた樹のように非常に多くの子を芽吹く。自分の中に巣くう大きな愛欲の火によって、彼らは矢のようになる。この男たちは、女と交わりさえすれば健康で、また幸福であるが、女がいないとたちまち体の内部は萎れてしまう。もしこの男たちが過剰な夢や妄想、倒錯によって生まれる精液の泡を放出しないでいると、死にかかった者のように歩きまわるであろう。

淫らな欲情から、時としてこの男たちは生きていない無感覚の動物（insensibilem creatuam,quae non vivit : an impassive creature which is not alive）[58]に近づいては絡みつき、まるでそれが自分を守り、自分の欲情を和らげる方法でもあるかのように、精液の泡を放出する。この男たちにとって、性欲を抑えることは耐え難いことであり、欲望と性欲の苦悩に常に苛まれている。恥ずかしいという思う気持ちや、神への畏れ、あるいは神への愛など、何らかの必要に迫られて女を避けようと心では思っても、それはとてつもなく困難なことで、女から逃げるか、毒のように女を避ける以外に道はないのである。というのも、この男たちが自制心や敬虔さをもとうとしてどのように努力しても、目に入った女に見境なく発情するのは、致し方のないことだからである。

道徳心をもった人の行動と比べれば、彼らの子どもは多くの場合、粗暴で、性欲を抑えることができず、振る舞いも尋常ではない。それは上質な木材で造られた美しい像に比べれば、焼け焦げて怪しげな木で造られた、まるで形をなしていない像のようなものである。こうした男の性交には悪魔の唆しが大きく絡んでいて、この

56▼ 英訳注：ラテン語版ではDe renibus「腎臓」となっている。
57▼ 前項「70 睾丸」の最終文を参照。
58▼ 「137 性欲」（p.248）を参照。

ように過剰な情熱をもつ子が生まれてしまうのである。それでも、こういう男が適切にほどよく調和した性愛の情をもつようになれば、生まれてくる子どもは非常に賢明で役に立つ人間となり、機敏でもある。また見た目にも男性的で、快い美しさを備えるであろう。

72

多血質の男

De sanguineis

温かい脳をもち、白と赤の混ざったような快活な顔色をした男がいる。その滑らかな血管は分厚く、正しい赤色の血に満ちている。悲しみや苦しみに押しつぶされることのない、快活な体液をもっているので、メランコリックな気分の種となる苦悩も逃げてゆき、あるいは避けて通ってゆく。彼らは温かい脳と正しい血をもっており、その体液は悲しみや苦しみに圧迫されていないので、脂肪質の体をしているのである。

この男たちの腿に宿る性交への性癖は、火よりも風に近いので、禁欲を守ることも可能である。というのも、腿に宿る大量の風が彼らの火を鎮め、和らげてくれるからである。風と火が二つの神殿（tabernacula：tabernacles）[59]に入ると、二つの神殿は誇りと謹直な愛とをもってその役割を果たし、こうして彼らの根［陰茎］は誇らかに開花する。この根の開花こそ、正しい性愛における「黄金の館」と呼ばれるものである。というのも、理性はそれがどこに由来しているかを感じ取るからである。彼らの行為には思いやりと節度がある。

この男たちは、人の流儀に従って結婚する必要があるが、その気質は、男性的というよりはむしろ女性的で、優しく穏やかである。彼らは真心をもって、生殖のために女とともに過ごすこともできるが、女を避けることもできる。彼らの目は美しく落ち着いている。他の男たちが女を見る目は、まるで矢のようであるが、彼らが女を見る目は誠実で、調和を保っている。他の男たちの女に向かう聴力は強風のようであるが、この男たちの聴力は竪琴《たてごと》の調べのようである。他の男たちの思いは嵐のようであるが、この男たちの思いはその誉れの印として、「賢明な恋人」と呼ばれる。彼らは自制心に富み、苦痛に耐えるが、女性的な器用さを備えた賢明な分別をもっている。この女性的な気質から、良き自制心が引き出されるのである。事実、彼らは聡明な理解力をもっている。

彼らの子どもには節度があり、幸福で、役に立ち、あらゆる行いにおいて実直である。彼らは他人を羨むことがない。親の腿に宿る風と火が、この子どもたちを適度に調整するからである。火が起こるのは火が風にまさったからではなく、風が火を調整したからである。こうして生まれた子どもは役に立つ。先に触れた男たちの場合は、女から遠ざかると太陽のない昼のように萎れてしまうが、この男たちの場合は、太陽のない昼間にあっても萎れない果実のようであり、女がいなくても適度に調和のとれた状態でいることができる。彼らは視覚や聴覚、思考では穏やかであるが、他の男たちに比べれば、水っぽく未成熟な泡を放出することが多い。その射精は目覚めている間だけでなく、眠っている間にも起きる。彼らは自分自身で、あるいはものを使うことにより、他の男たちよりも容易に性欲の熱から解放される。

73

メランコリア気質の男

De melancolieis

脳が脂肪質で、脳の覆いと脳の血管が乱れている男もいる。この男たちの顔色は黒ずんでおり、そのため目は火のようで蛇に似ている。彼らには黒く濃い血が流れており、丈夫で堅い血管をしている。そして厚く堅い

59▼睾丸のこと。

肉と、髄のほとんどない太い骨をもっている。だがその髄は非常に激しく燃えるため、女に対しては獣や蛇のように自制心がない。彼らの陰部に宿る風には、三つの性質がある。火のような性質、風のような性質、そしてメランコリアの蒸気と混ざりあった性質である。この男たちは、何に対してもまともな愛情を抱くことがない。彼らは無情であり、欲深く愚かで、その性欲は過剰である。女に対する節度のなさはまるでロバのようであるが、この性欲を抑えてしまうと、あるいは精神を病み、あるいは狂人となることがある。女を口説き落として自分の欲望を吐き出してしまえば、狂気に陥ることはない。本来穏やかであるべき女への性愛も、この男たちの中ではねじ曲がっており、憎しみに満ちていて救いようがなく、狼のように粗暴である。

丈夫な血管と強く燃える髄をもっているために、こうした男の中には、人間の本性に従って、喜んで女といっしょにいる者もいるが、それでも本心では女を憎んでいる。またある者は女を愛することがなく、また手に入れたいとも思わず、女との交わりなしにすませることもできる。しかしこの男たちの本心はライオンのように獰猛であり、クマのような性質をもっている。それでも手仕事については器用で、慎重な性格であり、働き者である。

メランコリア気質の男の睾丸に下ってくる歓びの風は、まったく抑制を欠いて、しかも突然やってくる。それは家全体を強烈に揺り動かす突風のようなものといえようか。この風は陰茎をひどく乱暴に奮い立たせ、開花すべき時には蛇のように狂おしく身をよじり、ある種の悪意を抱くようになる。それは人に致命傷を与える毒蛇の末裔のようなものである。悪魔の唆しはこうした男の中で荒れ狂い、非常に親しい間柄であっても女を殺す可能性すらある。この男たちの中に、愛情のこもった親切心や献身などは存在しない。

この男たちの息子や娘は、愛情を欠いて生まれたために、その振る舞いや性格にはきわめて悪魔的な狂気が潜んでいることがある。こうした子どもはおおかた不幸で、すべての行状において歪んでいる。他人に愛されることもなく、喜んで人といっしょに暮らすこともない。というのも、彼らはひどい思い違いをするからである。こうした子どもが他人といっしょに暮らしても、その人を憎んだり怨んだり、あるいはひねくれた振る舞いに出るばかりで、喜びを感じるということがない。たしかに、メランコリア気質の男から生まれた子どもであっても、たまには役に立つ慎重な性格の子もいるのはいるが、たとえ役立ったとしても鈍重で偏屈な振る舞いに出るために、愛されることがなく、尊敬されることもない。それは例えていえば、輝きもせず死んだも同然の凡庸な石が、輝きを放つ石の只中に置かれてみると、美しくもなく輝きもしないために、ちっとも珍重されないのと同じである。

74

粘液質の男

De flegmaticis

脂肪質で、白く乾いた脳をもつ男がいる。その脳の小さな血管でさえ、赤というよりむしろ白っぽい色をしている。その目は濁って女のような顔色をしており、皮膚は冴えず、死んだような色である。血管は太くて軟らかいが、その中にはほとんど血が含まれていない。その血は、血というよりも泡状のものである。肉付きは十分であるが、その肉は女のように柔らかい。手足に力はあるが大胆さに欠け、感受性も鈍い。思考や会話に関していえば、突然燃え上がって瞬く間に消えてしまう炎のように、激しく辛らつである。身なりは奇抜だが行動は凡庸である。こうした男の話は口先だけであり、行動を伴うものではない。

この男たちの陰部に吹く風は火の量に乏しく、そのため風は辛うじて温かい水のように、わずかに温かいだけである。それは火を起こすふいごの役割を果たすべき二つの睾丸が、十分な火を蓄えられないからである。睾丸は弱々しく、男の力の根［陰茎］を勃起させるに足る強さをもっていない。

この種の男は、男女どちらとも暮らすことができる。また相手に対しては忠実であり、親密な性愛関係を結ぶこともできる。彼らが激しい憎悪を抱くようなことはない。だが、アダムとエヴァが肉体的な性愛を通して生まれたのではない、という原初の創造のありかたを暗示するものが、彼らの体内には秘められており、それゆえこの男たちは生殖力に欠けるのである。その精液は他の男のそれとは異なっており、髭やその他、男の特徴を示すはずの箇所も、男性的なものではない。

彼らには嫉妬するということがない。また周りからは生まれつき体が弱いと思われているので、同じように体の弱い女を好む。というのも、弱い女は子どものようなものだからである。こうした女に対しては、ときおりかすかに興奮することがあり、またわずかに草が生え出る土のように、かすかに髭も生えてくる。こういう男は、生殖能力をもつ男と同じように女と結ばれることがないため不妊であり、大地を耕すべきその鋤も完全ではない。

彼らは、時おりよぎる想像やそれらしいことを除けば、頭の中でさえ性欲に悩まされることはほとんどない。ただ体内にこうした弱さをもつため、知力においても鈍いところがある。血管は葦やその類の草のように脆弱であり、こめかみの血管は生命力に欠けている。血管は冷たく、精液も泡のように弱くて未熟であり、また適切な時間、射精を我慢することができないために、男らしいといわれることもない。

76

女の歓び

De mulieris delectatione

女の歓びは太陽にたとえることができる。太陽は果実を実らせるために、その熱を優しく穏やかに、絶えず大地に注いでいる。もし太陽がもっと強烈に間断なく燃えていたら、その熱は果実を育むどころではなく、駄目にしてしまうであろう。女の歓びもまたそれと同じで、子を孕み、産むために、優しく穏やかで、持続的な熱をもち続ける。もし女が絶え間なく快楽の炎に身を焦がすようであったら、妊娠や出産には適さないであろう。体に歓びが湧き起こるにしても、女の炎は男のように激しいものではなく、より穏やかなものである。

男の歓び

De viri delectatione

男の中で性欲の嵐が巻き起こると、それは粉引機のように男の中を駆け巡る。男の陰部は、髄が火を送り込む工場のようなもので、男の生殖器に火を注ぎ込み、男を激しく燃えたたせる。

しかし歓びの風は女の髄を出てゆくと子宮に入り、そこで風は臍《へそ》と結びつき、女の血を肉欲へと駆り立てる。子宮は臍のあたりで広くなっており、子宮に入った風はここで膨らむ。そこは湿っており、女はこの場所でしばしばより穏やかな歓びに燃えるようになっている。女には畏れや恥じらいがあり、肉の歓びを抑えるのは男よりもたやすい。女が精液の泡を出すのは男よりも稀であり、またその泡は小さく、とてもわずかなもので、男の泡に比べれば、一個のパンに対するパン粉程度のものにすぎない。

歓びのあとに泡が放出されずに、子宮の白くて脂質の多い血管と混ざり合うということがよくある。この残滓は、最終的には経血といっしょに体外に排出される。また女が男との接触によらない歓びにかき立てられた場合、この残滓は分解して砕け、無となって女の体の中で消えてゆく。女の生殖力の性質は、男に比べると冷たく、血なまぐさいものである。女の力は男の力よりも弱く、歓びに際しても、男よりは穏やかに燃えるようにできている。女は、妊娠して出産するための器にすぎないといえよう。女の風は不安定で、血管は開いており、体の各部分は、男よりも柔軟にできている。

生殖力をもった男が女から身を離していると弱くなりがちであるが、それでも女ほどではない。というのも、男は女より多くの種を放出するからである。男ひでりの乾いた女は健康である。こういう女は、男がいるとかえって弱くなる。激しい雨による洪水も、ある時は高まり、やがては鎮まるように――あるいは発酵していないワインを火にかけると、煮立って、やがておさまるように――人の中の悪い体液も、高まったり衰えたりするものである。もし悪い体液のもつ邪悪な力が常に高まっていたら、人は生きていることはできず、たちまち死んでしまうであろう。誰の血であれ、血というものは、月の満ち欠けに応じて増減するものである。

77

月と体液の関連性

De lunae mutatione et humorum

月が満月に向かって大きくなる時に、人の血は増加し、月が小さくなる時に、人の血は減少する。それは男だけでなく、女も同じである。人の血が極限まで増加した時に、もし減少することがなければ、その人は耐えることができず、完全に壊れてしまうであろう。

受胎に適した時期

De tempore gignitionis

月が満ちるとともに人の血は増加するので、果実すなわち子どもを孕むという点では、女だけでなく、男にとっても受胎の可能性が高まる時期である。この時期になると、男の精液は強く、活発になるからである。逆に、月が欠けるにつれ、男の血は減少してくるため、精液は澱《おり》のように弱くなり、力をなくす。男がこの時期に子を造ると、いわゆる欠陥を生じやすい。女がこの時期に子を孕んだ場合、その子が男であれ女であれ、病気がちで虚弱であり、元気のない子どもになる。このように、月が満ちてゆく時は、男だけでなく女の血も増加する。それとは逆に、月が欠けてゆく時には、男であれ女であれ、五十歳になるまでは、血は減ってゆくものである。

78

月経

De menstruo

男の血は月が欠けてゆく時期に減少するが、女の血は月経によっても減少する。女の場合、月が満ちてゆく時に月経が始まると、月が欠けてゆく時に始まる場合よりも、その苦痛は大きい。なぜなら、月が満ちてゆく時は、本来なら血が増加するはずであるのに、月経中は血は逆に減少してしまうからである。

五十を過ぎると、それ以前に比べれば、月の満ち欠けに応じて血が激しく、あるいは急激に増減するということはなくなる。血の影響を受けて、八十歳までは、それ以前に比べると、やや太りやすくなる。というのも、この年齢になると、血の増減がなくなるからである。八十を過ぎると、男は血だけでなく、肉までも干上がってくる。皮膚は縮み、皺が表れる。若い頃、皮膚は肉と血に満ちてぴんと張り、滑らかであったのに、男も八十を過ぎると、肉と血は干上がり弱まってくる。それゆえ彼らは子どもと同じように、飲みものや食べものによってたえず元気を回復する必要に迫られる。肉と血が減った分、飲みものや食べものによって補給しなければならなくなるからである。

非常に健康で、七十まで月経があるという人を除けば、女は普通、五十を過ぎれば閉経する。そのころを過ぎると、血流は以前ほど活発でなくなるため、七十くらいまでは太りやすくなる。それは月経による血液の減少という作用がなくなるからである。七十を過ぎると、肉と血は干上がって皮膚は縮み、皺が現われる。女は弱くなってくるので、多くの場合、子どものように飲みものや食べものによって補給する必要がある。というのもこのころには、肉も血も、底をついた状態になり始めているからである。男の場合であれば、老化の苦しみは八十までないが、女は男よりも弱いため、老化の苦しみは早く現われる。

野生の動物にあっても、月の満ち欠けに応じてその血は増減するが、人間に比べればゆるやかである。しかしこのことは、大地の汗と湿から生まれ、大地の汗と湿から栄養を得ている動物、すなわち血からよりはむしろ毒や腐敗物から栄養を摂って生きている動物にはあてはまらない。また少量の血しかもたず、水中に棲み、水から生を得ている魚にも、このことはあてはまらない。

根から葉を生じる木もまた月の満ち欠けに伴い、その樹液を増減させている。月の満ちてゆく時期に伐採すると、木の中には樹液や湿が残っているため、虫や腐敗によって木が消耗する率は、月が欠けてゆく時期に伐採したものに比べると、高くなる。月が欠けてゆく時期に伐採すると、月が満ちてゆく時期に比べて、樹液がやや減少しており、木はより堅くなっている。堅くなった木の中では、月が満ちてゆく時期に比べて虫が育ちにくく、木の腐敗によって受ける損害も、月が満ちてゆく時期に比べれば少ない。

79

木の剪定

De arborum putatione

木を植えたり、剪定するには、月の満ちる時期よりも、月の欠けてゆく時期の方が安定している。月の満ちる時に剪定すると、樹液が増加して過剰となっているため、往々にして水分が流れ出てしまうことがある。この時期に剪定したものは、月が欠けてゆく時に剪定したものよりも根付きが悪く、また完璧な芽吹きを迎えるのも難しい。月が欠けてゆく時期に剪定すれば、樹液はやや減少している。木の中には、より偉大で、より強靭な力が秘められている。木は樹液の豊富な時よりも、樹液の少ない時の方が根付きがよく、安定している。減少した樹液は、月の満ちるにしたがって増加してゆく。

ブドウの剪定
De vinearum putatione

ブドウを栽培する場合、月が欠けてゆく時期に新芽を切れば、よい実を多く結ぶ。月が満ちてゆく時に新芽を切ると、樹液や樹脂が大量に流れ出てしまうため、月が欠けてゆく時に切ったものに比べて、乾燥しやすい。この時、内部には力が残っており、月が満ちてゆく間に切り口のところは伸びて堅くなる。

80

ハーブの採取
De herbarum collectione

よく知られているように、よいハーブとは、月が満ちてゆく時の、薬効が高まった時期に採取したものをいう。この時期のハーブは、月が欠けてゆく時に摘んだものと比べると、舐剤《しざい》や軟膏などを含め、あらゆる薬用に適している。

収穫の時期
De pomorum collectione

月が欠けてゆく時に収穫された野菜や果物、あるいはその時期に屠殺された家畜の肉は、月が満ちていく時に収穫された野菜や果物、あるいはその時期に屠殺された家畜に比べて、樹液や血液が充実しているので、食用としては豊かなものとなる。長期間保存する必要がある場合は、月が欠けてゆく時期に果物や野菜を収穫し、家畜を屠殺する方がよく、また効果的でもある。欠けてゆく月は、ものを収縮させるため、果物や野菜、家畜の肉は引き締まり、より保存がきくようになる。

穀物の収穫

De segetum incisione

月が満ちてゆく時に刈り取られた穀物は、月が欠けてゆく時に刈り取られたものよりも多くの穀粉を収穫することができる。穀物は月が満ちていく時期に豊かになり、月が欠けてゆく時期には、やや減少する。しかし、月が満ちてゆく時に刈り取られた穀物よりも、月が欠けてゆく時に刈り取られた穀物の方が保存がきく。月が満ちていく時に刈り取られた穀物の種を土に蒔くと、月が欠けてゆく時に刈り取られた種よりも早く根付き、早く発芽し、多くの葉を茂らせることができる。

種蒔きの時期

De tempore seminandi

月が欠けてゆく時に刈り取られた穀物の種は、月が満ちていく時に刈り取られた穀物の種に比べて、発芽や生長が遅く、葉も少ないが、実りは豊かである。穀物は、満ちていく月とともに生長するので、その時期に土に蒔かれた種は、月が欠けてゆく時期に蒔かれた種よりも早く発芽し、生長も早く、多くの葉を茂らせる。月が欠けてゆく時に種を蒔くと、十分に強く芽立ちするまでは、ゆっくり生長する。

81

再びアダムの眠りについて

Item de Adae sopore

アダムが神の教えに背く以前から、アダムには睡眠も、食物を摂るということも与えられていた。しかし罪を犯してのち、アダムの肉は非常に脆弱で壊れやすいものとなった。その肉は、生きている人間の肉に比した時の、死人の肉のように不安定なものとなったのである。こうしてアダムは、食物によって元気を回復する以外の道はなく、また、睡眠も不可欠なものとなった。これらのことは、すべての人間に起きていることである。人間の肉は食物によって増やし、その髄は睡眠によって増やす以外にないのである。

睡眠

De somno

眠っている間に人の髄は回復し、また増加してゆく。髄は目覚めている間にわずかに減少し、また弱まってもゆく。それはちょうど月が満ちていく時に増え、欠けていく時に減ってゆくのと同じであろう。あるいはまた、冬の間中、生ける力を保ってきた植物の根が、夏になると花を咲かせるようなものといえようか。このようにして、人の髄が労働によって消耗したり、長時間起きていたために減少したりした時などに眠気が襲ってくる。立っていようが座っていようが、あるいはまた横になっていようとも、魂は常に体の求めを感じ取っており、そのおかげで、人は簡単に眠りに落ちることができるのである。

不眠によって髄が消耗すると、魂の力は、穏やかで心地よい風を送り出す。その風は、首の血管と頭部全体に吹き渡ってこめかみを通り抜け、頭の血管を満たしてゆく。風は、活発な呼吸を抑制して、その人を眠りにつかせる。睡眠中は無感覚であって無意識に近く、体は脱力している。この時、その人には知性も思考力も知覚もない。目覚めている時も眠っている時も、魂は留まっていてその人を一つに統合しており、眠っている間であっても、目覚めている間と同じように、魂は生ける息を吸ったり吐いたりしている。これまで述べたように、こうして人は眠りに落ちることができる。魂はすべての力をまとめ合わせ、髄を増やす。魂は髄を形造り、強め、それを通して骨を堅固にし、血を凝結させる。魂は肉を堅くし、すべての器官をしかるべき位置に据えつける。魂は人の知識と知恵を広げ、こうしてその命は歓びに満たされる。眠っている間の方が、体内の熱は高まっている。目覚めている間、髄は痩せてゆき、油っぽくなり濁ってゆく。こうして人は眠りに落ちるのだが、髄は眠っている間に造られ、豊かさを増し、また透明になるために、髄は眠っている間の方が熱くなっている。

82

夢精

De pollutione nocturna

髄のこうした熱の過剰により、血が沸き立ち、肉の歓びがかき立てられ、泡のような遺精を発するということがよく起こる。本人には自覚のないままに、髄は生殖器に熱を送り込んでくる。飲食物の過度な摂取により、髄が熱く燃えるようなこともある。過剰な飲食物が髄に火を補い、その飲食物の液汁が、血と髄とを突き動かすからである。熱を帯びた髄は、血の中に肉の歓びをかき立て、本人には自覚のないままに、生殖器に泡状の遺精を送り出す。こうしたことは、夏の暑さや、衣服の着すぎによる暑さから起きるのではない。もしそういうことが起きたとしても、それは稀なことであろう。なぜならその時、体は休んでいて何もしておらず、目覚めている間中、さまざまな活動に携わっていた魂は、意識——魂はこの意識とともに体内で機能している——を導き出し、点検しているからである。それは体のさまざまな働きに邪魔されない夢の中で、魂が視力

(oculos：eyes) を導き出し、点検するのと同じである。

再びアダムとその預言について
Item de Adam et eius prophetia

神がアダムに眠りを送り込まれた時、アダムの魂は、真実の預言を通して、多くのものを見ていた。なぜなら、彼はまだいかなる罪も犯していなかったからである。これと同じように、私たちも眠ると——罪に苦しんでいなければ——その人の魂は真実の預言を通して、多くのものを見るであろう。

夢
De somniis

人間の魂は神に由来しているがゆえに、体が眠っている間に、魂が真実のことや未来に起きる出来事を見るということがある。そしてそれは、時として正夢となる。悪魔のような幻影に悩まされ、重苦しい思いに心が乱されているときには、魂はものごとを完全に見ることができないために、惑乱するということがしばしばある。目覚めている時に心を占めていた考えや空想、願望と同一のものが夢に現われて気を塞ぐということもよくある。イースト菌が小麦の塊を膨らませるように、こうして、よい考えも悪い考えも、夢の中に現われてくるのである。

もしその考えが善であり、深い信仰を伴うものであれば、神はその恩寵により、ヴィジョンを現わし、頻繁に真実を示されるであろう。しかし、もしその考えが空疎なものであれば、悪魔はそれに気づき、自分の嘘とその人の空疎な考えとを混ぜ合わせ、信心深い人の中に潜んでいる卑しむべき事柄を、せせら笑うように晒《さら》して見せ、その人の魂を怖気づかせるであろう。もしもある人が、適切でない喜びや悲しみ、怒りや争い、支配欲やその他、それに類する感情に囚われたまま眠りについたとすると、悪魔はこうした感情を見て取り、その人の眼の前に、頻繁に幻影を現わすようになるであろう。

あるいはまた、肉の歓びに浸ったまま眠りにつくと、邪悪な幻影が立ち現われ、生きている者の体や、時にはかつて親しく交わっていた死者、あるいは一面識もない死者の体さえ見ることがある。その夢の中で、彼はあたかも目覚めている時のように、死者を生者のように感じ、その死者とともに罪を犯し、あるいは不道徳な行為を楽しんでいるように感じることもある。こうして、卑しむべきことが、精液とともに起こるのである。悪魔は、目覚めている者といっしょになってわめき声を上げて唆し、眠っている男を悩ませる。体に留まっている魂は、目覚めていようが眠っていようが、不本意ながらその感覚を男と共有しており、男のさまざまな動きを生み出すのである。空気が水中の水車を回して粉を挽くように、目覚めていようが眠っていようが、魂は体を動かし、体にさまざまな動きを起こさせる。

83

魂の働くさま

De animae effectu

太陽が昼の光であるように、目覚めている間、魂は肉体の光であるといえよう。月が夜の光であるように、眠っている間もまた、魂は肉体の光であり続ける。眠っている人の体が適切なバランスを保っており、髄が働いて体を適切な体温に高めていさえすれば、邪悪なことやややっかいな振る舞いに走ることはない。夜、雲や風に妨げられることがなければ、月はその輝きを存分に放つように、魂の知的な能力に妨げがなければ、人は頻繁に真実のヴィジョンを見る。

目覚めている間に、心と体が相争うような雑多な考えに縛られていて、その混乱のままに眠りに就くと、その睡眠中に見るヴィジョンは、たいていの場合、偽りのものである。こうした混乱の中にあっては、魂のもつ知的能力はひどく曇っており、嵐になれば月は雲に隠れて、その輝きが見えなくなるように、魂は真実を見ることができないのである。魂は火であるがゆえにこそ、体が命を失うことのないようにと、眠っている間中も、呼気や吸気を適度に調整しつづけている。それは例えていえば、陶工が火中に器を入れて焼き締める時、火の温度の高低に気を配るようなものである。もし火が強すぎると器は脆くなり、ついには割れてしまうであろう。

84

息

De halitu

息を吸ったり吐いたりしないと、体は機能しない。空気の動きがなければ水が流れないように、呼吸をしなければ、血液は液体の状態を保つことができず、また流れることもない。

魂と肉体の対比

De animae et carnis contrarietate

魂は善に向かう息である。肉は罪に向かう傾向をもっており、もし魂が肉を抑えられなければ、肉は罪を犯してしまうことが時としてある。それは例えていえば、太陽は地虫を阻むことができないだけでなく、その光と熱とで大地を温め、地虫を湧かせてしまうようなものである。しかし火に対するふいごのように、肉に対する魂は、一陣の風のようなものである。ふいごが木や石炭さえあれば火をおこせるように、魂は肉体、すなわち骨や腱や肉と結びつくと、どのような役割でも果たそうとする。体の中にある限り、魂はこれら骨や腱などの肉体を無視することはできない。なぜなら、髄は肉や骨、体のすべての器官に張りついているからである。それは木の晒し台に釘付けにされた者が、その晒し台から抜け出せないのと同じである。

しかし、水が火の燃え広がるのを塞ぎ止めるように、魂もまた神の恩寵に助けられ、また理性に促されて、罪深い悪が湧き起こっても、それが肥大化しないようにと、時には悪を懲らしめることもある。眠っている人の髄がすっかり回復し、眠っている体の枠組み全体を整え終わると、休息させるためにそれまで送り続けていた穏やかな風を、魂は髄から呼び戻す。こうしてその人は目覚めるのである。

寝ないでいることが多く、それと同じくらい突然寝入ってしまうようなとき、髄はその強靭さと充足感とを回復しておらず、また器官もいまだ十分には活力を回復していない。しかしぱっと起きて、ぱっと寝入ることのできる人の場合、その髄と器官とは非常に順調かつ穏やかに回復しているということを表わしている。赤子が頻繁に乳を吸い、そしてぱっとやめるのは、そのようにして回復力を集中させているのだが、このような人はそれに似ているといえようか。

85

魂の覚醒

De animae excitatione

自分の脇腹やその他の部位を下にして横になっている人が寝苦しそうであったり、体に何かが触れるとか、体の何らかの不調から重苦しさを感じるというようなことは頻繁にある。人は敏感にできているもので、魂はこのような圧迫や自然に逆らうなにかを感じ取るものである。こうした障りがあるのを見て取ると、魂は自分の力を集中させ、髄から送っていた風を呼び戻し、その人を目覚めさせるのである。

眠っている人の体の近くで騒動や騒音、叫び声などが起きて、空気が振動するようなことがある。人間の中にも元素は存在しており、外部の、空気という元素の振動は、人間の中の、空気という元素を振動させるのである。こうして空気の動きを感じ取った魂は、自分の力を呼び戻し、その人を目覚めさせる。突然の騒音や体に触れられた感覚、その他の原因で人が突然目覚める、あるいは無理やり目覚めさせられるということは、よくあることである。こうして血管と血は、危険な仕方でかき立てられるようになる。

魂が突然受けた衝撃によって体が痛くなったり、激しい発熱や三日熱に襲われるようなことがある。しかしやがてよくなって目を覚ましてみると、頭脳は以前よりも明晰になり、表情も明るくなっていることも多い。それは休息と安静によって、体のすべての部分が一まとまりになった証拠である。

睡眠過多

De somni nimietate

眠りすぎると悪い熱をもちやすくなる。睡眠中は長い時間、目を閉じているので、この熱によって目にもやがかかってくる。それは長時間、太陽光を見続けていると、ものがぼやけてくるのと同じである。睡眠が適度であれば健康である。起きている時間が長すぎると体は衰弱し、少なからず力を失う。物を認識する力もいくらか減退してくるし、目の周りの肉が痛んだり、赤くなって弛緩するようなこともある。だからといって視力が衰えたり、瞳を傷めたりするようなことはめったにない。適度な時間起きている人は、健康でいることができる。

目が覚めてしまって眠れないようなことはよくある。雑多な思いに心が塞がっていたり、決断事や人への憎しみ、過大な喜びに心を奪われていたりすると、こうしたことになる。悲しみや恐れ、トラブルや怒りなど、承服しがたい事態や思いに心が奪われていると、人の血は乱れやすくなる。本来であれば穏やかな睡眠の風を受けているはずの血管は、少々収縮した状態になっていて、風を受け容れることができないのである。あるいは度を越した快楽を感じさせる何かを、見たり、聞いたり、行ったりすると、血管はその快楽の方にもっぱら集中してしまい、眠りの風を保つことができなくなる。こうして心が満足して元に戻るまでは適正なバランスを保てなくなり、目覚めたままの状態となる。血管が適正なバランスを回復しさえすれば、眠くなってくるであろう。重い病を患った場合、血と体液とは相反する状態に陥り、体内に嵐のようなものが生まれてくる。こうした相容れない状態により、その人は休息することができなくなり、自分の意に反して、また健康にも反して、たえず不眠に悩まされ、起きたままの状態となる。

眠っている間は、起きている時とは違った視覚機能が働いている。眠りから覚めた直後に、ものをはっきり見るのは困難である。また暗い所にずっと居続けた後に明るい所に出た時なども、すぐに視力は回復しない。これと同じように、明るい所から暗い所に移った場合も、少し時間が経たないと視力は回復しないが、それはことばを発する時、思いはことばの内に隠されているのと同じである。

86

激しい運動

De exercitio

肉体的に健康な男であれば、長時間歩いたり立ち続けていたとしても、度を越さない限りさほどの害はない。体にとってそれは普通の活動だからである（quia in commotione corporis est : there is a jolting in his body）[▼60]。体の弱い人は座っている方がよい。歩きすぎや立ちすぎは体を傷める。男に比べて女は肉体的に脆く、また男とは頭蓋の仕組みが違うので、体を傷めないためには、歩いたり立ったりするのはほどほどがよく、また走るよりも座っている方がよい。乗馬をする場合、空気と風で疲れることはあっても、乗馬自体が体を傷めるということはまずない。しかしときおり足や脚を屈伸させて休みをとるように心がけるべきである。

87

多血質の女 De sanguinea

生まれつき丸々としていて、柔らかく好ましい肉に細い血管、リンパ（tabe : lymph）▼61のない正しい血をもっている女がいる。血管が細いために、血管の中を流れる血よりも肉と混ざっている血の方が多いため、肉付きが増すのである。こうした女は明るく白い顔をしていて、愛情に恵まれている。またかわいらしく、手先は器用である。自制心が強く、月経も適量である。子宮の器は子を産めるように丈夫にできている。それゆえ妊娠する力をもっており、男の精液を受け取ることができるが、多産ではない。もし夫を持たず、子を産まないと、体を壊しやすい傾向にあるが、夫がいれば健康でいることができる。自然な年齢よりも早く閉経するとメランコリアに陥ったり、脇腹が痛くなったり、肉の中に虫が湧いたり、瘰癧《るいれき》と呼ばれる腫瘍ができたり、重症ではないがレプラに罹ったりすることもある。

粘液質の女 De flegmaticis

これとは別のタイプに、血管が太くてあまり太らない女がいる。血は健康な部類であるが、わずかに毒を含んでいて白っぽく、そのため血は白く見える。この女たちの肌は浅黒く、いかつい顔をしている。溌溂《はつらつ》として

60▼英訳では「体が衝撃を受けることもある」となっているが、ここはラテン語原文に従った。
61▼ラテン語原義は「腐敗」「毒物」。「翻訳について」（p.52）を参照。

いて有能であり、少し男っぽい心のもち主でもある。経血の量は多くも少なくもなく、適量である。血管が太いので多産質であり、簡単に妊娠する。子宮その他の内臓は健全である。このタイプの女は男を魅惑して自分に従わせる傾向があるが、男たちもこうした女を好む。

彼女たちは、男を避けたいと思えば交わりを慎むこともできる。そうすると確かに少しは衰弱したりもするが、さほどではない。だが男との交わりを避けると気難しくなり、態度もとげとげしくなる。男がいて交わりを慎む必要がなくなると、男のように自制心をなくし、多淫となる。

こうした女は生命力が強いので少々男っぽく、顎にうっすら産毛が生えたりする。自然な年齢より早く閉経すると、精神錯乱と呼ばれる心の病に陥ったり、脾臓の疾患や水腫症を患ったりする。さらには腫瘍の中に肉腫ができてそれが慢性化したり、木や果物の瘤のような膿疱が手足の表面にできることもある。

88

胆汁質の女

De colerica

肉付きは悪いが骨が太く、適当な太さの血管をしている女もいる。こういう女は濃く赤い血をもち、青白い顔をしていて、分別もあり親切である。彼女たちは男に尊敬され、また恐れられもする。経血の量は多い方で、子宮も丈夫なので多産である。男はこういう女の性格を好むが、またこうした性格を少々煙たがるところもある。彼女たちは、男を自分に従わせようとしたり誘惑するようなことはない。

この女たちは夫と結ばれると貞潔を守り、妻としての貞節を守る。こうした女は、夫がいると肉体的には健康であるが、夫がいないと体に痛みを訴えたり、虚弱になることすらある。それは夫がいないからという理由だけでなく、誰に対して女らしい貞節を捧げればいいのか、分からなくなるからである。自然な年齢より早く閉経すると、すぐに体が麻痺したり、体液が弱まって虚弱になることもある。あるいは肝臓に痛みを感じたり、すぐにドラグンクルス（dragunculus：dragunculus）という黒い腫瘍ができたり、乳房が癌になって腫れるようなこともある。

89

メランコリア気質の女

De melancolica

薄い肉、太い血管、通常サイズの骨、赤というよりは青っぽい血をしていて、青黒い色の混じった顔をしている女もいる。彼女たちは移り気で、考えは空疎であり、疲れやすく苦境に弱い。生まれつき無気力で、それゆえメランコリアに悩むことがある。経血の量の多さに苦しみ、子宮が弱く脆いため、妊娠はできない。男の精液を受け取っても、それを保ち温めることができないからである。夫がいるとかえって衰弱するため、夫がいない方が健康であり、その方が丈夫で幸福でいることができる。愛想よく話しかけることもなく、男を好きになることもほとんどないために、男はこの種の女を敬遠しがちである。

こういう女が、時たま肉の歓びを感じたとしてもすぐにさめてしまう。しかし、がっしりとした体格で多血質の夫を伴侶とした場合、時として五十歳に達するまでには、少なくとも一人の子を授かることがある。夫が生まれつき体の弱い場合、妊娠はせず、不妊のままである。自然な年齢より早く閉経すると、痛風に罹ったり、脚が腫れたり、黒色胆汁を誘発する精神の病を患うことがある。あるいは背中や腎臓が痛くなったり、突然体が腫れるようなこともある。それは本来なら月経で清められるべきリンパと汚物が体内に残留するからである。神の救い、あるいは治療によって癒され、病から解放されない限り、こうした女は早死するであろう。

90

禿

De calvitie

極端に広く禿げ上がった男は、体内に強い火をもっている。その熱と頭の汗が原因となって頭髪が抜け落ちるのだが、こうした男の息は肥沃な湿り気をもっており、その湿が髭の生えるあたりの肉を湿らせるので、そこから多くの髭が生えてくるのである。髭が少ないのに頭髪の豊かな男の質は冷であり、肥沃さに少々欠けるため、口の周りの肉に息が触れたとしても、そこから髭が生えることはない。

髪が抜け落ちてしまって禿げ上がった男には、どんな薬を使っても回復は不可能である。かつては頭皮にあった湿り気と生命力がすっかり干上がってしまうと、そこに生命力が再生することは決してない。そこから毛が生えることは二度とないのである。極端に広く禿げた男の髭は大きく広がるケースが非常に多い。髭がまばらで薄い男の場合は、そのぶん頭髪が豊かである。

頭痛

De capitis dolore

毎日熱や三日熱、四日熱だけでなく、激しい熱やその他の熱の作用により、時として黒色胆汁の分泌を促すことがある。この黒色胆汁が頭と脳に水っぽい蒸気を送りこむと、脳と頭は重苦しくなり、継続的な痛みに苦しむようになる。

偏頭痛

De emigranea

偏頭痛は黒色胆汁あるいは体内のあらゆる悪い体液に起因する。ある時は頭の右側、ある時は左側という具合に、急に頭の片方を襲うが、頭全体を襲うことはない。体液が過剰な場合、偏頭痛は右側に現われる。黒色胆汁が過剰な場合は左側に現われる。

偏頭痛の痛みは非常に強いもので、もし頭部全体を襲うようなことがあれば、人は耐えられないであろう。偏頭痛の治療は非常に困難である。というのも、ある時は黒色胆汁を抑えたものが、ある時は悪い体液をかき立て、またある時は悪い体液を鎮めたものが、ある時は悪い黒色胆汁を増加させてしまうからである。それゆえ偏頭痛の治療は困難なのである。黒色胆汁と悪い体液を同時に鎮めるのは難しい。

再び頭痛について

Item de capitis dolore

菜園のハーブや果物のように湿った液汁を含む食べものを、パンなど乾いた食品抜きに、しかも頻繁に食べていると、頭痛を起こしてしまうことがある。だがこのようなケースはまだ穏やかな液汁が原因なので、その頭痛を治すのは簡単である。こうしたケースのほとんどは、体内で過剰になった粘液が頭部にまで達し、その粘液が額を支えるこめかみの血管を襲うことによって、額の部分が痛み始めるのである。

91

めまい

De vertigine

上長からの優れた指導を受けることもなく、またその必要性も感じない人が、自分の意志にのみ頼り、雑多な思いに心を奪われていると、体液が正しい通り道から逸れてしまうことがある。そうすることで正しい秩序を失い、ひどく性急になったり、遅愚になったりすることがある。それはめまいで頭が回ってしまい、知的能力と感覚とが空疎になるからである。

狂気 De amentia

今述べたような事態がいちどきに起こり、頭の中で同時に荒れ狂うようなことになれば、その人は発狂して激しく混乱し、嵐にもまれてばらばらになる船のように、正常な意識を失ってしまうであろう。こうした人を目にすると、たいていの人は悪魔に取り憑かれて、その人でなくなったと思いがちであるが、そうではなく、悪魔は狂気という作用に乗じてその病苦に忍び寄り、闇討ちにするのである。しかしその人は悪魔に乗っ取られているわけではないから、悪魔がその人の言葉を使うようなことはない。もし神の赦しの下で悪魔がその人の言葉を使えたとしたら、神が悪魔を天から追放した時と同じように、神が悪魔を追い出すまでは、悪魔は聖霊にとって替わり、自分の獲物を言葉や狂乱をもって苦しめ続けるであろう。

脳 De cerebro

脳は善悪両体液の影響を受け、常に柔らかく、湿っている。もし乾燥すると、脳はたちまち病気になる。脳は本来湿っていて脂肪質であり、人の分別や知恵、理解力を司る質料であるということができる。脳はこうした諸力を含んでおり、それら諸力を送り出したり引き戻したりする。脳はまた思考する力をもっている。

思いが心臓に留まっている時、その思いは甘いか苦いか、そのどちらかをもっている。甘さは脳を豊かにし、苦さは脳を虚ろにする。煙突が口となってそこから煙が出るように、脳にも通路がある。通路とは目、耳、口、鼻のことであり、そこに思いが表われる。思いに甘さがあると、その人の目や耳や口は喜びを表わす。思いに苦さがあると、目は涙を流し、話しぶりや聞き方にも怒りや悲しみが表われる。人の目は天空に似せて造られている。

92

目　De oculis

目の瞳は太陽のようなもので、瞳の周りの黒や灰色の部分は月のようなもの、その外側にある白い部分は雲のようなものである。目は火と水によって成っている。目は火によって保たれ、強められることで成り立っている。その一方で水は視力を導き出す。もし目に血が溢れると視力は損なわれるが、それは目に視力を与える水が干上がってしまうからである。もし目にあるはずの血が減りすぎると、目に視力をもたらすはずの水も力を失う。支柱のように支えるはずの血の中にある力が、欠けてしまうからである。こうして高齢者の目は曇ってくる。血によって水が弱められることで、その視力が衰えるからである。高齢者に比べ、若い人の視力は明瞭であるが、それは彼らの血管が水と血の適正なバランスを保っているからである。というのも、体内の熱と冷が過剰になったり弱まったりしないように、火と水がバランスを保っているからである。

灰色の目　De oculis griseis

水に似た灰色の目は、主に空気の影響を受けているので、他の目に比べて脆弱である。なぜなら、空気は熱い風や冷たい風、湿り気などによってめまぐるしく変化するからである。それだけでなく、この種の目は、悪い風や弱い風、湿った風や霧による害を受けやすくできている。こうした風や霧は、清浄な空気を害すだけでなく、空気の影響を受けやすいこの種の目をも害すのである。

火のような目
De oculis igneis

太陽の近くにある黒雲に似た火のような目は、生来それを温かな南風から授かっている。この種の目は火の熱に由来しているので健康であるが、塵《ちり》や悪臭には害されやすい。というのも、塵は静穏には不向きであり、悪臭は清浄にはなじまないからである。

93
多彩な色をした目
De oculis diversi coloris

虹の現われる雲に似た目は、常に乾燥するでも湿るでもない、相反する微かな風がもつ空気の影響を受けている。この種の目は不安定な空気に由来するため、脆弱である。火に由来していないため、温かい空気の中では視力が利かない。火よりは湿に由来しているため、清浄な雨風の中にあっては視力が利く。この種の目は、相反する微かな風のもつ空気に由来しているため、太陽や月、天体や宝石、貴金属など、輝くものすべてが害となる。

荒れ狂った目

De oculis turbulentis

はっきりとした火のような目でもなければ、すっかり曇っている目でもない、嵐の時にかかるやや青味がかった灰色の雲のような色をした目は、さまざまな有害な植物や地虫を生み出す大地の、その青っぽい湿に影響を受けている。その目はリヴォルに由来するがゆえに脆弱であり、赤味を帯びた肉（carnes：flesh）[62]を排出する。この種の目は、別の病気に害されることはあっても、これまで述べてきたような、他の目が視力を損なう要素――湿った空気や塵、悪臭や光の輝きなど――に害されることはない。土の青い湿から生まれた植物や地虫が、どんな逆境にあっても負けないように、この目も、今あげたような悪条件下にあってもその視力を損なうことはない。

黒い目

De oculis nigris

時に雲がそうなるような、黒い、あるいは荒れ狂ったような目は、特に大地の影響を受けている。この種の目は、他の目よりも安定していて鋭敏であり、また大地の強さに由来しているため、長時間はっきりものを見ることができる。しかし土が有害な湿気や大量の水、沼地などの大きな湿によって侵されるように、この目も、大地の湿気や大量の水、あるいは沼地によって侵されやすい。

62▼ちなみにフランス語版では「吹出物」となっている。

角膜白斑▼63

De oculorum albugine

脳が何らかの原因で脂肪過多になると、この過分になった脂質は目に悪い体液と汗を送り出す。この濃くなった体液と汗により、目はいつも濡れそぼった状態に侵され、白斑が生じる。この白斑はできた時すぐに治療しないと、目の中で拡大する。これを放置すると、胆汁のような濃さになって除去するのが困難となる。角膜白斑は体液の冷性と黒色胆汁から生じる。

涙目 94

De oculorum lacrimis

有害な体液により目の中に水が湧き上がると、その水は目の中にある火を消し、その火を吸収する。すると目は泣いているように湿り、かすみ始める。

聴覚

Ad auditum

胃の調子が悪い時、胃から粘液が広がり、頭にまで達することがある。そこでこの粘液は耳に落ちていき、聴覚を混乱させる。しかし粘液は減増するものであり、除去したり追い出すのは容易である。

歯痛

De dentium dolore

脳を覆っている皮膜の周囲を非常に小さな血管が取り囲んでいるが、この小さな血管は歯肉と歯まで延びている。もしこの血管が悪質で腐敗した血液により過剰に満たされ、泡によって損なわれるようなことになると、血管は脳を浄化するために、脳から歯肉へ、さらに歯そのものへとリンパと痛みを送り出す。すると歯肉と下顎は腫れ上がり、歯肉は痛み始める。

水で歯をすすぎ、いつも清潔を心がけていないと、歯肉の中でリヴォルが成長し、増加する。これによって肉は弱まり、歯の周りにリヴォルが付着して歯の中に虫が生まれる。こうして歯肉が腫れ上がり、痛みを感じるようになる。

赤ら顔

De faciei rubore

ベッドに寝ているのに顔が赤くなるような病人は、ひよわな内臓に起因する脆弱で有毒な血液をもっていて、その血管から悪い体液が生まれてくる。この体液は肉に入り込み、肉を通り抜けるが、これがもとに肉は膨れて腫れ、微小な、口が開いたような穴があいてくる。彼らは悲しむこともなく、むしろ幸せな方であり、病気に耐えることができる。

63▼英訳注に、角膜のこの白く不透明な凝固は leucoma とも呼ばれるとある。角膜白斑を指すと思われる。

青ざめた顔

De faciei pallore

病気になると顔が青ざめ、痩せてくるような人の場合、黒色胆汁が麻痺と結びつくことがある。これがもとで冷えが起き、冷えが増すことで顔は青ざめ、その増加により肉は強まることがない。こうした人は自分の病弱を悲観し、またすぐに怒りだす。胃は腸に湿を与え、膀胱は水の質に寄与している。腸は食べものを常に前後に送り出しているので油っぽくなり、さまざまなリヴォルをもつようになる。

脾臓の腫れ

De splenis tumore

さまざまな有害な食べものによって胃がつかえたり、有害な飲みものによって膀胱を患った場合、胃と膀胱は腸に悪い体液を運び込み、脾臓には悪い蒸気を送るようになる。

心臓の痛み

De cordis dolore

これによって脾臓は膨張し、腫れ上がり、痛み始める。この脾臓の腫れと痛みが心臓に痛みをもたらし、心臓の周りにリヴォルを生み出す。しかしこの段階ではまだ心臓は強く、痛みへの抵抗力をもっている。これらの体液が腸と脾臓の中で過剰になり、心臓に多大な苦痛を与えるようになると、体液は黒色胆汁に戻ってきて黒色胆汁と混ざり合う。

これらの体液によってかき立てられた黒色胆汁は傲慢さの度を増し、黒く有害な蒸気とともに心臓まで上昇し、その霧をふいに頻発するいらだちとともに吐き出すようになる。そのため、人は悲しみと苦痛を抱え、食べものも少ししか口にしなくなる。彼らは痩せ細り、時には体の中に何も残っていないかのように感じることすらある。また頻繁に嘔吐するようになる。

魂の居場所

De animae domo

家を建てようとすれば誰でもドアや窓、煙突を取り付ける。必要があればドアから出入りし、また窓から光を取り入れるためである。そうすれば、たとえ燃え上がる火から煙が立ち昇っても煙突から出てゆくので、家が煙ることはない。魂も家の中にいるようにして心臓に留まり、ドアを出入りするようにして思いを出し入れし、窓を通り抜けるようにして熟慮し、燃える火が煙突を通り抜けるようにして思考する力を脳へと導く。

心臓では思いを弁別し、思いを広める。もし思いがなければ、人が認識する力をもつことはなく、ドアも窓も煙突もない家のようになるであろう。思惟《しい》(cogitationes：cogitations)と呼ばれる思いこそは、善悪の知識の創始者[張本人](auctores：originators)であり、すべてを整える力である。

思惟こそは善や知恵や空虚、あるいは同様の本性の創始者[張本人](auctores：creaters)であり、それゆえ悪い思いは心臓から出てゆく。心臓はドアである。心臓から元素へと至る道が続く。人は元素によって自分の考えを行動に移す。思いの力が脳まで上昇すると、脳はその力をそこに留める。脳は体全体の湿でもあるかのように、露のようにすべてのものを湿らせる。体の中で、悪臭を放つようなある種の有害な体液が発生すると、その体液は有害な蒸気を脳に送り込む。

96

肺の痛み

De pulmonis dolore

この有害な蒸気にかき乱された脳は、血管を通してその蒸気を肺に送り、肺を汚染する。その結果、息切れするようになり、息を吐くにも少々苦痛を感じ始め、また悪臭を伴うようになる。しかしこの肺の腫れはすぐに引くものであり、さほど危険ではない。

喘息

De asmate

先に触れた悪い体液▼[64]が脳までは届かず、脳を害することがないために、頭は健全でしっかりしている人もいる。こうした人の体液は脳まで昇ってこないかわりに、喉に留まって喉を傷め、息苦しくなることがある。この種の体液が喉に留まると、汚物と腐敗したリンパが肺を汚し、肺を傷める。それは潰瘍の痛みやリンパの滲出が、時として目を傷めるのと同じである。こうして肺が喉のところまでせり上がり、呼吸の通り道を塞ぐので、息をするのも困難となる。

咳

De tussi

肺の周りを腐敗物が埋め尽くすと、大量の腐敗した粘液が排出されるようになる。この病態は時として危険であり、すぐに死に至ることすらある。

97

霧の多い空気による悪臭を伴った息

De halitus foetore in aura nebulosa

湿った霧の多い季節に母の胎に宿った人の中には、いつも息が臭く、強烈に臭い汗をかく人もいる。この悪臭のする息と有害な体液は脳にまで達し、しばしば健忘症になるほどに脳を害することがある。頭から粘液が放出されれば、脳は清められて苦痛は減っていく。しかし粘液が放出されずにいると、脳から有毒な体液が取り除かれないために、苦痛は増してくる。この臭い息は肺に達し、肺に苦痛を与えるので、声がかすれることがある。しかしこの症状はすぐに治まるものであり、さほど危険なものではない。

満月の時期の妊娠

De conceptu in plenilunio

満月の時期、暑すぎもせず寒すぎもしない、適度な気温の時に母の胎に宿った人もいる。このような人は健康で、食欲旺盛であり、偏食することなくさまざまな食物を摂ることができる。好き嫌いがなく、なんでも食べる。なんでも食べることができるとはいっても、有害なものは控えるべきであろう。狩人でさえ益のない獣は見逃し、有益な獣だけを獲るのであるから。

64▼「95　魂の居場所」（p.193）の最終パラグラフを参照。

消化不良と肝臓

De epatis indigestione

こういう人が慎重さと節度を欠き、種々雑多な食べものを過食すると、食品に含まれる移ろいやすい液汁により、肝臓が傷んで硬化する。手や足や関節、腸に向けて、本来なら食べものが香油のように穏やかに送るはずの健康な湿が、さまざまな有害な体液によって害されるからである。また時には手か足いずれかの肉が腫瘍になることもあり、肉が割れ、脚の腫瘍部分が痛んで足を引きずるようなこともある。

腱の不全[65]

De nervorum indignatione

この病気があると長生きできない。

妊娠の時期と肝臓の欠陥

De conceptu et epatis indignatione

月が欠けていく時期にさまざまな風が渦巻いている中で母の胎に宿った人の中には、いつも悲しみに沈み、行動に一貫性のない人がいる。悲しみのため、彼らの肝臓は脆弱になり、たくさんの小さな穴があいたチーズのように、肝臓には細かな穴が数多く開いている。この人たちは暴飲暴食をすることもなく、また食い意地が張っているわけでもなく、むしろ飲み食いは少ない方である。この小食のせいで、肝臓はスポンジのようにしぼみ、衰えてゆく。

98

器としての肝臓

De epatis vasculo

人体の中にあって、肝臓は心臓や肺、胃がその液汁（succos：juice）を注ぎ込む器のようなものである。肝臓は体のあらゆる部分にその液汁を注ぎ返す。それはちょうど泉から掬《すく》った水を甕《かめ》から他の場所に注ぐようなものである。前項で触れたように、肝臓がしぼんで穴が開くと、心臓や肺、胃などからよい液汁を受け取ることができなくなる。そのため心臓や肺、胃に戻る液汁と体液は、体内で一種の氾濫を起こすようになる。もしこの病気が進行すると、誰であれ長生きすることはできない。

太陽が巨蟹宮にある時の妊娠

De conceptu, dum sol est in cancro

太陽が巨蟹宮にある時に母の胎に宿った人もいる。太陽はこの時期にもっとも活動的であり、その正しい本性によって大気を和らげている。この時、母の胎に宿った人の肝臓は健康である。

心臓の痛み

De cordis dolore

彼らの肝臓は健康であるが、ときおり心臓に不調を感じるようなことがある。それは肝臓を打ち負かせなかった体液が、肝臓を逃れて心臓や脾臓に向かい、これらの臓器を苦しめるからである。火や香辛料で調理され

65▶ nervus（νεῦρο）はプラトンやアリストテレスにおいては「腱」を、ガレノスにおいては「神経」を意味するが、ここは英訳に従って「腱」とした。

ていない生のリンゴやナシ、生野菜やその他、生の食品を食べると、前もって調理されていない分、胃はこうした食べものを容易には消化できない。

脾臓の痛み

De splenis dolore

摂取すべきでない食品、あるいは火や塩や酢などの香辛料で調理すべきであるのに、そうしていない食品には、有害な液汁が含まれており、それが脾臓に達すると脾臓は腫れて痛みだす。脾臓の性は湿であるため、たしかに液汁によって湿を補う必要はあるのだが、脾臓はよい液汁だけでなく有害な液汁までも受け入れてしまうからである。今述べたような有害な液汁が増加すると、それは脾臓にまで達して脾臓を傷めつけ、こうして痛みが生じるのである。

99

胃と消化不良

De stomacho et eius indigestione

胃はすべての食べものを受け入れ、消化するために体に配置されている。胃は粘液性があり、その内側に少し皺があるが、それは食べものが速く滑り落ちて未消化にならないようにするためである。石工がモルタルを塗るとき、石の表面を加工してモルタルが剥がれ落ちないようにするのと同じであろう。和らいでいない食品、すなわち生であったり未調理であったり、加熱不十分のもの、あるいは脂っこすぎたり、こってりしたもの、乾燥して干からびた食品などを食べてしまうと、心臓や肝臓、肺、あるいは体内のどのような熱であれ、こうした食べものを消化できるほどに大きく強い火を胃に提供できるものはない。そのため、これらの食べものは胃の中で凝固して硬くなり、かびたようになる。すると胃は、緑や灰色、あるいは青みを帯びたリヴォルを多く含む物質を造り出す。そしてこの物質は腐った肥溜めのように有害な体液と悪臭を、体全体から発するようになる。この有害な体液と悪臭は、火のついた湿り気のある生木のように、有害な蒸気を体全体に送り出す。人の体の中で、食べものはさまざまな病気によって凝固する。また体の熱が過大であったり熱のバランスが壊れていると、食べたものを焼き尽くすようなことがある。また冷が過大であったり冷のバランスが壊れていると、食べたものを消化できず、この冷の作用により食べものが凝集したり凝固したりすることもある。こうして食べたものが体内に残留することで、痛みが生ずるのである。

腹膜の膨張と破裂[66]

De sifac extensione aut ruptura

太っているか痩せているかは別として、肉の軟らかい人がいる。このような人は腸を支える内側の膜が脂肪質で、かつ薄くできている。このような内側の膜は、ある種の病気や激しい運動、転倒などが原因で、あるいは食べもので一杯になった胃の膨張により、簡単に破裂することがある。女は出産するためにこの膜が男よりも厚く、しっかりしている。だからこの膜は女よりも男の方が頻繁に、かつ簡単に破裂する。

66▼鼠蹊《そけい》ヘルニアを指すと思われる。なおsifacはアラビア医学の名称で「腹膜」を意味する。十一世紀にコンスタンティヌス・アフリカヌスにより翻訳、使用されたといわれている。

100

腎臓はなぜ二つあるのか

De renibus et quare duo sint

腎臓は天空を表し、人体の熱を蓄える場所である。武装した兵士が主人を守るように、腎臓は人の太腿を守っている。腎臓が二つあるのは、より大きな力で火を持続できるようにするためであり、男だけでなく女においても同じ働きをする。腎臓は男の性器を守り、また女の子宮とも繋がっている。冷えや害あるものによって損なわれることのないように腎臓は脂肪に包まれており、そうすることで力を維持している。腎臓の中にはもっとも頑丈な血管があり、その血管が腎臓をしっかりと保全している。人の体全体は腎臓を通して支えられる。腎臓の痛みは胃の疾患に原因がある。

鼠蹊部

De iliaca

胃の痛みから脇腹の痛みが生じ、脇腹の痛みから鼠蹊部の痛みが生じる。硬い食べものや粗悪な食べものは消化できないため、これら不良で有害な食べものによって胃の具合が悪くなると、蒸気や霧状の痛みが胃から脇腹へと進んでゆく。それはちょうど生木を燃やすと不快な煙が立つのと同じである。この胃の蒸気は黒雲のように鼠蹊部へと広がる。木を燃やした煙が煙突に進むように、この蒸気は習性のようにして必ず鼠蹊部に向かい、こうして鼠蹊部はこの蒸気を受け取る。そのため胃の不調や痛みは、いつものこの有害な習性に従って、鼠蹊部の決まった場所に頻繁に降りてゆくようになる。こうして鼠蹊部に痛みが生じる。

睾丸

De virilibus

男の生殖器の力、すなわち髄から発する風（vento：wind）により、二つの睾丸は二つの神殿のようにあって男の体内の熱を証しする。それのみか、睾丸は陰茎の火を確固として保持する役割をもっている。その力が衰えることのないように、睾丸はある種の皮膜で覆われている。この皮膜は、睾丸が陰茎を奮い立たせる手助けをする。生まれつきの欠陥、あるいは去勢によって二つの睾丸がない場合、その男は、男らしい生命力も、陰茎を力強く奮い立たせる雄々しい風ももつことがない。こうした男の陰茎には、女を大地のように「耕す」勃起力がない。それは子をつくる過程で強まるはずの陰茎の力、すなわち風を欠いているからである。それは例えていえば、鉄の刃をもたない鋤が大地を耕せないのと同じである。

101

睾丸の腫れ

De hoscei inflatione

睾丸には男としての大きな力があるが、有害な体液や有毒な汗、あるいは過剰な快楽により、時としてある種の湿が睾丸に潰瘍あるいは腫れ物を生むことがある。こうした有害な潰瘍により、睾丸は腫れて傷むのである。

排尿障害

De dissuria

尿を我慢できない人には胃と肝臓に冷えがある。つまり、飲んだものを十分に温められないということである。それは火の上にかけて温まり始めた水が沸騰する前に流れ出てしまうようなもので、胃と肝臓によって水が温められる以前に、生ぬるい状態のまま流れ出てしまうからである。尿を我慢できない子どももこれと同じで、こうした子どもの胃と肝臓は十分な熱をもつことができないために冷えている。

痛風▼67 De podagra

柔らかく脆弱な肉をもち、頻繁に種々の贅沢なものを食べている男は痛風に罹りやすい。例えば良質で健康的なものを二つ食べ、粗悪で力のないものを一つ食べた場合、二つの良質な食べものは一つの粗悪な食べものに打ち勝つことができるので、それを食べた人に害は少ない。しかし粗悪で力のないものを二つ食べ、それと同時に良質で健康的なものを一つ食べた場合、前者が後者を抑えるために、健康によいということはめったにない。

種々雑多な食べものを食べる人が、簡単に病気になってしまうことがある。柔らかく脆弱な肉をもつ人が、種々贅沢なものを過食すると、有害な体液が過剰になって溢れ出す。体液は増加し、抑制がきかなくなる。この体液が体中を過剰に流れ、ついには下半身に降っていき、脚と足を侵すようになる。この体液は、本来あるべき上半身に昇ることができずに降ってきたものである。この体液は下半身に留まってリヴォルへと変化し、硬くなる。こうして脚と足は痛風を病むようになり、その痛みによって、歩行は困難となる。

女であっても、柔らかく脆弱な肉をもち、贅沢な食べものを過食していると、今述べたような有害な体液が体内で増加する。それでも女は男ほどにはすぐ痛風に罹るようなことはない。というのも、女は月経によってこうした体液を排出しているので、痛風には罹りにくいのである。

102

瘻《ろう》

De fistula

瘻は痛風（podagrae：gout）の一種であり、有害な体液の過多によって起きる。この体液が過剰になると、体の一定の箇所に進出したり、脚や足に降ってゆく。そこでこの体液はその過剰によって皮膚に穴を開け、外に少しずつ滲出し始める。この種の体液は体内で常に増え続け、たえず滲出し続けるために、皮膚の状態が改善されることはない。

なぜ月経はあるのか

Quare menstruum

愛欲の奔流がエヴァの中に流れ込んだ時、激しい血の流れにより、エヴァのあらゆる血管が開いた。こうしてすべての女には血の嵐があり、月の満ち干のように血の滴を保ち、あるいは排出する。血管によって繋がる女の体のすべてが開かれる。ちょうど月が満ち欠けするように、女の血と体液は月経によって清められる。もしそうでなければ、女はもちこたえることができないであろう。女は男よりも湿が多いため、月経がなければ重大な病に陥るのである。

処女にとって純潔は無欠性を守る防壁である。男の行為に通じていない処女の経血は、婦人に比べ、本来の血に近いものである。処女はまだ閉じられている。処女でなくなると、処女であったころに比べて、経血中の

67▼ラテン語版ではpodagraとなっているが、英訳ではgoutとなっており、フランス語版でもgoutteとなっている。しかし次項「102 瘻」を含め、これらの病態に対応する治療法を示すBOOK Ⅲ「183 痛風」（p.312）及び次項「瘻」との照合から、ここはラテン語版通り「痛風」とした。

リヴォルは増加する。未通の処女の時代、月経は血管から滴る滴り程度のものに過ぎない。しかし処女でなくなれば、血管は男の求めに応じて緩み、滴りは小川の流れのようになる。性交によって緩んだ血管が、滴りを小川のように変えるからである。

純潔という処女の防壁が壊される時、破瓜《はか》によって出血をきたす。女は自分の血によって男の精液を受けとめ、それを保つように造られている。だから女は弱く、冷たく、その体液は弱いのである。食べものが鍋の中で煮立って清められるように、女の血も月経によって清められねば、女はたえず病気を患うことになる。

103

エヴァの誘惑

De Evae corruptione

もし仮にエヴァがずっと楽園の住人であったなら、女の血管はすべて完全であり、健康なままであったであろう。だがエヴァが蛇を見つめ、蛇に同意した時、それまで天上のものを見ていたエヴァの視力は失われた。そして天上のものを聴いてきたエヴァの聴力も失われた。エデンの園の木の実を一口味わった時、それまでエヴァの中で輝いていた光輝は萎《な》え果てたのである。木の根から上がってくる樹液がすべての枝に達するように、月経中の女もこれと同じである。脳を養い、視力と聴力を保っている血管は、月経の期間中、血の流出に苦しむことになる。首や背、腎臓を維持している血管は、肝臓や腸、臍の血管を自分の方に引き寄せる。すべての血管が他の血管に流れ込む。木々の生気が緑なす枝を繁らせるように、腎臓を養っている血管は、腎臓が繋がっている輪（rotam：wheel）を解き、収縮させ、引き戻す。それは小鳥の爪が血管を切られると、いったん縮み、また元に戻るのと似ている。

なぜ月経はあるのか

Quare menstruum

強い風が川に嵐を巻き起こすように、女のあらゆる体液の中に嵐が巻き起こる。女の体液は血と混ざり合って血のようになる。このようにして、女は血で清められるように、女の中に血の流れが生まれる。この時、女の頭は弱まっており、また目はかすみ、体全体も弱まっている。しかし適切な時期に適度に月経があれば、目がかすむようなことはない。月経の始まる前になると精液を受け取る器官が開くため、他の時期より妊娠しやすくなる。月経の終わる時期、あるいは終わりかけの時期にも、同じように器官は開くので妊娠しやすい。こうした時期を外せば、器官はやや収縮しており、簡単には妊娠しない。それは夏の期間中、花を咲かせるために緑の生気を送り出していた木々が、冬になれば緑の生気を引っ込めるのと同じ道理である。

104

妊娠

De conceptu

女が男と交わりをもつと、女の脳にある熱は歓喜し、まずは性交の歓びを感じ取ったこと、そして男の種が放出されたことを告げ知らせる。種がしかるべきところに落ちると、脳の熱は種を引きつけ、種を保つ。そしてすぐに腎臓が収縮する。月経期間中、開く準備をしていたすべての器官が、この時、手に何かを握りしめている屈強な男のように閉ざされる。経血はこの種と混ざり合い、血のように変え、そして肉となる。肉になったのち、血は、蚕《かいこ》が自ら繭を紡ぎだすようにして肉の周りに小さな器を造り出す。この器は、その中で肉が人の形となり、命の息を吹き込まれるまで、日に日を継いで準備を整えてゆく。この器は胎児とともに成長するが、非常に強く固定されており、胎児が生まれ出るまで、その場から動くことはない。

エヴァ
De Eva

人類最初の母は、天上界（aetheris : upper air）▼68の象徴として位置づけられていた。天上の層は、その内部にすべての星を抱いている。それゆえ完全で穢れなきエヴァは、神が「生めよ、増やせよ」と命じられた時も、生みの苦しみを経験することなく、自分の内に、人類というものを保持していたのである。だが今や出産は大きな苦しみを伴うものとなった。

妊娠
De conceptu

今や女は、大地のごとく鋤《すき》で耕される。女は男の精液を受け、血の中にそれを包み、自分の温もりをもってそれを温める。そして命の息が吹き込まれるまで、生まれ出る適切な時期の訪れるまで、育《はぐく》み育てるのである。

105

出産
De partu

子を生む時、女は大きな恐れと慄《おのの》きに襲われる。すべての女はこの恐怖に慄く。血管は大量の血を注ぎ出し、器官のすべての接合部（compagines : connections）は傷を負う。涙と叫び声を挙げ、女は子を生むのである。「お前は苦しんで子を生まねばならない」（『創世記』3-16）とあるとおり、時の終わりに大地が変わり果てるほどの痛みの中で、女は子を生むのである。どの女も、リヴォルの混ざった血を男よりは多くもっている。なぜなら女の体は、弦の張られた竪琴の胴体のように開いているからである。女の体には小窓があり、風が吹き抜けやすくできているため（et quia etiam fenestrales et ventosae sunt : Being open and full of wind）[69]、女の中の元素は男の中の元素よりも荒々しく、また体液も男より豊富にできている。

受胎能力　De fecunditate

女の月経の流れは命をもたらす生ける力であり、また生気に満ちた活力でもある。この流れが成長して、子どもになる。それは生ける力に満ちた木が芽吹き、花を咲かせ、葉を繁らせ、果実を実らせるのと同じである。こうして女は、経血の生ける力から子宮という果実の中に、花と葉とを繁らせる。しかし生ける力のない木が「不実」と呼ばれるように、活発に開花する力のない熟年の女は、「不妊」と呼ばれる。若木の場合、その生ける力は花に実を結ぶほどの力をまだもちあわせていないが、そのうち枝に力がみなぎってくれば、木はその生ける力をもって花を咲かせ、実をつけるようになる。そして時満ちれば、木は根を下ろした大地から生ける力を取り戻す。木には堅い木材になるものもあれば、脆くて腐っていくものもあるが、女もこれと同じである。若い娘は成熟するにつれ生ける力をもつようになるが、まだ溢れるほどに活発な血をもっていない。しかし器官が丈夫になり成熟するにつれ、血の生ける力は活発になり、子を生めるようになってくる。そして成熟を終えれば、血は減り、花を咲かせた血の活力も衰えてゆく。こうして肉は縮んで以前より堅くなり、ますます萎えて脆弱になる。

さらに若い娘の場合は、経血の流れを見ることもない。器官はいまだ成熟しておらず、妊娠することもない。

68▼ エーテル層とも呼ばれる。
69▼ 英訳では「女の体は開いており、風に満ちているため」。

それは家の基礎はできていてもまだ壁がないというところで、完成していない家のようなものである。十二歳にもなると器官は丈夫になり始め、その成長は十五歳まで続く。家の基礎の上に壁が完成した、とでもいえばいいのだろうか。

十五歳から二十歳までの間に、器官の枠組みは完成する。家が完成し、梁《はり》や屋根、家具が整ってきたといえようか。このころになれば、女は男の精液を受け入れ、保ち、温めることができるようになる。女の器官の調整は完成したということである。女が二十歳になる前に妊娠した場合、女の、または夫の生来の熱の過剰により、あるいは双方の性愛の過剰により、病気の子や、どこか虚弱な子が生まれることがある。

106

閉経

De menstrui defectu

五十代、あるいは時には六十代から、女の小窓の周辺は乾いて覆われてくる。経血の細流はその本来の場所、すなわち諸器官に戻る。それはちょうど、畑での収穫が終わると果実や穀物の種などがそれ以上収穫できなくなる——花やその他、何か適当な草を育てる以外、もう種を育てたり、成長させたりすることができなくなるのと同じである。すっかり体力の衰えてくる八十歳くらいまでの間に、女はこれと似たような状態になる。五十歳、あるいは人によっては六十歳で月経は終わり、子宮はたたみ込まれて［後退して］収縮する。ある種の体力の過剰によってときおり起きることだが、八十歳前になって妊娠するような稀なケースを除けば、もはや妊娠することはない。二十に満たない若い娘が虚弱な体のまま妊娠し出産すると、子どもに何らかの欠陥が現われることがある。八十を過ぎると女は体力を失い衰えてくるが、それは一日が日没に向かって進むようなものである。

経血の停滞

De menstrui retentione

若い女たちの中では、悲しみによって血流の滴《したた》りが抑えられ、経血の流れが強く阻害されるようなことがよく起こる。経血を運ぶ血管が嘆きによって収縮し、干上がってしまうからである。木が夏の太陽を浴びて花を咲かせ、葉を繁らせるように、女の月経は喜びによって花開くものである。しかし木の枝葉が寒風や霜、冬の寒さによって枯れてしまうように、若い女の場合も、本来なら滴り落ちるはずの血流が、悲しみによって干上がってしまうのである。

極度に病弱で、相反するようなさまざまな苦悩によって体液が増して溢れ出し、血流を司る血管が圧迫されて月経が止まるということもある。こうした体液の嵐は極端な冷えと不安定な熱とを生み出し、こうして女の血はある時は冷たく、ある時は沸騰するほど熱くなり、体内をあちこち無節操に駆け回る。血管が干上がると、月経時に流れ出るはずの血管は閉じてしまい、血は流れなくなる。

健康な生ける力によって太ったのではなく、体の虚弱や不節制が原因で太ったために、脆弱な肉をもつ女もいる。こうして太った肉が血管を覆い、締めつけ、血管をひどく圧迫するようになると、血流は抑えられ、本来流れるべき時期に流れることができなくなる。こうして子宮は肥大化してくる。子宮の通り道は、中身がこぼれないように密閉された容器のように強く締めつけられている。そのため、月経の時になっても血は締めつけられたままで、流れ出ることができないのである。

頭蓋 De calvaria

血管が経血の流れを導き出す時になると、女の頭蓋は割れ、血管は開いて通り抜けられるようになる。月経の時、頭蓋そのものが開き、血管の通り道をつくり、こうして月経による浄化作用が働き出す。その後、頭蓋は閉じて血管を抑えるので、それ以上出血することはない。それはちょうど石や木の堆積が、川の氾濫を抑えるようなものである。▼70

女は時として胃や脇腹、腎臓にさまざまな熱や痛みを覚え、苦しむことがある。こうした痛みが原因で、月経の時に頭蓋が閉じないということもある。それは嵐の通過によって堰き止められた場所が水浸しになるようなものである。血流は不適切なタイミングで異常に流出するようになるが、この時、女は刀傷を負った男のように苦しむ。こうした時には、それ以上痛まないように自分を労わるべきであり、また薬を服用するように心がけるべきである。

108

妊娠と出産 De conceptu et partu

矢のように鋭いグッタをもつ虚弱な体液の女は、たいへんな苦しみとともに出産する。胎児を胎に留めているカンヌキが開かれる時、体液が嵐のようになるからである。氾濫して勢いよく流れる川が正しい流路を突然塞いでしまうように、腫れや潰瘍が胎児の出口を塞いでしまう。川は本来の通り道を流れることができず、また本来の通り道を見分けることさえできなくなる。神の恩寵によって、命の息である魂が——胎児が生きていようが、生きていまいが——その肉体とともに自らを搾り出すまで、胎児の産道は塞がれたままとなる。

女が太りすぎている場合、胎児の産道は肥厚して塞がっている。妊婦の陣痛は激しく、神の恩寵により、胎児の中にある命の息がその肉体とともに自らを搾り出すまで、その陣痛は続くであろう。太りすぎもせず痩せすぎもせず、また虚弱でもなく、バランスを保っている女の場合、胎児の産道が過度に肥厚して塞がるようなことはない。母と子は、神が最初に定められた陣痛の苦しみは経験するにしても、それは適正な限度の範囲内のものである。

太ってもおらず虚弱でもない女の場合、たとえひどく痩せていたとしても、胎児の産道は塞がっていない。しかしこういう女も、神が最初に定められた陣痛の苦しみは経験する。多くの胎児が体液の混乱と母親の肥満によって窒息することがあり、先ほど述べたように、本来の産道が塞がれると死産に至ることもある。

こうした時、女に薬を与えるのは危険である。分娩中、女は危険な状態にある。過剰な体液や肉の肥満、あるいは差し迫った衰弱などにより、苦しんでいるからである。過剰になった体液を抑えようとして薬を与えたりすると、胎児は危険に晒されるので、避けるべきである。子どもが生まれる時に芳香植物やハーブを使うと、子どもは地中に埋められた人が窒息するように、その効能と蒸気により窒息してしまうであろう。

109 再び妊娠について Item de conceptu

女が男の精液を受け取ると、種（seminis：fetus）[71]は非常に力が強いので、経血のすべてを自分に引き寄せる。

70▼現代整体学においても頭蓋骨は硬質不変のものではなく、わずかではあってもリズミカルに収縮－膨張を繰り返しており、特に月経時には骨盤と連動して頭蓋骨も開くという見解がある。
71▼英訳では「胚」「胎児」。

それはちょうど瘻管《ろうかん》（fistula：fistula）▼72、あるいは瀉血のために肉にあてる吸い玉が、血や腐敗物を強く引き寄せるのと同じである。精液は女の中にあって、最初は乳のようであり、次いで凝固物のようになり、その後、肉のようになる。それは牛乳が凝乳となり、凝乳がチーズになるようなものである。こうして胎児は経血の中に横たわり、生まれ出るまで栄養を与えられる。

再び出産について

Item de partu

いよいよ分娩となると、洪水がその流れに石や木を運んでくるようにして、赤子は血の洪水とともに生まれ出る。リヴォルと経血の悪臭は女の中にまだ残っており、早々に清められるものではない。こうしたものは、その後の月経を通して少しずつ清められてゆく。

生まれつき乾の体質で、体液が豊富でない女の場合、出産後数回の月経で清められる。生まれつき湿の体質で体液が豊富な女が清められるには、もう少し時間が必要である。

幼児の脆弱性

De infantis teneritate

赤子は生まれてすぐに歩き出すわけではない。壊れやすい一つの種から懐胎したがゆえに、その肉と骨はひどく脆弱なのである。完璧に立ち上がり、歩けるようになるまでには大きな力が必要である。人間以外の動物は、生まれてすぐ自分の足で歩くことができる。人間の赤子は、立って歩くようになるまでは両手両足で這いまわるが、動物の子は大地に対して四足歩行の姿勢である。動物の子は生まれるとすぐに自分の足で立つことができるが、人間の赤子が立ち上がる前にする、あの座るような動作はできない。動物は脚力が強いため、生後すぐに歩くことができる。人間の体の力は臍の上にあるが、赤子はまだ脚と足に力を欠いているため、歩けないのである。

110

人間が泳げない理由[73]

Quod homo non natat

人間は手を使って働き、足で立ち、直立歩行するが、その体は空気のようでも水のようでもなく、重いものである。人間は生まれつき水中で泳ぐ能力をもっておらず、時にふれ自分で学習しなければならない。動物は四足歩行できる脚力をもっており、その脚を使って風のように移動することができる。また動物のうちのあるものは、生まれつき泳ぐこともできる。地上を四足で歩行するように、彼らは水の中でも四つんばいで泳ぐ。だが直立歩行してきた人間は四つんばいで泳ぐことができないので、体を前に傾け、体を屈伸するようにして泳ぐのである。

乳房

De uberibus

女の臍の上下の位置で血管は互いに絡み合っている。そのうちのあるものは乳房まで延び、他のものは子宮まで下っている。これらの血管はみな、飲食物の液汁によって活力を回復し、栄養を摂取している。中でも乳

72▼体内の分泌物や膿などを体外に排出するための開口管。
73▼英訳では「水泳」。

房まで延びる血管はこの性質がより一層強い。まだ娘である間は、子宮に繋がる血管が月経の流れを解き放つまで、乳房は成長してゆく。月経の時、その膨らみは止まるが、その後であっても、スポンジのように膨らむことが時々ある。

111

さらに妊娠と乳について

Item de conceptu et lacte

母の胎の中の胚［胎児］は、月経の流れを自分の方に引き寄せるので、妊娠以前は女の体外に排出されていた流れが、この時は胚［胎児］の方へと流れてゆく。胚［胎児］が肉と骨という形をとり始めると、生ける霊が働いて動き始める。胚［胎児］の活発な動きによって、また元素の力によって、乳房へと延びている血管が開く。次に女の体に栄養を与える飲食物の液汁からできた乳を、血管は乳房へと運ぶ。乳が白いのは、飲食物が消化された時に妊婦の中で二つの部分に分かれるからである。すなわち、飲食物の一方は子宮を補い、もう一方は乳房に向かって乳を補給するのである。

血液もまた二つの質によって成っている。ふつう血は赤いものだが、男と女の交わりによって血が動くと、白いものを排出するようになる。乳もまたその白さを穀物やその他、調理された食品から受け取っている。穀物の粉は白く、また食べものは調理する際に白い泡を出すからである。こうして妊婦の摂る飲食物に含まれる液汁は、白い泡のようなものを乳房へと送るようになる。

出産が終わり、女の体が清められると、子宮に延びている小さな血管は収縮し、時期が来れば月経を再開させる。その一方で乳房の方に延びている血管は、乳によって開かれる。乳は乳房の中に豊かに満ち、赤子が乳を吸う時になれば、というよりは赤子が乳を吸うことによって、この血管を通して乳を母親の胸まで引き上げてくる。赤子が乳を吸うことで、乳房まで延びている血管の入口は開いたままの状態になる。

月経 De menstruis

子どもが乳を吸うのを止めると、女の乳は底をつき、やがて出なくなる。子宮に繋がる血管が再び開き、月経の時期に応じて、血の流れを導き出す。育児中に再び妊娠した場合でも、体内の胚がまだ肉と骨を形成していない時期であるならば、その乳飲み子に授乳しても害はない。しかし胚が肉と骨を形成し始める段階になると、授乳はやめるべきである。というのも、乳の活力と健康状態は月経の流れを通して胚へと降ってゆくが、この時、女の乳房から出る乳汁はリヴォルを多く含み、健康なものではないからである。

112

消化 De digestione

ものを食べると、味を感じ取る小さな血管が体中に栄養を分配してゆく。内部の血管、すなわち肝臓や心臓、肺の血管は、こうした食べものの精妙な（subtiliorem：subtle）[74]液汁を胃から受け取る。血管は体全体にその液汁を運び、こうして血は豊かになり、体は養われる。それは火がふいごにかき立てられて燃えるようなものである。あるいはまた風と露とによって草が成長し、緑を与えるのと同じであろう。ふいごが火をかき立てるように、あるいは風と露とが草に緑を与えるように、飲食物の液汁も人の血やリンパ、肉を沸き立たせ、強めてい

74▼subtilibus「精妙な」はヒルデガルトに独特な用語で、その著作タイトルにも表れるように、人間の用に供すべく神により被造物の中に秘められた本性的な力を意味する。「はじめに」を参照。

るからである。

しかしふいごが火ではなく、風や露が草ではないように、食べものの液汁は血ではなく、飲みものの液汁はリンパではない。しかし食べものの液汁は、血のような色をして血の中にあり、飲みものの液汁は、リンパのような色をしてリンパの中にある。これら食べものの液汁は、こうして血とリンパを高め、増すのである。それはちょうど酵母菌が小麦粉の塊、すなわちパン生地に対して働くのと同じである。このようにして、この微細な栄養は、血やリンパと結び合って残留する。そしてやがて血やリンパとともに、またその中で栄養は尽き、消費されてゆくのである。

排泄　De egestione

飲食物として摂取されたものの残滓（defoetatum : foul）▼75は、なんであれ体の下の方に降ってゆき、腐敗物へと変化する。そして腐敗したのちに排泄される。それは搾り機にかけられたブドウのうち、ワインは大桶に貯蔵されるが、残った搾り滓《かす》、すなわちブドウの皮は捨てられるのと同じである。

血　De sanguine

人がなにかを飲むと、飲みものの中の精妙な液汁は血のリンパを増加させ、残滓は下の消化管へと降ってゆき、硬くなった後、体外に排泄される。それはちょうどワインの上澄みが甕の上部に浮き、澱が底に溜まってゆくようなものである。血は食べものの液汁によって増え、血の中にあるリンパは飲みものによって増える。

食べものが飲みもののぬきにはありえないように、人の場合、血はリンパなしではありえない。もし血がリンパを含んでいなければ、血は硬くなってしまい、液体として流れることはない。もし食べものだけを食べ、飲みものを摂らないでいると、その人はすっかり干上がってしまい、生きてはおれないであろう。害になる食べものを過食すると悪い血を養い、害になる飲みものを摂り過ぎると血とリンパは増大する。というのも、食べものや飲みものに含まれる悪い液汁は、血とリンパに結合するからである。

113

栄養 De nutrimento

ものを食べたり飲んだりすると、飲食物に含まれる味や匂いや精妙な液汁は、理性の生ける力によって脳へと導かれ、脳の小さな血管を温め、そして満たす。胃に入った飲食物の残りのものは、心臓や肝臓、肺を温める。[76] これら心臓や肝臓、肺は、味や精妙な液汁や匂いを、自らの小さな血管に摂り入れる。こうすることで、これらの臓器は補われ、温められ、栄養を得ることができる。これと同じように、乾燥した腸は水分を与えられることで柔らかくなって膨らみ、満たされるようになる。

以上のように、人がものを食べたり飲んだりすることで、飲食物に含まれる液汁によって血管は補われ、温められる。血管の中の液汁は血とリンパを温め、肉の中の血は血管の水分によって赤みを帯びてくる。

75▼原義は「腐敗した」。ここでは消化物の中の栄養として吸収されたもの以外の残滓を指す。
76▼英訳では「心臓や肝臓、肺は、胃に入ってくる飲食物の残りのものを温める」となっているが、ここは内容上、ラテン語に従った。フランス語版でも同様の判断をしている。

空腹

De esurie

食べものが腐敗物に変化して乾いてくると、血管は水分を失い、血は赤みを失って水のようになる。血管は補給を求め、血は肉の赤みを得ようとする。この時、人が経験しているのが空腹である。

渇き

De siti

人間がものを食べる時には、製粉機が粉を挽く時のような働きをしている。食べることで体は温まり、また乾いてもくる。喉が渇くのは体の中が乾き始めたからである。こうした時は、適度に飲んだり食べたりするのがよい。食べものの熱によって乾いてくるのだが、喉が渇く時には、その都度飲みものを摂るようにする。食事中もこれを続ける。もし食事中に飲みものを摂らないでいると、心も体も重くなってしまう。そうしなければ、必要な水分が血に行きわたらないだけでなく、消化にも良くない。

その反対に食事中に飲みものを摂りすぎると、体液の中で有害で嵐のような氾濫が起こる。バランスのとれた体液は体の中に拡散してゆくが、その間に食べものは熱によって腐敗し乾いてゆくため、血管と血は水分を求めるようになる。これが渇きである。このような時には、適度に飲みものを摂って、体の乾きを潤すべきである。もしそうしないと心と体は疲弊し、緩慢になる。人間は活動的な生活をしており、さまざまな食べものから栄養を摂取しているため、干し草や草などを主食とする動物よりも食事中の水分摂取はどうしても必要なのである。

114

睡眠
De dormitione

食後、飲食物の味や水分、匂いが納まるべき所に納まる前に寝てしまうのはよくない。食後しばらくの間、寝るのは避けるべきである。食後すぐに寝てしまうと味や水分、匂いは逆流し、血管の中を塵のようにあちこちと拡散する。食後すぐに寝るのは避け、しばらくしてから短時間寝るようにすれば、肉と血は増え、健康になるであろう。

夜間の渇き
De nocturnali siti

食べものの熱と乾きによって昼間でも喉が渇くとか、あるいは夜間、目が覚めた時に喉が渇くようなことはよくある。しかし眠気の残っているうちに、すぐ飲みものを摂るようなことは避けたほうがよい。起きたあとすぐに飲みものを摂ると病気に陥りやすく、また血と体液に過度の嵐を巻き起こす。目の覚めた直後には、たしかに喉は渇いているものだが、完全に眠気が覚めるまでの間、飲みものはしばらく控えるようにするとよい。

飲みもの
De potu

もし目が覚めた時に喉が渇いている場合、健康であるかどうかには関係なく、ワインまたはビールを飲むのはよいが、水は飲まない方がよい。こういう時に水を飲むと、血と体液にとってはプラスよりもマイナスとなる。

麻痺の苦しみ

De paralysi fatigatione

グッタによる麻痺（gutta paralysi : paralysis from gout）[77]に悩まされている人の体液は、不穏に逆巻く荒波のような状態になっている。このような人は、自分の言動や振る舞いを加減することができなくなる。こうした場合には、空腹時にワインを飲むようにする。ワインが飲めない場合は、大麦かライ麦で造ったビールを飲むとよい。そのいずれも飲めない時には、水にパンを入れて煮たものを布で漉《こ》し、それをぬるめに冷まして飲むとよい。これを毎日実行すれば、体内で起きる嵐のようなグッタの波は抑えられるであろう。

こうした人の体が急速に衰えていく場合、今述べた冷まし湯を空腹時に少量飲ませるようにする。しかし基本的に健康である場合にはワインやビール、あるいは水で煮たパンを空腹時に適量摂らせれば、体内のグッタは治まってゆくであろう。

115

毎日熱

De cotidiana

種々雑多な食べものが原因で毎日熱に罹っている人の体内は乾燥しているので、空腹時には何も飲まない方がよい。もしこうした状態で飲みものを摂ったとしても体全体を素通りするだけで、具合は良くなるよりもむしろ悪くなる。こうした状態の人は、食べものの精妙な液汁の働きによって血管が温まるように、まずは食べものを摂るのがよい。そのあとであればワインを飲んでもさしつかえない。ワインがなければビールでもよく、ビールがなければハチミツ酒でもよい。それもない場合は湯を沸かし、その湯冷ましを飲むようにする。

三日熱と四日熱

De tertiana et quartana

三日熱や四日熱に罹っている人は、たとえひどい渇きに襲われたとしても、どうしようもない時以外、空腹時には何も飲まない方がよい。それを過ぎれば、空腹時に少量の冷水を飲むようにする。昼食を摂る時であれば、ワインにすべきであろう。というのも、ワインの方が水より体によいからである。ワインがない時は大麦製のビールがよく、それもない時はハチミツ酒にする。それすらない時は湯冷ましを飲む。しかし病気でどうしようもない場合を除いて、空腹時にはものを飲まない方がよい。万一飲みものを摂る場合でも、水よりワインの方が体にはよい。しかし誰であれ、空腹時に必要でもないワインを飲むようになると、飲食物に対して貪欲となり、理性を失って愚かしくなる。

食事と食べもの

De comestione et cibo

絶食したあとは、まず穀物や小麦粉を原料とした食べものを摂るようにする。こうした食べものは乾燥しているので、健康な力を与えてくれる。胃が温まるように最初は温かいものを食べる。最初に冷たいものを食べると胃は冷えてしまい、その後、温かい食べものを摂ったとしても胃は温まりにくい。最初に温かいものを食べると、胃はうまく温まるようになる。こうすれば、その直後に冷たいものを食べたとしても、すでに胃は温まっており、その熱は食べものの冷たさにまさる。絶食後、初めて食事を摂る場合、果物全般、あるいは液汁

77▼英訳注：おそらく、リウマチのこと。

や水分を多く含むハーブ類は避けた方がよい。というのも、こうした食品は体液にリンパとリヴォルを作りだし、不安定な状態を生むからである。少量の食べものを摂ったあとであれば、こうした食品を摂るのはかまわない。そのようにすれば、これらの食品が体を弱めることもなく、むしろ健康に寄与する。

116

朝食

De prandio

健康な人は、真昼の直前、つまり正午ごろまでは朝食を控えた方が消化によく、また健康にもよい。病気のために虚弱で体が弱っている人の場合は、自力でもち合わせない力を食べものから授かるために、朝のうちに朝食を摂るのがよく、その方が健康にもよい。もし望むなら、それが夜であっても昼間食べたものと同じものを食べ、同じものを飲んでもよい。しかし寝る前には散歩ができるように、夜の更けるかなり前に食べるようにする。

さまざまな飲みもの

De potus diversitate

高価で強いワインを飲むと血管と血はひどく乱れる。この種のワインは体内のすべての水分を下剤のように引き寄せ、やっかいなことに突然尿意を催したりする。ホイニッシュ・ワイン（Hunonicum vinum：Heunish wine）▼[78]であれば、体液を極度に乱すような強い力をもちあわせていないので、そのような心配はない。

高価なワインは強い力をもっているので、パンを浸したり水で薄めるなどして、弱めてから飲むようにする。こうして和らげない限り、健康な人であれ病気の人であれ害になる。ホイニッシュ・ワインには強い力がないので、こうする必要はない。水で薄めたりパンを浸して飲む方が、体にとってよりよいということはないのだが、こうすることで飲みやすくなる。ワインは露と雨で育つので、もともと水の性質をもっている。それゆえ常日頃からワインを飲んでいる人は、たとえ水を飲まなくても血中に水のような体液を保っている。

再び血について

Item de sanguine

もし血が水のリヴォルを含んでいなければ髄が流れないのと同じように、血も干上がって乾き、流れることはないであろう。もし血が湿っていなければ肉は肉としてはなく、土のようになるであろう。

117

冬の食べものの違い

De ciborum differentia in hieme

冬の非常に寒い最中の体内が冷えている時に、過度に熱いものを食べる人は、すぐに黒色胆汁を引き寄せ、体内に黒色胆汁をかき立てる。体内の冷えている時に過度に冷たい食べものを食べると、熱を出す。冬の寒い最中の体内が冷えている時に、熱すぎもせず冷たすぎもしない適度な食べものを食べても、それによって良質の血がもたらされるわけではないので、わずかに元気を回復するにすぎない。冬の寒い時期に温かい場所で、熱すぎもせず冷たすぎもしない適度のものを食べていれば、食べものによって体を損なうことはないが、熱すぎる場所で食べると、その熱によって体は衰弱するであろう。

78▼英訳注：古代文学にいわれるブドウの最初の栽培変種。

寒さの調整

De frigoris temperamento

冬の寒い時期にものを食べる場合、熱すぎもせず寒すぎもしない、適温の場所で食べるように心がけるべきである。こうした場所で、熱すぎもせず冷たすぎもしない適温の食べものを摂るようにするとよい。こうした食事の摂り方をしていれば健康を保つことができる。衣服を着ければ確かに体は温まるが、食事の間、寒いところに座っているのはよくない。食事中に寒気を体内に取り込むようなことがあると病気になる。食事の間、石炭の熱をもって背中側を温めるのは、顔の側を温めるよりも健康によい。

夏の過剰な熱とさまざまな食べもの

De aestatis intemperie et ciborum diversitate

夏、体内がとても熱い時期に熱すぎるものを食べると、すぐにグッタをかき立てる。夏、体がとても熱い時に過度に冷たいものを食べると、粘液を生む。それゆえ夏の最中には、熱くも冷たくもない、ほどほどのものを食べるのがよい。こうすれば良質の血と良質の肉を得ることができる。

夏、体内がとても熱いのに大食すると、血が温まりすぎて体液は有害なものとなり、肉はぶよぶよと膨れあがる。それは空気が熱すぎるからである。もしこの時期に小食を守れば、病気に罹ることはなく、健康でいることができる。

冬、体内がとても冷えている時にたくさん食べるのは健康に適《かな》ったことで、また太りもする。しかし食品の液汁から湯気の立つほどに熱いものを食べるのは、どんな時にも注意せねばならない。こうしたものは調理した後に熱が冷め、液汁から湯気が立たなくなるまで待つべきである。湯気の出ているような熱いものを食べると、胃がせり上がって膨満し、レプラを引き起こす。

また深い悲しみの中にある人が元気を取り戻すためには、適切な食べものを十分に摂る必要がある。それは悲しみに打ち負かされないためである。大きな喜びにある時は、小食を心がけるべきである。こうした時、血は緩んでおり、さまよっているからである。このような時に大食すると、体液は嵐のようになって激しく発熱する。

冬の空気は体液を湿らせるので、水分の摂りすぎには注意すべきである。冬に水分を摂りすぎると、体液が乱れ病気を呼び込む。冬期はできる限り水を飲むのを避け、ワインかビールにするのがよい。この時期の水は大地の湿の影響を受けていて、健康的ではないからである。夏は体液が乾燥しているので、食べものの種類や性質に応じて、冬よりも水分を多く摂るようにすべきである。夏は大地が乾燥しているので、この時期に水を飲んでも、冬ほどの害はない。夏場、体内がとても熱い時には、健康な人であれば、ぬるい水を適量飲むようにする。そして飲んだあとには、体内の水が温まるように少し歩くとよい。この方がワインを飲むよりも健康的である。

体が虚弱な人の場合、夏には、水で割ったワインかビールを飲むようにする。水を飲むよりは、この方が元気を回復できる。しかし夏冬を問わず、いつであれ、水分の摂りすぎには注意する。大雨が大地を損なうように、水分の摂り過ぎは、相反する体液を有害な状態に陥れるからである。

水分の摂取を我慢し過ぎて体が乾くと心も体も重くなるので、水分の摂取不足もよくない。水分不足は消化にもよくなく、また体の健康のためにもよくない。それは大地が雨という水分を失うと重く固まって干上がり、よい果実を実らせないのと同じである。胃が飲食物で満たされた時には、消化物を浄化する必要がある。

119

瀉血《しゃけつ》

De minutione

血管が血液で充満しているような時には、切開という方法によって、有害なリヴォルと消化によって生じた体液とを浄化する必要がある。血管を切開すると、血液はふいをつかれたようなショックを受けるが、最初に出てくるのは血液である。それに次いで、リンパと血液の消化物質がいっしょに流れ出てくる。流れ出たものはさまざまな色をしているが、それはリンパと血液だからである。リンパが血液といっしょに出ると、その後にはきれいな血液が出てくる。その時、瀉血は止める。

健康で丈夫な体のもち主の場合、血管から瀉血する血液の量は、健康で喉の渇いた人が一息で飲み干せる水の量と同じ程度である。体が弱い人の場合、中サイズの卵に納まる程度の量とする。極端な瀉血は降り過ぎた雨が大地を損なうようにかえって体を衰弱させるが、適量の瀉血は有害な体液を取り除き、病気を治すのに効果的である。それは節度をもって徐々に降る雨が大地を潤し、果実を実らせる健康な大地を育むのと同じであろう。

瀉血の諸相

De minutionis diversitate

前述したとおり、血管を傷つけたり切開したりすると、最初に出てくるのは血液であるが、その血液に混ざって毒と有害な体液もいっしょに出てくる。その流出物がきれいな赤色になり、また別の色に変わった時、血液と体液は均等になり、落ち着いた状態になったということである。これ以上瀉血すると、よい体液も悪い体液も残りの血液といっしょに流れ出る。だがこの流出もやがて止まるはずである。もし流出が続く場合、血液の喪失に伴ってリヴォルが圧倒することとなり、黒色胆汁や体内の害毒をかき立てるようになる。体内に残った乏しい量の血液では、こうした害毒に対抗できない。空腹は体の力を弱めるが、過剰な瀉血も体を弱める。適度な飲食物が体を補うように、適度な瀉血こそが健康に寄与する。

120

いつ瀉血すべきか

Quando minuatur

体が強く健康で肉付きのよい人であるなら、三か月に一度、瀉血するようにする。月が二度満ち欠けする時、血は補われ、血管は満ちてくるからである。それより早い時期に瀉血すると、血はまだ十分に力を回復できておらず、かえって衰弱する。逆にこの時期を遅らせると、過剰となった体内の血液は汚れ、澱のようになってくる。

瀉血は月が欠ける時期に、つまり月が欠け始める最初の日、あるいはその二日目から六日目の間に行うとよい。その前、あるいはその後の瀉血はあまり有益ではない。月が満ちていく時には瀉血はすべきではない。この期間に瀉血すると、血液と混ざっているリンパが血液と分離しにくいため、有害となる。月が満ちていく時、血液とリンパは体内でほどよくいっしょに流れており、簡単には分離できない。それは秩序を保って流れる川が、水路を一定に保つようなものである。月が欠け始めると同時に、血液は乱れて氾濫し始める。それに伴いリンパも過剰に流れるが、それは激しく氾濫する水が悪臭を放ち、泡だつようなものである。

瀉血は若い人よりも高齢者に適している。高齢者の血管の血は、若い人の血管の血よりも多くのリンパと混ざっているからである。男の場合、必要に応じ、十二歳にもなれば血管を切開することができる。この年齢に達すれば血液は強められているからである。しかし瀉血の分量は、一つのクルミの二つの殻に入るほどにすべきであろう。瀉血は十五歳までは年に一回とする。十五歳にもなれば血液は一人前の男の強さを備え、血管は成長しきっているので、体が健康でありさえすれば、前に述べたとおり、喉の渇いた男がひと息に飲み干せる水の分量まで瀉血することができる。こうした瀉血は四十歳までである。四十を過ぎると男の血液と粘液は減り、体が乾き始めるので、血管の切開は年一回にとどめ、瀉血の量もそれまでの半量とする。こうした瀉血は八十歳まで続けられる。しかし八十を過ぎると、血管を切開するのは有益ではなく、むしろ害となる。この年齢になると血の生命力は乾ききっているからである。

体液が突発的に過剰になった場合は、急いで排出する必要があるので、血管から少量の瀉血をする。八十を過ぎると男の血管は衰えており、瀉血は有益ではない。こうした場合、瀉血ではなく、黒アザミのようなハーブを用いて体に膿疱を作るという方法をとる。こうすることで膿疱の破裂に伴い、皮膚と肉の間にある有毒な体液は排出される。女は男に比べると有毒な体液と有毒なリンパを体内に多く持っている。

121 女の瀉血
De mulieris minutione

女も二十歳を過ぎれば、男と同じように瀉血という養生法と予防策を取り入れるべきであろう。女の場合、瀉血は百歳まで続けることができる。というのも、有毒な体液と汚れたリンパは女の方が多いので、男よりもむしろ瀉血は必要なのである。月経の存在はそのことを示している。もし有毒な体液とリンパが月経によって浄化されることがなければ、女の体はすっかり腫れ上がってしまい、生きてはおれないであろう。

女も百歳を過ぎれば、血管から血を出す必要はなくなる。その年齢になれば、血液も体を流れる体液もすでに清められているからである。百歳を過ぎても時として体内に体液を感じるような場合には、通常なら焼灼《しょうしゃく》療法を施す部位に、膿疱を作るという方法を用いるとよい。

血管 De venis

正中（mediana：median）[79]にある血管や肝臓の血管よりも、頭部の血管の方が体液は多いということは心得ておかねばならない。体液を運ぶ血管は、正中の血管や肝臓の血管に繋がるものよりも、頭部の血管に繋がるものの方が多いからである。したがって他の血管から瀉血するよりも、頭部の血管から瀉血する回数を多くした方が効果的である。頭部や胸部に粘液の多い人や、頭の中が鳴り響き耳が聞こえにくい人は、頭部の血管から血を抜くとよい。しかしこの場合でも視力がぼやけることのないように、瀉血のしすぎには注意する。目にはある種の小さな血管が伸びて目に繋がっているため、頭部の血管から過度に瀉血すると、目の血管は虚血状態に陥り、視力がぼやけてくる。

122

乱切法《らんせつ》 De scarificatione

有害な体液で目がぼやけ始めたり、目に潰瘍ができたり、目の周りの皮膚が垂れ下がってきたような時は、角[80]か吸い玉を使って、目の後ろとうなじから適量を瀉血するとよい。これを年に三、四回行う。同じ部位に乱切回数を増やす必要のある場合、瀉血の量は少なめにする。瀉血が過ぎるとかえって害となる。患部から直接

79▼体や四肢の中心。
80▼古代ギリシャなどでは吸い玉の道具として牛の角などの中空を利用した。

瀉血することもありうる。舌に痛みがあったり、腫れ上がったり、潰瘍になった場合、リヴォルを排出するために、小さなランセット［刺絡刀《しらくとう》］か、針［植物の棘《とげ》］を使って舌を切開するとよい。こうすると気分は好転する。歯が痛む場合、小さなランセットか棘を使って痛む歯の周辺の皮膚を切開する。こうすると腐敗物は排出され、気分はよくなる。

　心に悲しみがあり、憂鬱な精神状態で脇や肺の痛む人は、正中の血管から血を抜くようにするが、心臓の働きを守るため、適量にとどめる。この部位から過度に瀉血すると、心臓の中の血液が減少してしまうからである。心臓が痛む場合は、右腕正中の血管から血を抜く。こうすれば気分は好転する。

肝臓や脾臓に痛みがある人や、首や喉につかえを感じる人、目がかすむ人などは肝臓の血管から血を抜く。こうすると気分がよくなる。正中の血管から多量の血を抜くよりも、肝臓や頭部の血管から相当量の血を抜く方が痛みは軽減する。夏だけでなく冬であっても、疾患に応じ、これらの血管から相応の血を抜くことはかまわない。

　瀉血は頭部、正中、肝臓の三つの血管から行うようにする。これら三つの血管は、他の血管の長であり、礎のようなものだからである。小さな血管はすべてこの三つの血管に向かっており、この三つの血管と繋がっている。小さな血管を切開することはほとんどなく、どうしても必要な場合に限られる。それは時として乾いた状態を招くからである。主要な血管のいずれか一つを切開して血液が空になると、その血管に繋がっている小さな血管は中を流れている悪い体液により、わずかながら打撃を受ける。もし実際にこうした小さな血管の一つが切開されても、主要な血管とそれに繋がる他の小さな血管は、さほど血流の減少を感じない。

　もしたくさんの小川が分岐する大河から人工的に小さな水路を引くとすると、この大河から分岐するすべての小川は水量の減少を感じるはずである。しかし分岐した小川の一つから水路が引かれた場合、大河も、分岐した他の小川も、水量の減少を感じることはほとんどない。もしそうしたとしても、水路の引かれた小川だけが水量を減らし、干上がってゆくだけである。

切開は腕が曲がる部位[81]の大きな血管で行う。この部位での切開は曲がらない他の部位に比べて、より多くの体液を凝集させるからである。衰弱などの理由によって、腕の曲がる部位ではなく、関節や足、親指など、他の部位の小さな血管を切開したとしても、それはさほどの効果をみない。腕の曲がる部位にある三つの大きな血管を切開する方法が、やはり一番効果的である。

男であれ女であれ、まだ若年で、身長も胸幅も自然に伸びている間は、たとえ必要を感じたとしても、瀉血目的で血管を切開するのは避けた方がよい。血管と血液がまだ自然に成長している時期に血管を切開して瀉血すると、かえって体を衰弱させ、性格と感受性にいささか欠陥を生じさせることがあるからである。とはいえ、若い人の血中にあるリンパは高齢者に比べて過剰であるため、必要な場合は焼灼《しょうしゃく》療法を施すのが妥当であり、あるいは乱切《らんせつ》法を用いて血を出すのもよい。

自然に成長し続ける時期を過ぎ、二十を越えた場合、必要に応じて血管を切開するのはよいが、その場合でも血液だけを適宜抜くように心がける。体が健康である場合、血管は切開せず、乱切法を用い、あるいは焼灼法を施すのが妥当である。というのも、血管と血液はまだ十分に強まっていないからである。成長して三十歳に至れば、病中か健康であるかを問わず、血管から適宜血を抜くことは可能である。この年齢になると、血管と血はすでに成熟しており、瀉血を施しても健康を維持することができるからである。

81▼十五世紀の「瀉血人体図」によると脇・肘・手首の部位。

流れ出た血の違い

De cruoris differentia

瀉血して出た血が人の息のように濁った色をしていて、その色の中に黒い斑点があり、周辺部が蝋のような場合、神がその人の生命力を回復されない限り、速やかに死に至るであろう。濁った血の色は冷えによって体液が死にかけていることを表している。血中の黒い斑点は、黒色胆汁が死にかけていることの表われである。蝋のような周辺部は、胆汁が死にかけていることを意味する。血液が濁っていて蝋のようであっても黒い斑点がない場合、その人は死を免れることはできるが、ひどく患うようになる。冷えた状態の体液は死に向かってはいるが、黒色胆汁の黒い斑点はまだ死に至るほどには追い込まれていない、ということを意味する。その人は死を免れる。

しかし血が蝋のような色ではないが黒く濁っている場合は、神がその人の咎を解かれない限り病から解放されることはないという、深刻な重篤状態にあることを意味している。しかしその人は死を免れる。なぜなら、黒色胆汁と体液は死に向かって突き進んでいるが、胆汁は動くことをせず、自らの場に留まっているからである。だから死ぬことはない。しかし血管を切開した時にこれらの色すべてがいっしょに現われた時は危険な状態であり、神がその人を回復されない限り、死を免れることはないであろう。体液も黒色胆汁も、そして胆汁のすべてが、死に向かって突き進んでいるからである。

もしこれらの色が分離していて、二つの色は認められても一つの色を欠く場合、その人は重篤であっても死を免れることができる。当人に病気の自覚があるかどうかに関わりなく、この神の予表（praescientia：divine foreknowledge）[▼82]は血の色に現われる。黒色胆汁が吐きだすものは濁っていて胆汁の力をもっており、それゆえ蝋のように見えるのである。黒色胆汁はこのような状態で存在している。

血管から血を抜いたのち三日間は、太陽の光や火の明かりに当たってはならない。三日の間にこうした光に当たると、血がかき立てられて慄き、心臓を弱めてしまうからである。

125

瀉血という養生法

De minutionis diaeta

日の光がさほど強くない、昼間の適度な明るさの下で瀉血をするのはかまわない。しかし太陽や火の熱の影響から、瀉血の際に目の周辺の血液が非常に熱くなり、あるいは目を支える皮膜が厚くなって視野がかすむということがよくある。

瀉血をした後は、種々異なった種類の食品やローストしたもの、あるいは水分を含んだ種々のもの、生の果物や野菜を食べるのは避けるべきである。こうした食べものは血管の中の血を増やすよりはむしろ、リヴォルを増やすからである。強いワインは血液をかき乱し、精神を錯乱させる可能性があるので飲んではならない。適当な食品を選んで一品か二品、ほどほどに食べ、また自分に合った純粋なワインを飲むようにする。減った血がかき立てられている最中なので、二日間はこれを守る。三日目になれば血は力を回復し、本来の場所に広がる。瀉血した場合、チーズも避けた方がよい。チーズは血液にリヴォルを補い、正しく清浄な血液を供給するよりはむしろ、その欠点によって血液を毒するほうがまさるからである。

血の量が多く血液の充溢した血管をもつ人の場合、血管の切開、あるいは乱切法のいずれかによって瀉血し、血液を清めるように努めないと、血液は蝋のようになって弱まり、病気を招くであろう。

82▼英訳第二版ではknowledge「知見」となっている。

瀉血の時期

Quando minuatur

瀉血のために血管を切開するには、空腹時に行うべきである。食事を断《た》った時、体内の体液はわずかに分離した状態で、血液は正しく流れ、バランスがとれている。それは例えていえば、風や空気に乱されない川の流れが本来の流路を正しく整然と流れているのに似ている。食事をした後には血流はやや活発になって体液は混ざりあっており、それを相互に分離するのは容易ではない。それゆえ食事を断った後に血管を切開する方がよいのである。この時、体液は血液から分離していて流れ出しやすい状態にある。ただし重病人や極度に衰弱した人は例外で、彼らの場合は体の衰弱を防ぐため、血管を切開する前に少し食べものを摂ったほうがよい。

乱切法

De scarificatione

乱切法も空腹時に行うべきである。空腹時であれば、リンパは血液と分離して流れ出てくるからである。食事の後だと血液はリンパと混ざりあっており、食後にこれを行うと、血液はリンパとともに流出する。心臓が弱まるのを防ぐためであれば、乱切法を受ける前に少量の食べものとワインを摂るようにする。

乱切法は有毒な体液とリヴォルを減少させるので、どんな時にも有効である。リヴォルは特に皮膚と肉の間に多く、非常に有害である。高齢者よりも若い人の方が体液は多いので、この方法は若い人に適している。また乱切法は、冬より夏に適しているといえよう。夏は冬に比べて新鮮な食べものや新鮮な緑のジュースを多く摂るため、できたばかりのリヴォルを引き寄せやすいからである。

軟らかい脂肪質の肉をもった人は、月に二度、乱切法によって血を抜くとよい。痩せている人は、必要に応じて月に一度これを行う。目、耳、あるいは頭部全体に疾患をもつ人は、首と背中の交わる部位に角か吸い玉をあてる。胸を患う人は肩胛骨《けんこうこつ》に角を吸着させるのがよく、脇の痛む人は両の拳に角をあてる。脚が痛ければ鼠蹊部に角を吸着させ、鼠蹊部が痛ければ尻と膝の間——腰部に角をあてるようにする。吸い玉や角を使って血を抜く場合、一度に三個、あるいは四個以上を同じ部位にあててはならない。

ふくらはぎや向こうずねに乱切法を施すことは、絶対に、あるいは滅多にしてはならない。なぜなら、ふくらはぎや向こうずねには、体液よりも血液の方が多いからである。体液を排出しようとしてこの施術を考えるかもしれないが、脚は体全体を支えるところであり、ふくらはぎや向こうずねから体液を抜くのは避けるべきである。

乱切法によっても確かに体液や血液は減少するものであるが、太陽や火の明かりや食べものに関しては、血管を切開したときほどに慎重になる必要はない。乱切法の場合は通常の食事を摂ってもよい。この方法では、命を運び、体の各部の組織を結合する管、すなわち血管を切ることがないからである。血管の場合、その内の一本を切ると、他のすべての血管もその切開を感じ取り、ともに苦しむものである。

127

動物の瀉血

De minutione bruti

馬や牛、ロバに瀉血を施す目的で血管を切開する必要がある時、これら動物の体が丈夫で大きい場合は、水用ビーカー一杯分の血を抜くことができる。馬や牛、ロバが虚弱で痩せている場合は、体の大きさと衰弱の度合いに応じて、ビーカー半分までならば血を抜いてもよい。瀉血後は軟らかい飼料と乾燥した甘い干し草を与え、体力が回復するまで、二週間から一週間、あるいは四日間休ませるようにする。なぜなら、彼ら家畜はいつも働いているからである。

施術後三か月が過ぎて四か月目に入れば、同じ家畜の血管から再度血を抜くことは可能である。しかし病気など必要に迫られた場合を除いて、それより以前に行うのはよくない。動物は人間に比べて有害な体液が多くないからである。羊の血管からは頻繁に瀉血してもよいが、少量に限る。羊はあちこち方向を変える微かな風により、しょっちゅう衰弱しているからである。羊の血管は、湿気のある和らいだ空気の中で切開すべきである。この時、有害な体液が増加しているからである。乾いた風の中で切開するのは避けるべきである。この時、体液は減少しているからである。

128

焼灼療法

De cocturis

焼くこと、すなわち焼灼療法は、皮下の体液とリヴォルを減少させ、体に健康をもたらすので、施術者に判断力さえあれば常に有効かつ有益である。焼灼療法は、若い人に対しても高齢者に対しても、等しく適っている。若い人の場合、その若い肉と血が増強する時に有害な体液も増大するからであり、高齢者の場合、加齢とともにその肉と血が減少し、皮膚と肉の間にリヴォルが留まるようになるからである。

焼灼療法は、どちらかといえば、若い人より高齢者の方が健康に寄与する度合いは高いであろう。高齢者は血と肉が衰え、皮膚が縮み、皮膚と肉の間を流れるリンパがずっと多くなるからである。若い人の場合、肉は増しており、その血液は熱く、皮膚は薄くぴんと張っているので、この療法が高齢者ほどに功を奏することはない。なぜなら焼灼療法の施術によって、体の力と健康の源である血液までもが、有害な体液といっしょに流れ出てしまうからである。

それでもなお若い人に焼灼療法を施す場合、夏よりも冬の方がよい。若い人の血は夏と同じで、非常に熱いからである。夏に焼灼療法を行う場合、リヴォルといっしょに血まで抜かないように注意せねばならない。こうした心配を避けるためにも、若者への焼灼療法は、冬に行うべきである。冬は湿気が多く、また寒くはあっても若者自体が温かいので、血液を体内に留めたまま、体液だけを排出しやすいからである。

高齢者への焼灼療法は夏の方が適している。高齢者の体は徐々に冷え始めているが、夏の暑さは体液をかき立てるので、この時、焼灼療法を行うと、体液は流れ出しやすい。高齢者は体液を排出するための熱を自分自身ではもっていないので、この夏の熱を利用してそれを得ることができるからである。焼灼療法を行う場合、うっかりして肉まで焼き、穴を開けると、リンパや有害な体液だけでなく血液までもが流出して、かえって健康を害するので、皮膚だけを焼くように注意する。

成人で太っている人の場合、焼灼療法を一年間続けたとしたら、その後、半年間は休むようにする。その後再び施術する場合は、体の他の部位に行う。痩せている人の場合、半年間施術すれば半年間休み、さらに治療を望む場合は他の部位に施術する。体の同じ部位に対して今述べた以上頻回に施術したり長期にわたって施術すると、その部位の肉が膿漿を集めて衰弱し、硬化する。誰であれ判断力を欠いたままに定まった期間以上にこの療法を行うと、悪い体液やリヴォルのない時はかえってよい血液を流失させてしまい、健康を害することになる。

青年期の若者に対して施した焼灼療法は、十か月間有効である。この療法を行う時は、アザミかアサの髄、あるいは亜麻の布屑を用意する。鉄[83]は避ける。鉄は見境なくリヴォルを引き寄せてしまうからである。また硫

83▼烙鉄《らくてつ》（焼きゴテ）のことか。

▼84黄も避ける。硫黄は肉を腐敗させ、不潔にするからである。乳香も避ける。乳香は炎を発し、皮膚を乾燥させるからである。アザミやアサの髄、亜麻の布屑は他の可燃材より穏やかな熱をもっているので、皮膚だけを焼き、その熱が肉を焦がして穴を開けるようなことはない。皮膚だけを焼くと、そこから体液が滲み出てくるが、健康を害することはない。皮膚だけでなく肉に達するほど焼くと、リンパが流出し、健康を損なう。

　焼灼療法の効果を長時間保つために施術部位を包帯で包む場合は、ハシバミの髄と、その周りに少量の亜麻屑を置く。包帯をせず、効果を短時間にとどめる場合は、亜麻屑または野ウサギの柔毛《にこげ》を用いる。必要であれば、十二歳から六十歳までの間ならば、焼灼療法を施すことができる。六十を越えた人の場合、病気のため敢えてせざるを得ない場合を除いて、避けた方がよい。こうした人の場合、この療法は健康に寄与するよりも害の方が大きいからである。

　目や耳、あるいは頭部全体に痛みのある人は、包帯はせずに、目の後ろを少し焼灼する。背中に痛みのある人は、肩胛骨の間、あるいは腕を少し焼くのがよく、包帯はしてもよい。鼠蹊部が痛む人は、背柱の末端と背中を焼くようにする。体全体に体液が過剰な人は、脚の前側の脛骨とふくらはぎの間に焼灼療法を施し、包帯をしてもよい。

　血管から血を抜く場合においても適正な休止期間が必要であったように、焼灼療法を施す場合も、同じように休止期間が必要である。しばらく休止期間をおいてのち、再び施術するようにする。焼灼療法を施す場合、アサの布を三、四回蝋に浸したものの上にオークの樹皮をのせ、それをもって焼灼点の上をしっかり覆う。こうすることで、オークの木の皮よりどの辺も長いアサの布が焼灼の臭いを抑えてくれるため、臭いが外にもれることはない。臭いが焼灼点に閉じこめられ、それ以上拡がらなければ拡がらないほど、血液ではなくリヴォルの方が多く引き出されるようになる。焼灼の悪臭が閉じこめられることなく外にもれると、血液の方が多く流出し、リヴォルのほとんどは体内に残ることとなる。
イトスギの樹皮で焼灼点を覆うのは避けるべきである。イトスギの樹液は人の肉には害だからである。焼灼点を覆う小さな布がリヴォルで一杯になり温まってきたら、それを外して新しいものと取り替える。布を放置したままでいると、焼灼点に引き寄せられた体液は乾いてしまう。だからといって、リヴォルの作用で布が温かくなる前に布を外すと、そこに集まったリヴォルは肉の中に戻ってしまい、体には有害である。

130

痰の喀出《かくしゅつ》

De excreatione

大地が常に湿を帯びて悪臭漂う有害物を大量に吐き出すように、大地の土に由来する人間の肉もまた湿っており、痰の喀出を通して悪臭のする腐敗物を排出している。大地が湿り気をもたず干上がっていると果実は実を結ばないように、人間も湿をもたなければ柔軟性を欠き、何をしても実を結ぶことはないであろう。

魂の火

De animae igne

人間の魂は火の性質をもっており、四つの元素を自らに引き寄せる。この火によって魂は視覚や聴覚、あるいは同様の機能を駆使して人間を動かしている。火が水の本性であるように、魂は人間の中の特別な力である。人は魂なしに生きることはできない。それは水が自らの内に火を感じ取ることがなければ、流れることができ

84▼『フィジカ』では「硫黄を燃やすとそこに悪い体液を引きつけるが、その臭いはあらゆるものの力を弱め、損なう」となっている。

ないのと同じである。

唾液

De saliva

魂は人間の力の一つを水から受け取っている。すなわちそれは唾液のことである。魂は理性に水を降り注ぎ、理性が口をきけるように準備する。それは楽器の弦が蝋や松脂《まつやに》に助けられて美しい音を奏でるようなものである。仮に魂が火の性質をもっていなければ、唾液は清潔で純粋なものとなっていたであろう。

魂のもつ火の性質により、唾液は泡のようになる。それはちょうど火や太陽の熱によって水が泡を発するのと同じである。魂は火の性質をもつと同時に、水の性質をもつからである。目は火と水の性質をもっており、魂の窓と呼ばれる。人の中のすべての湿は水の性質をもっており、理性の通り道へと向かう。こうして理性は、人の中で鳴り響くことができるのである。

魂は脳と腸から唾液を生むが、この唾液のおかげで人は話すことができる。もし体が乾き、体内に湿を保つことができなければ、人は声を出すことも話すこともできないであろう。だからこそ唾液は、優れた軟膏に比肩することができる。軟膏が健康を奮い立たせるように、唾液は視力や聴力、嗅覚や声やことば、そして人の健康に役立つすべてのものを生み出し、それを維持する働きをする。

131

胃の冷え

De stomachi frigiditate

胃に冷えのある人は温もりを欠くため、水っぽい唾液を大量に出すが、そのためやや虚弱である。胃の温かい人は体内が乾いているため、水っぽい唾液を出すことはめったにない。そのため、重苦しい熱にしばしば見舞われるようになる。

肉 De carne

どのような肉にも生ける力はあるが、この生ける力によってどの肉もリヴォルをもつのである。このことは、屠殺後に吊るされた家畜の肉からリヴォルが滴り落ちるのを見ればわかる。痩せて脆弱な肉をもった人は、太って肉付きのよい人よりは発汗によってリヴォルを排出するのは容易である。痩せた人の肉は凝固していない、穴のたくさん開いたチーズのようなもので、空気やその他の元素はこうした肉を簡単に通り抜ける。そういう人は肉が痩せているため体に湿をもちやすく、頻繁に痰を吐く。飲食物のもつ熱と臭気は、胃から上昇して肝臓や心臓、肺にまで達し、これら諸器官を毒のように煙った状態にする。諸器官のもつ熱はこのリヴォルに耐えきれず、火にかけられた食べものが泡を吹きこぼすようにして、リヴォルを胸と喉へと追いやるのである。

132

鼻水 De emunctione

冷たく弱い胃や、虚弱な腸は、冷たく湿った蒸気を脳に送り出す。蒸気は固まって毒のようになり、口や鼻孔から流れ出す。それは星が空気の中で清められるようなものであり、あるいはまた、大地が汚れや悪臭を放つようなものである。

脳の浄化：唾液、痰の喀出

De cerebri et salivae et emunctionis purgatione

脳には常に風の吹きぬける窓があり、その窓のおかげで、脳は軟らかく湿った状態にあることができる。この窓とは、目、耳、口、鼻孔のことである。脳に集まる体液のうち、冷と湿をもち悪臭を放つ物質は、鼻と喉を通って外に排出される。それは脳がこれらの物質に耐えられないからである。脳は空気の勢いを借りてこれらの物質を外に出し、その人を浄化する。もし何らかの理由でこの浄化作用が妨げられると、正気ではおれず、また乾の状態となる。胃と脳がその悪臭に耐えられず、胃は壊れ、脳は腐敗するからである。それは汚物や不潔なものに耐えられなくなった海が、これら汚物を投げ捨てるのと同じである。

しっかり凝固して水分のないチーズのように収縮した硬い肉をもつ人がいる。緑色のリヴォルが肉に溜まって硬くなっているが、それはこの悪臭を放つ物質を外に吐きだせないからである。肉の中にあるリヴォルの外的な手助けがないため、飲食物の水分と同じように、他の体液も非常に脆弱である。彼らは収縮した硬い肉をもつために、このリヴォルを排出できないのである。こうした人たちの肉には潰瘍があり、肉体的には内的にも虚弱である。リヴォルの汚れが体に溜まっているのに、それを咳によって外に吐きだせないからである。彼らは血管やその他の部位だけでなく、胸部にも強い痛みをもつ。

太った人の体はさまざまな体液で充満している。彼らはよく咳をするが、痰の喀出はわずかである。ぶ厚く太った肉のせいで、空気やその他の元素が彼らの中に入りにくく、また出るのも容易ではないからである。彼らは痰の喀出によって体液を動かし、体液を浄化するということができない。

粘液が多いのにそれを排出できない人は、脆くて弱い肉をしている。そのため、彼らは健康ではなく、また健康にもなれない。しかし過剰な粘液を排出できれば汚れが取れるので、いくらかは痩せて健康になることもできる。今述べたように、粘液が排出できないために病気に罹る人には、下剤を用いるべきであろう。彼らは下剤によって浄化されることがある。

133

くしゃみ

De sternutatione

血管中の血液が機敏でもなければ覚醒もしておらず、眠りこんだような状態にあって、しかも体液までが鈍く無気力な状態にあると、魂はこのことを感じ取り、くしゃみという動作によって体全体を目覚めさせようとする。こうすることで血液と体液とは目覚め、正常な状態に戻ることができる。もし嵐や洪水によって水が動くことがなければ、水はひどい悪臭を放つようになるが、これと同じように、くしゃみもせず鼻水も出ないでいると、体内には悪臭が漂うようになる。

鼻血

De sanguinis fluxu a naribus

心の内に激しい怒りや頑なな気もちをもちながら、悲しみや無気力を原因とした臆病や恐怖、羞恥心などに負け、自分の気もちを表にあらわしたり露わにできない人がいる。こうした葛藤により、脳や首、胸の血管は張り裂ける。そして鼻に臭いを運ぶ通り道を通って、血が排出されるようになる。

実現できそうもないさまざまな空しい考えに頭がいっぱいの人もいれば、漠然とした放埒な気もちから、あちこちさまようような人もいる。あるいはまた、考えがあれこれと揺れ動いて異常な行動に出たり、ふしだらな行為に走る人もいる。彼らは狂ったようになり、目や顔の表情、動作までもが正常でなくなる。やがてこうした空しい考えがもとで、先に述べたように脳や首、胸の血管が張り裂け、鼻から血を流すようになる。空しい考えや虚ろな気もちから、これらの部位の血管は高揚しており、こうして血を導き出すのである。

さらには血管だけでなく、肉の中にも過剰な血液が充満する。息の出し入れは鼻腔を通して行われるが、それゆえ鼻腔は血液にとって、体のどの部分よりも楽なはけ口となる。脳やその近くの血管は充満した血液によって破裂し、それが鼻血となって流れ出すのである。

血液の過剰により、濃くて黒い血をした人もいる。このような人の場合、体内に健康で良好な力があれば、過剰で余分な血液は鼻腔から排出される。血液を排出することにより脳は浄化され、視力は鋭敏になり、体力は健康な状態を回復する。

高熱や炎暑が原因で、血がかき立てられるようなこともある。それはワインが自分の入った皮袋の中で揺さぶられるのに似ているといえようか。高熱や炎暑は、かき立てられた血を鼻へと導く。このような鼻血は脳を少々虚ろな状態にし、目はかすみ、体力を弱める。

134

鼻カタル▼85

De coryza

頭は健康で明晰であるのに、空気やその他の元素が、脳に向けて旋風を巻き起こすようなことがたまにある。旋風は種々雑多な体液を脳に引き入れ、あるいは脳から引き出し、鼻腔と喉の通り道に霧状の蒸気を湧き立たせる。そこに有毒なリヴォルが霧状の水蒸気を集結させる。このリヴォルこそが虚弱な体液による病気を引き起こすものである。この虚弱な体液は、痛みを伴いながら鼻と喉から排出される。それは、成長しきった潰瘍が破裂してリヴォルを排出するのと同じである。あるいは、どのような食べものであっても、加熱すると泡を発して自らを浄化し、汚れを排出するものであるが、それと同じであるといえようか。

食べものを消化するに際して出る体液だけでなく、目や耳、鼻や口の中のすべての体液が魂の火によって加熱される時、火で加熱された食べものが泡を発して自らを浄化するように、魂も体液のそれぞれの性質に応じて人の体内において浄化と排出の働きをしている。

いまだ食べたことのないものを食べたり、飲んだことのないワインや飲みものを飲んだ時、初めて経験する飲食物のその液汁によって、その人の体液が撹拌されるようなことがある。そして液状になったこれらの体液は、浄化のため、鼻腔から流れ出ることがある。それは器に注がれた新しいワインが、自らを浄化するために汚れと滓を沈殿させるようなものといえよう。

こうした浄化作用を妨げたり抑えたりして体液を排出させないでいると、体を害することになる。それは消化した食べものや尿を体内に溜め込んだまま、適当な時に排泄しないのと同じである。もし別の体液がこうした体液と過剰に結びつき、強い身体的な苦痛を生むようになった場合、体液を穏やかに排出させるためには、薬を用いる必要が出てくる。

135

下剤

De potionibus

胃を浄化する下剤を、重病人あるいは慢性的な麻痺によって衰弱している人に対しては用いるべきでない。また氾濫する川のように体液がたえず方向を変えていて安定せず、体の中をあちこち駆け回っているような人

85▼英訳では catarrh（カタル）となっているが、ここはラテン語原文に従った。現代医学では鼻腔粘膜の炎症を指す。

に対しても用いるべきではない。もし彼らに下剤を使うと、改善するよりはむしろ悪化するからである。この種の体液が胃から送り出されると、皮膚と肉の間や血管の中を経巡ることが多く、胃の中には留まっていない。したがって、たとえ下剤が胃に届いたとしても、胃の中には駆逐すべき体液が存在しないからである。

麻痺　De paralysi

すでに触れたように、グッタによる麻痺によって衰弱している人や、先に触れたような体液に悩まされている人に対しては、身近で効き目のあるハーブの粉末や、甘い香りの価値ある香辛料が有効であろう。これらのハーブや香辛料はその甘い香りによって、体液から出る有毒な蒸気を減らし、抑え、弱めてくれるので、蒸気が有害な体液をかき立てるようなことはなくなる。完全な健康体でもなければ重病でもない人に対しては、後述[86]する下剤を用いるとよい。この下剤はこうした人たちを健康にしてくれるであろう。健康な人であっても、この下剤は用いることができる。これを使えば健康を保ち、病気に罹らずにすむであろう。種々雑多な食べものを食べ、脂っぽくリヴォルの多い体液をもつ人に対してもこの下剤は有効である。この下剤には彼らの体液のヌメリや澱、リンパを除去する働きがある。

胃痛の原因となるようなものを食べた人も、この下剤を使うとよい。胃痛を和らげ、痛みを取り除く。この下剤を使おうとする人は、八月に入る前、六月か七月に、香辛料抜きで、空腹時に服用する。下剤は有害な体液を胃から取り去り、胃を清めてくれるので、八月には病気にならずにすむ。胃の調子が悪くなるようなものを食べた人は、十月にこの下剤を服用する。他の処方の下剤も、以上に述べた月に服用する方が、他の月に服用するよりも効果的である。

136

食養生

De diaeta

健康を望むのであれば、調理されたものかどうかは別として、本性が温の食べもののあとには本性が冷の食べものを、本性が冷の食べもののあとには本性が温の食べものを摂るようにする。また本性が乾の食べもののあとには本性が湿の食べものを摂り、本性が湿の食べもののあとには本性が乾の食べものを摂るようにする。こうすれば互いのバランスを保つことができる。

アダムの創造とエヴァの形成

De Adae creatione et Evae formatione

神はアダムを造られたのち、アダムを眠りに落とされた。アダムは眠りの中で大いなる愛を感じた。すると神は、男の愛のために一つの形姿をお創りになり、こうして女は男の愛そのものとなった。女が形造られると、神はすぐさまアダムに男としての創造力をお与えになった。こうして男の愛である女を通して、男は子どもをもうけることが可能となった。エヴァを見つめた時、アダムは完全な英知に満たされていた。なぜなら、アダムはエヴァの中に子を生む母の姿を見たからである。

エヴァがアダムを見つめた時、その眼差しは天上に見入るもののようであった。天上のものを求める魂が上方に向かうように、エヴァの希望はその男に向かったのである。かくして男と女の愛は唯一であり、また唯一であるべきものである。情欲の炎熱の中にあって、男の愛は山火事のようで、消すのは困難である。一方、女

86▼「190 下剤の服用」(p.324) を参照。

の愛は薪が燃えるようなもの、簡単に消すことができる。女の愛は、男の愛とは対照的に、激しい焚き火の熱のようにではなく、果物に実りを与える太陽の熱のように穏やかなものである。だからこそ女は、子どもという穏やかな果実を生むことができる。

アダムが罪を犯してからのちは、エヴァが自分の脇腹から生まれた時に抱いていた大いなる愛と、罪を犯す前の眠りがもっていた甘美さとは変質し、違う種類の快楽となった。男はこの大いなる甘美さを自分の内にもっており、またそれを感じ取るので、泉に駆け寄る鹿のように、すばやく女に駆け寄るのである。一方、女は脱穀場のようなもので、男に何度も叩かれ、穀物が自分の中で脱穀される時のように熱くなる。

137
性欲
De concupiscentia

快楽は髄の火にかき立てられることによって湧き上がるが、その湧き上がり方はさまざまである。不適切で不品行な快楽、食べ過ぎや飲み過ぎ、あるいは空疎で無用な考えなど、さまざまなことが原因で人は自分を見失う。髄の火は、罪の味のする快楽を煽り立て、ついでその快楽が嵐のような熱情を血の中に巻き起こすのである。

血は乳のような泡を発し、その泡を生殖器の甘美な洞窟へと導いてゆく。いまや血は熱くたぎり、満ちてきたからである。いかなる食物であれ、調理したり熟したりすると、以前よりは甘美なものになってゆくが、血管の力全体が集中する生殖器において人はこの甘美さを感じ取る。ワインの味や香り、すべての力がいくつもの容器から一か所に注ぎ出されるように、この甘美さは血管から広がってゆくのである。

快楽への思いにとり憑かれた者が、肉体的な接触をしなくても生殖器に泡を送り出すようなことがある。それは風に動く水が泡を発するようなものである。触れるだけで快楽を感じる者は、外部の火によって加熱されていない薄い乳のように、薄く濁った生煮えの泡を放つ。食べものがそれ自体のもつ火だけでなく、外部の火を加えてはじめて調理できるように、精液も外部の火の助けがない限り、十分には熱くならないのである。

男が他の人間（alio homine：another person）▼87や、感覚のある生きた動物（sensibili et viventi creatura：sentient creature）▼88と交わると、精液は双方の火によって加熱され、たっぷりと濃い髄のような精液を注ぎ出す。男が女と交わり射精する場合、精液は適切な場所に流れてゆく。男にとってそれは、調理された食べものを食べるために、鍋から皿に移すようなものである。しかし人間の女とではなく、本性に反して他の動物と交わる場合、男はおぞましくも不適切な場所に精液を注ぎ出すことになる。それは調理された食べものを鍋から取ろうとして、地面に落とすようなものである。この地面とは、人間の造られた素材である土を意味する。

138

夢精

De pollutione

眠ってはいても夢を見ていないのに自然に射精が起きる場合、この時、髄の熱は動いていないため、精液はわずかの熱しかもてず、生ぬるい水のような状態で放出されることになる。夢の中で何事かを夢見ている時に起こる射精は、髄が激しく燃えているので湯のように熱い。しかし男は目覚めているわけではないので、その

87▼ 女以外の人間、すなわち男を指すと思われる。

88▼ 英訳では単に「感覚をもった動物」となっている。「70 アダムの追放についての補足」（p.160）に以下の記述がある。insensibilem creaturam, quae non vivit：an impassive creature which is not alive「生きていない無感覚の動物」。

精液は完全には熱くない。体の中に性欲の高まりを感じているのに射精しないでいると、男の体は衰弱してくる。射精する段階に達していながら、何らかの自制が働いて体内に留めてしまうと、男は病気になるケースがある。つまり、ひどい熱や三日熱、あるいはその他の病気に罹ることがあるということである。

男にとっての適齢期

De coniugii tempore in masculo

男も十五歳になると性的な快楽への強い衝動が生まれ、淫らな妄想から精液の泡を放出するようになる。しかし快楽も精液も、いまだ十分には成熟していない。精液が未熟なうちに男が性欲を満たそうと女に近づくことがないように、しっかりと監視せねばならない。もし女に近づくと、男は愚鈍になり、知力を欠き、知恵を欠いた者となる。男はまだ精液の成熟する年齢に達していないため、不健康で、自制の利かない人間になってしまいやすいのである。体が丈夫な場合、男は十六歳になれば、自分の欲望を満たせるほどに成熟してくる。体が虚弱な場合、成熟した生殖力をもつのは十七歳になってからである。性的に成熟した男は、それ以前に比べると、十分な知性と安定した気質をもつようになる。

男も十五歳になると、子どもっぽい不安定な状態から脱して、安定した状態になる。生まれつき元気で丈夫な男の場合、性的な快楽の熱は七十歳近くになると衰えてくる。生まれつき虚弱な男の場合、六十歳から八十歳ごろに弱まり、八十歳を過ぎると失われる。

女は十二歳から性的な歓びの感覚を持ち始める。その歓びは、男の精液を受け取るにはまだ未熟であるが、この年齢に達すると、淫らな考えからたやすく泡を放出するようになる。娘が未熟なうちは、淫らな行為に耽ることがないように注意深く監視し、娘を制限しておく必要がある。この年齢の娘は、他のどの時期よりも心が浮わつき、乱れやすいからである。

まだ生殖力のない未熟な時期に監視されなかった娘は、その未熟な快楽と放縦とに身を任せて、礼節や貞潔を身に付けたり、善性を学ぶ道から簡単に逸れてしまう。こうして淫らで多情な肉の交わりから、やがては、人間よりも家畜の流儀を真似るようになるであろう。生来、体が丈夫で湿の質であれば、娘の性的な歓びは十五歳で成熟に達し、生殖力をもつようになる。生まれつき虚弱で病気がちな娘であっても、十六歳にもなれば生殖力は熟する。性的に成熟するにつれて十分な知性をもつようになり、以前よりも安定した状態になる。

女も五十前後になると、小娘のような振る舞いや不安定な行動から脱するようになる。行動は落ち着き、安定してくる。湿の質で元気がよく、強い気質をもっていても、七十前後になると性的な歓びは希薄になってゆく。生まれつき虚弱で病弱な場合は、前に男について述べたのと同じく、性的な歓びは六十前後で弱まり、八十前後には失われてゆくであろう。

ロバのように強い欲情をもって射精する男の目は赤く変わり、目の周りの皮膚は厚くなる。そして目も少しかすみ始める。射精を適度に自制している男に、目がかすむようなことはまずない。

140

髄 De medulla

人の骨の中にある髄は、体全体の支柱(firmamentum：firmament)である。髄そのものはやや稠密《ちゅうみつ》で、流動していない。髄のもつきわめて剛毅な性質と人の骨の中に潜む活力は、体の他の部分でいえば、心臓のもつそれに匹敵するであろう。激しく燃える髄の熱は、火の熱よりも偉大であるということができる。というのも火は消せるが、髄の熱はその人が生きている限り消えないからである。髄はその熱と汗とをもって骨を通り抜け、骨を、そして体全体を形づくる。

髄の三つの力

De tribus medullae viribus

髄の中にある火の熱は、石の中にある火に似ている。それは三つの力をもっている。第一の力は血を温め、それにより血は流れる。第二の力は、女のみならず、女とは違うやり方であれ、男からもときおり血を引き出すことである。第三の力は、燃えるような甘美な味わいと、極めて甘美な生殖力をもつ愛の、汗ばむような熱い風を生み出すことである。

不節制

De incontinentia

この燃えるような風は、時として何の心配事もない暇人の内にも起こることがある。この風は胸に湧き立ち、少々楽しい気分にさせてくれるであろう。風は胸から脳へと昇り、脳と脳の血管を熱い熱で満たし始める。次いで心臓と肺に触れ、生殖器のあたり——男の性器、女の臍——へと向かってゆく。この時、その人の知的能力は、無知という眠りに落ちている。

唆し

De suggestione

こうした時、悪魔の唆しが嵐のような凶暴さで侵入する。男は情欲に燃え、節度を失う。だが日が昇ると、空気と露がこの男を助けにやってくるであろう。空気はわずかながらに冷えを与え、露は湿り気を与えて、男の中で燃え盛る火の熱を和らげようとする。それは大地のすべての果実に対して、空気が温と冷と湿とを降り注ぐのと同じやりかたである。

髄の熱

De medullae temperie

太陽が大地に熱を与えるように、人の髄は体全体に熱を与える。その一方で、胃から吹き出る強い風は、空気がそうであるように、髄の火をわずかに冷ます働きをする。膀胱から出る水分は、露がそうであるように、火に水を注いで湿らせる。こうして火は、人の体に適度な温度を与え、火そのものも、冷えと湿り気によって和らいでくる。もし嵐や雹が恐怖を巻き起こして空気を乱せば、空気は適度な冷えをもって太陽を手助けすることができなくなり、太陽もまた適度な熱をもって空気を手助けすることができなくなる。これと同じように、雑多な食べものは胃に混乱を巻き起こすであろう。こうした食べもので混乱した胃は、髄の熱に対して適正な冷えを与えることができず、その結果、胃は髄に対して、調和ではなく、嵐と興奮（tumorem : swelling）[89]とをもたらすのである。

89▼英訳では「腫れ」となっているが、ここはラテン語原文に従った。

141

過食 De crapula

種々雑多な肉を過食し、熱いものや贅沢なものを見境なく食べていると、これら食品のもつ液汁は髄液をかき立て、逆まく嵐を巻き起こし、こうして髄には快楽の嵐が湧き立ってくる。肉を食べようとする人は、単一の香辛料で調理し、熱すぎないもの、またさまざまな付け合わせ（fultionibus：garnish）や香辛料を加えて過度に調味していないものを、それもほどほどに食べるように心がけるべきである。肉汁には人間の肉の汁と似たところがあり、容易に髄の悦びをかき立てるからである。荒々しく乾いた風が露の力を弱めると、露は太陽に対して適度な湿を与えられなくなる。これと同じように、濃厚で贅沢なワインは膀胱の力を萎えさせ、髄に対して適切な生命力を与えられなくなる。

ワイン De vino

ワインは大地の血液である。血が人の中にあるように、ワインは大地の中にある。ワインと人間の血液とはある種の類似性をもっている。ワインは高速回転する車輪のように、膀胱から髄へと熱を導き、燃えるような情熱で髄をひっくり返す。こうして髄は、快楽の炎熱を血に送り込むのである。だから贅沢で強いワインを飲みたい時は、ワインを水で割り、濃度と熱とを和らげて飲むようにする。ホイニッシュ・ワインでさえ、水で和らげて飲む方がよい。こうすれば苦みは和らぎ、柔らかくなる。

水の湿がなければ血は乾いて流れなくなるが、ワインを水で割らないで飲むと、人は干からびてくる。それは人を害し、健康を阻害し、肉欲をかき立てる。

飲食物に含まれる雑多な液汁によって体が衰弱したり、あるいはその人の本性が悪しき快楽によって則を超えることのないように、あらゆる食べものはよくよく考えてバランスよく摂る必要がある。もし露と空気のバランスが壊れ、太陽が燃えすぎてしまうと、大地の実りは損なわれてしまうが、それと同じように、飲食物のもつ熱が過剰に摂り込まれてしまうと、それは健康を害するだけでなく、肉欲をかき立てることになる。体が丈夫な人であっても、健康を保つためには、飲食に気をつけねばならない。虚弱な人の場合、適度な慎重さをもって肉を食べるのであれば、かえって元気を回復する。それでも水で割っていないワインは飲むべきではない。

142

思い

De cogitatione

アダムが神の掟に背いてリンゴを食べることで自らに招いたことについて、なぜそのようなことが起こるのか、どこからそのようなことになるのか、その罪の味はどのようなものであるかと自問する時、あるいは性欲を呼び起こすなにがしかのものを見たり聞いたりした時、人の髄から湧き上がって肉の歓びへと突き進む燃えるような風が、時には空しい思いを呼び起こし、あるいは生み出すこともある。

やがてこうした思いは、悪魔の唆しによって――その唆しに合意したかのように――燃えるような快楽の風を髄から引き寄せる。前にも述べたが、[90] この風が起こると、風は胸を横切り、脳に触れ、肝臓と心臓を貫き、生殖器へと下ってゆく。このようなことが、性交によって欲求を満たそうとする人の中では起きているのであ

90▼「140 不節制」(p.252) を参照。

る。

夜間の圧迫感　De nocturna oppressione

眠っている時に血が髄の火の中で熱く燃え、血の中の水が干上がってしまうようなことがしばしばある。すると、母の胎に宿った最初の凝固物の中に、まさに最初の唆しとして潜んでいた悪魔の業が、時として神の許しを得て頭をもたげ、その人の周りに嵐を巻き起こし、眠っている間に恐怖心をかき立てるようなことがある。それはあたかも実在するかのような、重苦しい悪夢の形をとって現われる。しかしそれは実在するものではない。というのも、万一実在するものであるとしたら、人は到底耐えることができないからである。それは例えていえば、凄まじい音を発して恐怖を与える雷のようなもので、その音に人々は恐怖し、青ざめる。だがそれでもなお、雷鳴はすべての力を現わしたわけではない。もし最後の審判の日に至れば、雷鳴はその力のすべてを現し、地上にあるすべてのものを揺るがすであろう。

143

夢　De somniis

霧深い旋風の中にでもいるかのように悪魔が現われるとき、悪魔は重苦しい悪夢を呼び起こし、その人の魂が悪夢▼91から覚めるまでは、長い時間、ひどい苦しみを与える。そしてその人は自分がどんな恐怖に苛まれたかも知らないまま、震えあがるのである。すべての人は眠っている間にこのような恐怖を体験する。もっとも、生まれつき安定していて幸せな人の場合は例外である。彼らが眠っている間に恐怖を味わうことはめったにない。というのも、良き霊の味わいがなければ、このような生まれつきもつ高潔な幸せなど、ありえないからである。彼らは生まれつき穏やかで、人を惑わせたり騙したりする性格ではない。

体質

De complexione

多血質と呼ばれる人がいる。こうした人の血の中では、黒色胆汁が頻繁に押し寄せていて血は黒くなり、その水分は干上がっている。そのため、起きていても眠っていても、ひどく苦しむのである。

アダムの堕落と黒色胆汁

De Adae casu et melancolia

アダムがリンゴを食べ、善を知りながら悪を行った時、アダムのこの自己矛盾がもとで、彼の中に黒色胆汁が生まれた。悪魔の唆しがなかったなら、目覚めている間も眠っている間も、人間の中に黒色胆汁など存在しなかったであろう。アダムが罪を犯してのちに抱く悲しみと絶望とは、黒色胆汁から生まれたものである。アダムが神の戒めに背いた瞬間、彼の血の中で黒色胆汁が凝結した。それは例えていえば、ランプが消えると輝きは消えるが、燃えて煙を出している麻の芯は残って悪臭を放つようなものである。これと同じことがアダムの中で起こったのである。アダムが輝きを失ったため、血の中で黒色胆汁が凝結した。こうして悲しみと絶望が生まれたのである。

91▼原義では prophetia somniorum：prophetic dreams「預言的な夢」となっている。

アダムが罪を犯したその時、悪魔は彼の中に黒色胆汁を吹き込んだ。それが時として、人に疑念と不信とを抱かせるのである。人の形象は束縛を受けており、身の程を越えて自分自身を引き上げることができないので、人は神を畏れ、悲しみを抱き、しばしば自信を失い、神が自分を守っていてくださるのだという希望を見失ってしまう。▼92 人間は神に似せて造られており、それゆえ神への畏れに無頓着でいることはできない。それゆえ自分に抗う者に交わろうとする悪魔にとって、人間が自分よりも神を畏れているということは、深刻な事態なのである。

人は神に希望をもつが、悪魔は自分自身の内に何ものをももたない。だから悪魔は黒色胆汁の中にその誘惑を忍び込ませ、悲哀と絶望とを人に抱かせるようにするのである。人はこの戦いの殉教者でもあるかのように悪に抗うが、多くの場合、自暴自棄のうちに息苦しさを覚え、ついには絶望のうちに疲弊する。

144

精神の圧迫感

De mentis oppressione

悪魔は、眠っている間であれ目覚めている間であれ、人を苦しめる。時として眠っている間にひどく悩ませるので、それを人は何かに圧迫されていると感じるのである。

悪魔の嫌悪

De diaboli odio

悪魔は人の徳を嫌い、また他のあらゆる有益な被造物までも——清潔で有用な家畜やハーブ植物までをも嫌う。昼夜を問わず、寝ても覚めても悪魔の幻影に苦しむ人は、神の与えてくださった治療法を捜し求めるべきである。うれしかったり悲しかったり、穏やかであったり激怒したり、あるいはその他の感情をもったとしても、人は長い時間、同じ状態でいることはできないので、他の行動や他の感情に移る必要が出てくる。二つの感情の狭間にあり、一つの感情を離れて別の感情に移ろうとすると、その人の魂はこの変化を自然に感じ取り、魂はある種の疲労感（taedium：weariness）[93]を抱くようになる。というのも、その人には多くの変化が起き始めているからである。魂は体を離れたがっているかのように振る舞う。つまり魂が瀕死の体から出て行く時にやるように、魂はその人の口を開け、こうしてあくびが出るのである。

あくび

De oscitatione

ある人が活発に変化し始めたり他の仕事を始めたりすると、魂はその変化からくる疲労感から、再び中休みする。しかし別の人も疲れていてあくびをするのを見たりすると、その人の魂も体を離れたがっている時にやるように、自然に反応する。こうしてあくびをすることで、人の口は開くのである。

92▼神は命の息吹である霊的な命に身体という形象を与えたが、その素材である泥は、それ自体飛ぶことも息をすることもなく、不可能なことに直面しても自分の身を引き上げることもできず、ひどく束縛されている。「2　魂の創造」（p.58）を参照。

93▼taedium は「不快」「嫌悪」の意味を含む。

145

伸び

De membrorum extensione

体の中に悪い熱があり、有害な体液が溢れ始めると、その人は体の鈍重感と精神の倦怠感に苛まれるようになる。魂は自然にこれを感じ取り、不快感に襲われたようになり、こうした変化から少しばかり身を退く。そして魂が体を離れる時にやるように、体と血管を少しこわばらせ、こうして伸びをするのである。

無気力

De litargia

ある種の人々の中にある悪い体液は、時に蒸気を生み出し、その蒸気は脳に上昇して、脳を侵すようになる。そのため、愚かで忘れっぽくなり、また知覚は虚ろになる。

しゃっくり

De singultu

しゃっくりと呼ばれる厄介なものは、胃の冷えから生じる。胃の冷えは肝臓にまとわりつき、肺の周囲に向かう。その結果、寒さで歯がギシギシ音を立てて震えるように、心臓の力まで激しくかき乱されるようになる。こうして口から音を伴ってしゃっくりが出るようになる。

黒色胆汁とプサルモ▼94

De melancolia et psalmo

黒色胆汁が湧き上がり、煙のような蒸気を発散することがしばしばある。この蒸気が体中に広がりきるまで、つまり蒸気の発散がやむまで、蒸気は血管や血、肉を収縮させる。しかし胆汁が過剰となり、過剰となった胆汁が体中に広がると、余分な胆汁がおさまるまでは、肉が裂けるような激しい苦しみを味わうことがある。

胆汁とアダムの罰
De felle et poena Adae

アダムが神の戒めに背く以前、今では人の体内で胆汁となっているものは、アダムの体内では水晶のように輝き、良き業への味わいを備えていた。今では人の体内で黒色胆汁となっているものも、かつてはアダムの中で曙光のように輝き、知識と良き業との完全性を備えていたのである。

アダムが神に背いた時、罪を知らない者の輝きは彼の中で消え失せ、かつて天上のものを見ることのできた彼の視力は失われた。そして胆汁は苦いものとなり、黒色胆汁は邪悪な（impietatis : impious）▼[95]黒色へと変化し、こうしてアダムはすっかり変質してしまったのである。彼の魂は自らに悲しみを引き寄せ、怒りの内に罪の責めから逃れる道を探し求めたのであった。怒りは悲しみから生まれる。かくして人間は、まさにこの最初の親から、悲しみや怒り、そして害をなすすべてのものを引き継いだのである。

94▼psalmoについてラテン語版注では「ある種の腱［神経］の病気」とあり、英訳注では「おそらくrosacea「ロザケア」（酒渣《しゅさ》）のことではないか」とあるが、不明なのでプサルモのままとした。なおロザケアとは鼻・額・頬にできる慢性の皮脂炎症の一種で、赤い膿疱が特徴である。

95▼「不敬虔な」「神を信じない」の意味を含む。

146

悲しみと怒り

De tristitia et ira

人の魂は自分や自分の体に逆らうものを感じ取ると、心臓や肝臓、そして血管を収縮させる。そして心臓の周りには霧のようなものが立ち昇り、心臓を曇らせ、こうして人は悲しくなる。悲しみののちに怒りが生まれる。悲しみの原因となるものを見たり、聞いたり、認識したりすると、その人の心臓を覆っていた悲しみの霧は、すべての体液の中や胆嚢の周りに温かい蒸気を生み出す。この蒸気が胆汁をかき立て、こうして胆汁の苦みから怒りが静かに生まれてくる。

怒りが治まらず、またその怒りを黙ってこらえていると、それは胆汁を抑えることになる。怒りが治まらないままでいると、蒸気は黒色胆汁にまで達して黒色胆汁をかき立てる。すると黒色胆汁はひどく黒い霧を送り出すようになる。この霧は胆汁にまで達し、胆汁からは非常に苦い蒸気が吐き出される。さらにこの霧は蒸気とともに脳にまで達して有害な体液をかき立て、まず最初に頭を患わせる。次いで胃にまで下りてゆき、胃の血管と胃の内部を襲い、その人を錯乱状態に陥れる。こうしてその人は無自覚なうちに怒りだすのである。

人は、精神の錯乱から荒れ狂うというよりはむしろ、怒りから荒れ狂うことの方が多いのである。また怒りが原因である種の重病に罹ることもある。というのも、胆汁と黒色胆汁から生まれる有害な体液が体内で頻繁にかき立てられると、病気を引き起こすことが多いからである。もし人に胆汁の苦みと黒色胆汁の黒みがなければ、人は常に健康でいられたはずである。

胆汁と黒色胆汁はなぜ増えるか

Unde fel et melancolia crescant

胆汁の方が黒色胆汁よりも大きな力をもっている場合、怒りを抑えるのは簡単である。しかし黒色胆汁の方が胆汁よりも大きな力をもっている場合、その人は怒りやすく、すぐに荒れ狂ってしまう。良質のワインから造られた酢は濃厚で酸っぱさも増すものであるが、これと同じように、胆汁は良質の食べものやおいしい食べものを摂ると増え、悪い食べものを摂ると減少する。黒色胆汁は良質の食べものやおいしい食べものによって減り、さまざまな病気に由来する体液だけでなく、悪い食べものや苦い食べもの、不潔な食べものや調理のよくない食べものなどによって増加する。怒ると顔が赤くなる人の血は、顔に巡ってくる胆汁によって煮えたぎっている。こうした人はすぐにかっとなるが、しかしそれはすぐに鎮まる炎のようなもので、治まるのも早い。

このような怒りはあまり害を与えないし、体を乾かすこともない。多くの場合、こうした怒りは復讐心の強いものではなく、また自分を正当化することもなく治まってゆく。しかし怒った時に顔面が蒼白になるような人は、体内でかき立てられた黒色胆汁が血液を動かすのではなくて、体液を徐々にかき乱すような類の怒りをもっている。このような人は体が冷えやすく、体力が損なわれやすく、衰弱しやすい。怒りを覆い隠しているために顔面は蒼白となる。こうして覆い隠している間に、激しい復讐心が芽生えてくる。自制することができず、怒りを正当化するために、その怒りは持続することになる。

147

溜息 De suspiriis

こういう人は怒りによって体が衰弱し、干からびてしまいやすい。しかしそれでも、人の魂は知識と理解力とをもっている。この魂の働きにより、怒りの原因が何で、その正体が何であるかと考える時に溜息が出てくるのだが、この溜息がどこからきたのか、その人にはわからないものである。自分の体が侮辱ややっかいごと、その他の不快な出来事で苦しみそうだとは感じ取っていても、それが予防できるものだということを理解しないとき、人は深い溜息をつくのである。

涙　De lacrimis

悲しみにより、体液から苦い蒸気のようなものが生まれ、その蒸気が心臓の周りに拡散する。すると心臓は呻《うめ》き声をあげることによってリンパ——心臓の血に由来する水と他の血管の血に由来する水である——に打ち勝つ。心臓は血管を通してリンパを導き上げ、蒸気が立ち昇るようにして脳の小さな血管にリンパを送り、それを目まで運ぶが、その目は水とある種の親和性をもっている。この水が目から流れ出たものが涙である。涙の水は、このようにして、溜息のような呻き声を通して血から引き出される。それは血によって髄から精液が導き出されるのと同じである。先に触れたとおり、悲しみから生まれた涙は、苦い蒸気が立ち上るようにして目まで昇ってくる。こうした涙は人の血を乾かし、肉を弱める。その涙は悪い食べもののように人を害し、目を曇らせる。

喜びから生まれた涙は、悲しみから生まれた涙に比べれば穏やかなものである。魂は悲しみを通して、あるいは理解力によって、本来自分は天に属するものであるのにこの世をさ迷っているのだということを悟った時、あるいはまた体が徳において魂と一致し、両者が神聖な勤めにおいて一つになる時、魂は今述べたようなやり方で、血管を通して目に穏やかな涙を送るようになる。ここにはかすみも蒸気の旋風もなく、あるのは歓喜と幸福に満ちた吐息だけである。魂は穏やかな泉のように涙を送り出す。こうした涙は心臓を弱らせることもなく、また血を干上がらせたり、肉を弱らせたり、目を曇らせることもない。

148

改悛

De paenitentia

罪の悔い改めによって流される涙は、悲しみと喜びの混ざりあったものであり、罪の責め苦を受けた心が蒸気を伴わずにもたらすものである。この涙は罪の責め苦を受けた心から生まれたものであり、したがってその過ちが正され、喜びが蘇るまでの間、血は少なからず乾き、肉は弱まり、目は曇るであろう。生まれつき太っている人は、太い血管と柔らかい心臓をもっており、泣きやすい。生まれつき乾性の人は、普通の皮膚よりも硬い、タコ（callos : callus）▼96のような硬さをした心臓のもち主である。このような人は滅多に泣かないか、泣いてもほんのわずかで、抜け目のない心をしている。溜息とともに目まで引き上げられた涙が、もし流れないでいると、涙は体液に戻ってしまい、体液は酢のように苦くなって胸を干上がらせてしまう。しかし目まで達していながらそこに留まって流れ出ない涙は、さほど目を傷めるものではない。

アダムの分別

De Adae prudentia

罪を犯す前のアダムは、天使のように歌っていた。彼はあらゆる音楽に通じており、モノコード（monochordi: monochord）▼97のようによく響く声で歌っていた。蛇の奸計にはまって罪を犯したその時、ある種の風が、アダムの髄と大腿骨に身をよじるようにして忍び込んできた。この風は、今でもすべての人の中に吹いている。この

96▼皮膚硬結。

97▼一弦琴。共鳴箱に一本の弦を張り、駒の位置を移動することで音階を得る原初的な楽器で、音程を計測する基準楽器でもある。

風によって人の脾臟は油っぽくなり、節度のない喜びや笑いや馬鹿笑いが、人の中で引き起こされるようになったのである。

馬鹿笑いと笑い

De cachinno et risu

アダムが罪を犯した時、子を生むという汚れなき本性が性愛へと変わってしまったように、アダムのもっていた天上的な悦びに溢れた声は、笑い声と馬鹿笑いとに変質した。この愚かしい喜びと笑いは肉体的な性愛と関係があり、笑いを生み出す風は、人の髄から出て大腿部と内臓を一撃する。その風の衝撃が強すぎると、時として笑いは目の血管を流れる血から涙の水分を導き出してくる。それは快楽の炎に煽られて血管の血から精液の泡を導き出すのと同じである。

149

喜びと笑い

De laetitia et risu

魂のもつ知識が自分の中に悲しいことや敵対的なもの、害するものを感じ取ることがなければ、心臓は花が太陽に向かって花開くように喜びを解き放つ。すると肝臓がすぐにそれを受け取り、胃が食べものを納めるようにして肝臓の内に納める。

よいことであれ悪いことであれ、自分が満足することで喜んでいると、先に述べた風が髄から出て、まず大腿部に触れ、脾臟を占領するようなことがある。この風は脾臟の血管を満たし、心臓まで広がり、次いで肝臓を満たす。こうして笑いが起こり、動物の声のような馬鹿笑いが始まる。あちこちと向きを変える風のように思考が散漫な人は、やや厚めの脾臓をしており、そのためすぐに喜び、すぐに笑うのである。悲しみと怒りは人を弱らせ、干上がらせてしまうが、これと同じように、笑いすぎも脾臓を傷め、胃を傷める。またこの笑いすぎという行為によって、体液はあちこちを無軌道に流れるようになる。

脂《あぶら》っこい食べもの

De pinguedine

肉やその他、脂肪分の多い食品や血の多い食品は健康には不向きで、病気になりやすい。これらの食品には脂っこい湿り気が多いため、正常で健康な消化機能が働くには濃厚すぎ、胃の中に留めることができないからである。正常で良好な消化のためには、脂肪と血のバランスがとれた肉を食べるようにする。

150

体内の乾燥

De hominis ariditate

体とその諸器官が非常に乾いている場合、体内の乾燥や脱水状態を和げ、潤いをもたせるために、ときおり適度な脂肪分を含んだ肉や、少し血に富んだ食品を摂るように心がけるとよい。動物の肉を食べると人の肉は豊かになり、またワインには他の飲みものや食べものにも増して、血を増やす働きがあるからである。

ワイン

De vino

穀物のよく採れる土地で生産されたワインは、果物の採れる土地で生産されたワインよりも、病気の人には健康的である。中でもこのことは少量の穀物が採れる土地によくあてはまる。たとえそのワインが他のものより高価だとしても、価値がある。ワインはその優れた熱と大きな力とにより、人を癒し、活力を与える。

ビール

De cerevisia

ビールは穀物のもつ力と有益な液汁とにより、肉を厚くし、血色をよくする。実際、水は人を衰弱させるもので、病気の際には肺の周りにリヴォルを生み出すことがある。水は弱く、強い力をもたないからである。だが健康な人がたまに水を飲む分には、害はない。

酩酊

De ebrietate

ワインやその他酩酊性のリキュールを飲みすぎると、血は拡散し、常軌を逸してあらゆる方向に流れ始める。こうして血が血管の中で拡散すると、その人の全般的な理解力と感覚とはごちゃまぜになって混乱する。それは例えていえば、雨が降って大洪水となった川が溢れ、凄まじいスピードで氾濫するようなものである。彼らの理解力は限度を超えて混乱しているが、よき知識はよきことへと向かう。こうした人は無意識のうちに、何か神聖そうな言葉を、分別なく幾度も口ばしるようになる。悪しき知識は悪しきことへと向かい、卑しく邪悪な言葉を無意識のまま、恥じることなく口にする。飲酒により、知性は不健全な状態に陥っており、抑制がきかないからである。理解力は窒息したように身を潜めており、こうして正しい理性的な行動をとることができなくなる。

151

嘔吐

De vomitu

すごく冷たい食べものを食べた直後に熱い食べものを食べると、冷たい食べものの力が熱い食べものの力を圧倒する。湿性の食べものを食べすぎると、湿性の食べものが乾性の食べものを圧倒する。こうなると正常な消化活動は不可能となり、胃の中は嵐のようになり、頻繁に嘔吐するようになる。嘔吐の苦しみを避けるには、温と冷のバランスのとれた食べものを食べるとよい。

病気が原因で、あるいは摂食過剰により嘔吐するようなことがあるが、それは胃に熱が乏しく冷えがあるために、食べものを消化するための熱を欠くからである。十分に温められていない食べものは排泄のために下に向かうことができず、逆に上に昇ってくる。嘔吐はさまざまな病気の原因となるものである。自分で嘔吐を誘発したり、嘔吐を誘発させる薬味（condimentum：condiment）を使ったりするのは、健康を害するのでよくない。こうして誘発された嘔吐は、血管と血を捻じ曲げ、他に逸らしてしまう。この種の嘔吐は正しい道筋を通るわけではないので、害の方が多いといえよう。だから自分で吐くようなことをしてはならない。それは健康を損なうものである。自分でする嘔吐ではなく自然に起こる嘔吐であれば、ある種の薬味を使って誘発する嘔吐よりはよい。

消化不良

De indigestione

病気が原因であれ不健康な食べものが原因であれ、体液がかき乱されると――その結果、熱が冷と、冷が熱と、湿が乾と、乾が湿と結びつくと――体液が未消化な飲食物を押し出して排泄するようなことが時としてある。不健康な食べものが押し出されるのであれば健康にはよいが、よい食べものが押し出される場合は害となる。なぜなら、食べものに含まれる有益な液汁が血管から失われてしまうからである。有害な体液が過剰になると、熱くもなく冷たくもない、霧のような蒸気が体内に発生する。

この霧のような蒸気は腸の中、胃の周囲、そして体中に拡がってゆく。そしてその人の中にある他の悪いものをかき立て、食べたものを不安定な状態にして、食べものが正しく自然に胃に入ることも、正しく自然に出ていくこともできなくなる。道路にできた窪みの上を通り過ぎてゆく時のように、蒸気は胃を上下に揺さぶってかき乱し、胃の自然な活力をもった空気を弱めてしまう。食べものが正しく自然に消化できるように温められないために消化不良となり、食べたものは薄い流れとなって排泄されるようになる。

152

赤痢[98]

De dissinteria

血液の通る非常に細い血管が、脳を覆う皮膜をとり囲んでいる。この血管は、心臓、肝臓、肺、胃、すべての腸[99]まで下ってゆく、より大きな血管と繋がっており、その血管に血液を供給している。それは小さな流れがより大きな川に水を運ぶようなものである。大きい方の血管は各地に水を導く大きな川のようなものであり、あるいは、各家庭に水を供給するパイプのようなものである。

体内で有害な体液が過剰となり、その人の中にある他の熱をかき立てると、体液は不適切な氾濫をまき起こし、濃くて有害な、煙のような蒸気を脳まで上昇させてゆく。それにより、脳を囲む小さな血管の流れは危険な状態となる。血管の中を血液が不規則に流れるため、それと繋がっている、より大きな血管をかき乱すからである。この血管は氾濫する危険な流れとなって体全体に血液を送り出し、消化器にまで血液を送り込む。この血液が腸と内臓の中にある消化物と混ざり合うと、血液の多い消化物ができあがる。こうして血液は消化物とともに排泄される。

吐血

De aemoptoica

有害で濃い、毒のある体液が体内で過剰になると、血管を流れる血液の正しい流路が遮断される。そのため、血は不適切な経路を通って、生命に不可欠な器官や腸に入っていかざるを得なくなる。危険を伴いはするが、喀血するか吐血するかしてこの血を取り去ることで、体内は乾いた状態になる。

水っぽくて薄い、有害な体液が過剰になることで、血管を流れる血液の正しい流路が遮断されることがある。この体液の働きにより、血液は消化物を伴わないままに尻から排泄される。危険を伴いはするが、こうしてこの体液は体内を乾いた状態にする。この体液が消化物とともに尻から排泄されれば、体は清められ、たいていの場合、健康をとり戻す。

心と思いに苦さ（amaritudinem：bitterness）しかないような人がいる。この苦さは脾臓を収縮させ、干上がらせてしまう。そのため、脾臓に活力を与えるはずのよい湿が、本来通るべきではない経路を通って肺に達し、そこで血を凝結させる。そのため、頻繁に喀血や吐血をする危険性がある。また四六時中、悲しみにくれている人もいる。このような悲しみは、全身に血を巡らせる小さな血管を収縮させてしまうので、どの血管もわずかに傷ついてくる。そのため血管は徐々に血の滴を内臓へ落とすようになり、こうして時には血を吐くようなこ

98▼ dissinteria は激しい下痢を伴う痢病《りびょう》一般も指す。
99▼ 小腸・大腸から肛門に至る消化器官の総称。

ともある。だが彼らが軽やかな心と喜びを取り戻せば、小さな血管は元に戻り、血を吐くこともなくなるであろう。

153

見境のない節制

De abstinentia indiscreta

食べものに対する節制の度が過ぎて、体にとってはまったく正当な回復源である食事を通して体を補う、ということができない人がいる。また振る舞いが気まぐれで軽率な人もいれば、いくつもの重篤な病気に見舞われる人もいる。このような人の体内で元素が有害なものへと変化すると、体内で嵐が巻き起こるようなことがある。彼らの体内で火と水がせめぎ合うと、両者はせめぎ合うようにして手足の関節や体の他の部位に至り、その肉を腫れ上がらせて膿疱を作るようなことが頻繁にあるが、こうした膿疱には三種類ある。

膿瘍《のうよう》▼100

De apostematibus

第一の膿疱は真黒に近い。それは火の過剰な力によって腫れ上がったもので、危険な兆候であり、死の危険がある。それは急激に発達した雨雲がその降りたったところを打ち砕き、無に帰するのに似ている。

第二の膿疱は火と水の嵐から生じたものであり、灰色がかっている。それは時ならぬ雨を降らせる稲妻のようなものである。この膿疱は体に傷痕を残しはすれ、体を完全に殺すことはない。それは、発育途上の作物には害を与えても、根まで枯らすことはない雹のようなものである。

第三の膿疱は白みを帯びている。これは同一の元素の大氾濫から生じたものである。それは水位の上昇すぎた川の氾濫に似ている。この膿疱は体を衰弱させはするが、体全体に広がることではない。それは例えていえば、限られた地域の、特定の作物は水浸しにしても、全部を壊滅させるわけではない、突発的な川の氾濫や洪水のようなものである。黒い膿疱は危険であり、ほとんど治る可能性はない。灰色や白の膿疱は黒い膿疱よりはやや弱く、治る可能性はある。

154

腫瘍 De tumore

よい体液であれ悪い体液であれ、種々雑多な体液によって人の肉と血は増大してゆく。それはイースト菌によって小麦粉が膨らみ、膨張するようなものである。しかし心臓や肝臓、肺や胃、その他内臓諸器官から出る体液が、度を越して過剰なものに変化すると、体液は粘着質で油っぽく、生ぬるいものとなる。こうした体液が体内に留まると病気になるが、それが破裂して体外に出た場合、前にも増して健康になることもある。

潰瘍 De ulcere

もしこうした体液が体内の一か所あるいは数か所に落ちてきて、一つまたは数個の潰瘍を作った場合、それが大きくなって流れ出るまでは放置しておく。もし体液が体内にそのまま留まってしまうと、もっと深刻な病気になる。体液が流れ出たあとは患部に軟膏を塗るようにする。

100▼英訳では abscesses「腫れもの」を指す。

湿疹

De scabie

もし悪い体液が湿疹となって体中に吹き出た場合、大きくなりきって滲出するまで待つ。患部の皮膚が赤くなって乾き始めたら、それに適した軟膏を塗るとよい。この時期を逸すると、皮膚は潰瘍や腐敗物などにより、さらにひどくなる恐れがある。

155

黄疸《おうだん》

De ictericia

黄疸と呼ばれる病気は、弱い体液と熱、頻繁な激しい怒りによって流れ出す過剰な胆汁によって引き起こされる。肝臓や他の内臓器官がこの流れ出た胆汁を受け取り、強い刺激をもつ酢が新しい器に満ちるようにして、流れ出た胆汁が体全体を経巡って害を及ぼすのである。黄疸は尋常でない体の色によって確認される。

魂の活動と疲労感

De exercitio et animae taedio

人の体がその働きなしにありえず、働きをやめないばかりか、常に何がしかのことをしているように、人の魂もその本性として働くものである。体の種々雑多な働きから疲労感に襲われると、魂は眠ってでもいるかのように自分の進路から身を引く。それは水車場の一部が洪水で壊れてしまうと、少しの間仕事が中断されるようなものである。

体が何らかの不本意なことや強い恐怖心によって抑圧されたり圧迫されたりすると、魂はしばらくの間、静かに休んでいる。やがて魂はその力と進むべき道を回復し、再び活発に活動し始める。それはあたかもその人が一新され、新たな作法［習慣］（mores：behavior）を身につけたかのようである。

怒り　De ira

生まれつき怒りっぽい人がいる。彼らの魂が不快感に襲われて静かに休んでいると、怒りからある種の不全状態（defectus：deficiency）に陥り、体に圧迫を感じるようなことが時としてある。それでも魂は自らの力を回復し、蘇るであろう。またある人の場合、魂が不快感に襲われて静かに休んでいると、なんらかの苦痛で体に圧迫感を感じるようなことがある。こうした人の魂も、覚醒したあとは以前の力を回復し、蘇るであろう。さらにある人は、魂が労苦や疲労に圧迫されて静かにしていると、苦痛や疑念から体がこわばるようなことがある。ぼんやりしていた魂は覚醒し、やがて蘇生した者のように、本来の力を取り戻すであろう。さらにまた、しょっちゅう怒って熱くなるような気質の人もいる。

156
精神錯乱と癲癇《てんかん》　De insania et 〈epi〉 lensia

こういう人たち[101]の怒りは、多くの場合、血液全体を揺り動かして、血の大氾濫を巻き起こす。こうして生ま

101▼前項「155 怒り」の最終文を指す。

れた蒸気状の体液が脳に触れると、精神は異常をきたし、知的能力までが衰えてくる。折にふれてこういう人が腹を立て、世俗的なもめごとに悩まされているような時、それに気づいた悪魔は、唆しの吐息をもって彼らに恐れを抱かせる。すると魂は疲れ果てて沈み込み、身を引くようになる。体は衰弱して倒れ込むが、魂がその力を回復し再起するまでは無力な状態のままである。こうした苦しみにある人は、その動作だけでなく、見た目にも怒って見える。彼らは地面に倒れ、時おり不自然な音を発することがある。この病は滅多に発症するものではないが、いったん発症すると抑えるのは困難である。

癲癇

De epilepsia

この病気に罹る二種類目の人というのは、短気な性格で頼りなく、軽薄な人たちである。彼らの魂はこうした性癖のせいで疲れ果て、しばしば身を引いて沈み込む。魂の力を失った体は地面に倒れ、魂がその力を回復するまでは死んだように横たわる。この人たちの顔は穏やかであるが、動作は機敏である。この発作に襲われ、地面に倒れこんでいる間、悲しげで奇妙な音が自然に口から洩《も》れ、大量の泡を吐くことがある。こうしたケースの場合は簡単に治すことができる。

水腫

De hydropisi

生まれつき太ってはおらず、どちらかといえば痩せぎみの体格をしていて、性格が悲観的なため、次から次へ心配事を抱え込むような人がいる。この悲しみによって血は乾き、種々の積み重なる心配事により、粘液は大きく減少する。そのため体内の水分が大幅に増加して、水が支配的となってくる。血と粘液が干上がってくると、消化物の澱を尿として膀胱に送り出すようになる。血と粘液が本来もっている熱を欠いた膀胱は、尿を十分に分解することができないために、尿は温まらないままに、本来の経路から外れて皮膚と肉との間に、不自然なかたちで注ぎ出されるのである。

157

むくみ

De inflatione

このようにして血が干上がり粘液が減少すると、皮膚と肉の間に水分が浸透し、その結果、体全体がむくんでくる。血は乾燥し、粘液は乾いているため、常に渇きを訴えるようになる。何を飲んでも血液や粘液にはならず、皮下の水になってしまうからである。もし皮下にはっきりと水が認められる場合には、薬の助けが必要となる。この手当が遅れると、水は生ぬるい体液となり、血の色に変わってゆく。この体液がリンパと混ざると、その人は危険な状態に陥る。太りすぎでも痩せすぎでもなく、体のバランスのとれている人は、たいていの場合、体液のバランスもよいものである。このような人の場合、さしこみの原因となる体液も過剰ではないので、さしこみで苦しむようなことはめったにない。

さしこみ▼102

De tortionibus

太りすぎや痩せすぎの人は、悪い体液が過剰となっているケースが多い。それは正しい体質とバランスを保てないからである。時として心臓や肝臓、肺、胃、腸から悪い体液が湧き上がり、その体液が黒色胆汁へと向かって蒸気を生み、こうして最悪のリヴォルが生み出される。それは例えていえば、流れの淀んだ岸辺の水際に悪臭ふんぷんたる芥《あくた》が集まり、溜まってしまうようなものである。このリヴォルは、胃や腸のすぐ側や肉と皮膚の間であればどこにでも広がってゆく。リヴォルはそこに留まり、歯でかじるような激しい痛みでもって人を苦しめる。しかしそれは生死に関わるようなものでなく、激しい苦痛を与えるだけである。時には何か目のようなものが現われて、髪の毛につくシラミの卵（lens : nit）▼[103] のようなものが肉の上にできることもある。伸びて長くなったり、縮んで卵の黄身のように丸くなったり、泡を出すようなこともある。これが体中に広がると、痛みで苦しむようになる。

158

虫 De vermibus

この泡が胃に入ると胃の中に虫が湧き、それと同時に、細長くて獰猛なシラミが肉の上に湧いてくる。先にいったリヴォルが体内に留まると、ウジ虫とでも呼ぶべき細長く小さな虫がこのリヴォルの泡から湧いてくる。それはちょうど、流れの淀んだ水から小さな虫が湧いてくるようなものである。もしこの小さな虫が体から出てゆかず居続けるようなことになると、大きな害をこうむるようになる。

腸の虫 De lumbricis

人の体内にあると毒になる有害な体液から、虫は簡単に湧いてくる。この種の体液はリヴォルとして体内で凝集し、害をもたらしながら、生ぬるく腐敗したワインのようなものに変化する。こうしたことは、特に赤子や子どもに起こりやすい。というのも、子どもの体液は少量の乳と混ざり合っているからである。体内の虫は、通常の体液から発生することはなく、また酢のようにすっぱい体液から発生することもない。通常の体液をもつ人であれば、こうした虫が体内で育ち始めたとしてもすぐに死んでしまうが、万一育ってしまうと、その人は衰弱する。

シラミ De pediculis

骨や手足や血管は痩せているのに、肉付きが良く健康的で、透過性が低すぎもせず高すぎもしない[104]、バランスのとれた肉をしている人がいる。こうした人の髄は充実していて、その熱のバランスもよい。それゆえ、判断力の欠如というやや軽薄な面はあるにしても、彼らの精神は充実していて力強いものとなる。性格は優しく、繊細である。充実した分厚い髄をもっているため、シラミのいない、薄くて白い健康的な脂肪をしている。しかしその脂肪に汗をかくようなことがあると、その汗が皮膚の表面に小さなシラミを生み、育てるようになる。大きな骨や手足、血管をしているのに、細くて熱の乏しい髄をもつ人もいる。このような人は髄の弱さゆえ

102 英訳では tortionibus に colic または stitch の両訳語があてられていて、その区別は不明確であるが、本訳ではラテン語原文に即し、tortiones を「さしこみ」、colica を「疝痛《せんつう》」と訳し分けた。なお tortio の原義は「拷問のような責め苦」で、「さしこみ」は胸・腹などに起こる急激な痛み一般を指し、「疝痛」は腹部臓器の疼痛およびそれに伴う腹痛を指す。「197 さしこみ」（p.332）の訳注を参照。

103 英訳注：lens, lendis, nit は「シラミの卵」。

104 穴が開いていて透過性の高い緩《ゆる》い肉は、汗や体液が通り抜けやすいと考えられている。「131 肉」（p.241）を参照。

にひどく愚かで、しかも大食漢であるため、四六時中、飢えている。少しの間であれば懸命に働くこともできようが、長時間働くのは無理である。というのも、彼らの肉はやや多孔質で非常に生ぬるくできており、また血管がひどく締めつけられているからである。髄が細いために、その脂肪もきわめて薄く脆弱である。やや多孔質のこの肉を汗は通り抜けてしまうが、この汗がシラミの発生を促し、皮膚の上に大量のシラミが湧くことがある。それでも彼らは体が弱いわけではないから、長生きできるであろう。

大きな骨や手足や血管、そして厚くて豊かな髄をもつ人がいる。彼らの骨は熱い髄で満たされている。髄が厚く豊かで、その充実度が高いがゆえに、賢明で誠実な性格をしている。肉は頑丈だがやや硬く、透過性に乏しい。というのも、ぎっしり詰まった血管が、織り合わさった網のように体中で絡み合っており、その血管が肉を締めつけているからである。肉はやや硬く、頑丈にできており、また太くて丈夫な血管が肉を締めつけているため、ほとんど汗をかくことがない。豊かな量の髄とその熱によって、また外に噴き出すことのできない豊かな体液により、その脂肪はわずかながら血のような赤色に変化している。この脂肪は脆弱で、また不健康でもあり、そのため、大量のシラミが脂肪の中に湧き出てくる。肉から出ることのできないシラミは脂肪の中に留まり、脂肪のいたるところに穴を開け、それを食べ始める。このような人は、本人の気づかないうちに、内臓に大きな疾患をもつ場合がある。彼らには痛みがあり、また動作は緩慢である。ものを食べても小食で、食べる喜びもない。たいていの場合、体力に欠けており、心臓も弱い。青白い顔をしていて、蝋のような色というよりはむしろ緑がかって見える。こうした人は長生きできないが、それはすでに述べたように、シラミが脂肪の内部を食い潰すために、やがて死に至るのである。

159

結石[105]

De calculo

成人年齢に達した人で、軟らかな肉と湿の体質をもち、種々贅沢な食べものを食べ、良質で濃いワインを好んで飲む人は、結石になりやすい。肉が軟らかく湿っていると、今述べた飲食物から澱のようなものが集まり、その澱が、本来なら尿の出るはずの場所で硬結して石となる。尿のもつ熱と力の作用で、この石がまだ軟らかいうちであれば、苦労するにしても少量の尿を排泄することはできる。しかし体内にあるうちにこの石が固まってしまうと、その人はすぐさま死に至るであろう。

これらのことは、男だけでなく女の場合でも同じであるが、男の尿は女の尿よりも強いため、男の方がより苦しむことになる。子どもや赤子においてすら、今与えられている母乳や、それ以前に与えられていた母乳が有害なものであったり、不純なものであったような場合は、結石を生じやすい。乳母が病気の場合や、種々雑多な飲食物、あるいは強いワインを頻繁に飲んでいる場合、その乳は本来の味を失って悪臭を放つようになる。こうした乳が、子どもや赤子の尿路において悪臭を放つ凝固物となり、それが硬化して結石となる。

160

美食

De gula

体格ががっちりしていて健康的で、腱（nervi：nerves）[106]が丈夫で、強い食欲をもった美食家の中には、肉や贅

105▼英訳では「腎臓結石」となっているが、膀胱結石なども含むと考えられるので、ラテン語版に従い「結石」とした。
106▼英訳では「神経」。

沢な飲食物に惹かれる人たちがいる。彼らの血は蝋のような色に変色し、どろどろになっている。それがため、血は正しい経路を流れることができないのである。こういう人は健康体であるため、熱や体の衰弱によって血が減るということはなく、血はむしろ肉や皮膚の中へと広がってゆく。その血が有毒な体液で肉や皮膚を侵し、その部位を変色させて潰瘍だらけにするのである。

レプラによる潰瘍

De ulceribus leprae

体は健康で、前記の者と同じような美食嗜好にありながら、常に贅沢なものを食べているわけではない貧しい人が、美食に過ぎてしまったような場合、その期間が三週間から二週間、場合によっては一週間でも、同じような病状に見舞われることがある。これは子どもや青年にもあてはまる。この病気は肉や悪くなった乳、あるいは強いワインが原因となることが多く、パンや野菜、ビールなどが原因となることはない。

161

レプラ

De lepra

厚い肉をもち、怒りっぽい人がいる。怒りが血をかき立て、血は肝臓の周りに集中する。肝臓の硬化（duritia：hardness）とその血液がこの血に混ざり、体中に拡散してゆく。それは皮膚と肉の中に溢れ、それにより皮膚は割れてくる。鼻は肥大化し、割れて腫れ上がる。

性欲が抑えられず、自制心をもってもいなければ、もちたいとも思わない人がいる。こうした人の血は、しばしば過度に乱れている。それは、汚いものの入った鍋が火にかけられ、熱くなるでも冷めるでもなく、その汚物を吐き出す力さえないような状態に似ているといえばいいだろうか。こういう状態の人が性欲に駆られて燃え上がると、その血はひっきりなしに激しく乱れ、血や水や泡のすべては常軌を逸した状態となる。そしてその血は悪質なリヴォルとリンパに変化し、肉と皮膚を腐らせ、潰瘍を引き起こすのである。

レプラの兆候

De leprae signis

この病気には次のような区別がある。暴飲暴食に由来するレプラの場合、ドラグンクラ（draguncuae：little dragon）[107]のような、赤い腫れと赤い疱が現われる。肝臓に由来するレプラは、皮膚と肉が黒くなり、骨のところまで裂けてくる。性欲に由来するレプラは、木の皮のように幅広い潰瘍の層ができ、その下の皮膚は赤くなる。前二者を治すのは困難であるが、三番目の治療は容易である。

グッタ

De gutta

軟らかな多孔質の肉をもち、その肉が強いワインや度重なる飲酒に浸りきっているような人は、グッタと呼ばれる病気に罹りやすい。過度の飲酒により、手足のどれか一つに悪い体液が突然降り立ち、そこを打ち壊してしまうのである。それはちょうど、降り注ぐ火の槍や突然の洪水が、製粉場や側の建物を打ち壊してしまうようなものである。もし神の恩寵により、あるいは人の生ける霊により、これを防ぐことができなければ、悪

107▼「小さな竜」。

い体液の降り立った手足は破壊されてしまうであろう。だがたとえ防げたとしても、この体液はいずれかの手足を打ち壊し、それ以外の手足についても死んだも同然の、使いものにならないものにしてしまうであろう。

162

腱の収縮

De nervorum contractione

嵐や豪雨のように有害な体液が人の手足にくりかえし注がれ、その血管が力ずくで塞がれるようなことがある。すると血液は血管に流入できなくなり、干上がってしまう。それにより、足が不自由となる。なぜなら、人は元素によって造られ、元素によって支えられ、元素の中で、元素とともに生きているからである。

体熱

De febribus

人はさまざまな性質の空気やその他の元素――すなわちそれらの熱、冷、湿に由来するさまざまな種類の体熱をもっている。しかしこうした体熱のために、人は病気になるわけでも、有害なものを生み出すわけでもない。体熱が過剰でなければ、あるいは空気の性質により適当な温度に調整されていれば、体熱は健康をもたらす。体熱は汗や尿を通して、胸や胃や他のすべての内臓を清める働きをする。

しかし空気の中に異常に高い熱が発生した場合、体熱は極度に高くなり、人によっては激しく発熱することがある。また逆に空気が冷えすぎると、その冷えによって体熱は自然な働きを抑えられ、三日熱を引き起こすこともある。悪臭のする水っぽくて多湿な空気の場合、体液はリヴォルに満ちた凝固物に変わることが多く、人によっては四日熱を引き起こす。

あちこちと動き回る移ろいやすい体液がなく、健康な体をもっている人の場合、バランスのよい穏やかな空気の中では健康を保てるのに、バランスの壊れた空気の中では病気になるというようなケースもときおりある。こうした人が五日おきに、あるいは七日おきに激しく発熱するような場合であっても、もし神がその恩寵をもって回復を願われるのであれば、汗とともに苦痛は消え、たちまち回復するであろう。それというのも、彼らはそれ以前から健康だったからである。

麻痺

De paralysi

移ろいやすい体液のために熱、冷、湿が一定の状態に安定せず、空気の不安定な性質に従って、体液が体内をあちこちと動きまわることがある。川の流れや波が方々に打撃を与えるように、あるいは凝固しきれない氷が壊れやすいように、そうした体液の性質により、彼らは麻痺すなわちグッタに悩まされる。突然激しい発熱に襲われた場合、神の恵みによりその人の寿命が長いのであれば、発汗によって苦痛が治まるまでには二十日から三十日、あるいはもっと長くかかることがある。だがそれは彼らが元々病弱であり、それ以前にもよく病気をしていたからである。

労苦や不安、性質の違う雑多な食べものなどが原因で病気に罹り、相反する体液とリヴォルが体内で結びつくと、こうした相反する雑多なものに対して魂は混乱し、かつ苛立ち、ついには意気消沈してその活力に満ちた働きを後退させてしまう。

体熱と危険な時期

De febribus et creticis diebus

魂がその命に満ちた働きを抑制してしまうと、体内では有害な体液が湧き上がって発熱を始める。やがて血液は減少して、腸などの内臓器官は干上がってくる。命を支えるために肝臓などの内臓に蓄えられるはずであった熱は、皮膚表面まで出てゆき、そのため、体内には冷えが残る。

重苦しさを感じ始めた魂は体内で待機状態となり、体から出てゆくべきか、留まるべきか、迷うようになる。魂はこの体液とリヴォルから自分を引き放すことができずに、七日の間、こういう状態のままでいる。神の恩寵によって嵐のような体液がいくらか鎮まりかけるのを感じ取ると、魂は自らを体液とリヴォルから引き離すことができる、ということを理解し始める。すると魂は自らの力を集中させ、この体液とリヴォルを、汗として体外に排出するようになる。こうして健康は回復する。

こうした体液の過剰な熱や過剰な冷えにより、魂が体液を汗として完全には排出できないことがしばしばある。すると魂は震え慄いて――それが喜びのためか悲しみのためか、あるいは怒りや困難によってかは別として――後ずさりし、再び沈黙するようになる。神の恩寵により魂が自分の力を再び取り戻し、体を回復することができると感じ取るまでには、時に三日、五日、七日、十三日、あるいはそれ以上に長い時間を必要とすることがある。もちろん、それより短い時間ですむ場合もある。

健康が回復に向かうと、それまでの発汗作用によって体液がやや減少するため、苦痛は以前よりも軽減される。しかし、魂が体液とリヴォルの罠にはまってこうしたものを体外に排出できないでいるような場合、あるいは神の恩寵による回復がもはやありえないと感じてしまったような場合、魂は打ちひしがれたように身を引き、神の定めに従ってその体を見捨てる。

突発熱

De acuta

発熱が激しいと、体液は炎熱状態になる。この激しい体熱により、ものが食べられなくなる。しかし体には激しい渇きがあるため、水分を摂らずにはおれない。この苦しみを和らげるためにも、水は飲むべきである。激しい熱が体内に侵入したあとに、その熱を駆逐しようとして体に薬を塗るのはよくない。むしろ、たっぷり汗をかいて熱を解放すべきである。薬を使うと、熱は体内にこもり、かえって病気を長引かせる。有毒な体液は、本来、開かれた状態で排出されるものであるが、薬を塗ると、それを閉ざしてしまうからである。

なお、発熱は飲食物の過剰な摂取や睡眠過多、あるいは、働かないことからくる倦怠感や怠惰から生じる場合もある。

間歇《かんけつ》熱

De febribus interpolatis

四日熱は水の過剰、すなわち泡だった粘液の過剰から、あるいは水分の多い食べものやワインの摂取過剰から生まれる。二日目に人を悩ませる熱は、湿った空気の過剰とその脆さから生まれる。

三日熱は乾燥、すなわち火の過剰から生まれるが、四日熱は黒色胆汁の過剰から生まれる。肉が柔らかく、そのため粘着質で生ぬるく脆弱な泡の過剰な人は、肉に虫が生じやすい。というのも、その肉は軟らかい上に体内の泡も弱く粘着質であるために膿疱ができやすく、肉の中に簡単に虫が湧いて害を与えるようになるからである。

165

食養生

De diaeta

容器の中で圧力をかけてチーズを造るには、凝固した牛乳を常に加え続ける必要があるように、赤子や子どもにも、彼らが十分に成長するまでずっと飲みものや食べものを与え続ける必要がある。そうしなければ赤子や子どもは成長できず、死んでしまうであろう。

年をとり老衰した人たちにとって、飲食物の補給は必要不可欠である。というのも、血と肉が減る年齢になると、食べものによってそれを補わねばならないからである。人間は大地のようなものである。大地は湿りすぎても害になるが、湿り気が少なすぎたりなかったりしても肥沃にはならない。このように、大地は程よい水分を必要とするが、それは人間においても同じである。目や耳、鼻や口に水分が多すぎたり流れすぎるのを我慢するのは、健康によくないばかりかむしろ体の害となる。手足を流れる水分が少なすぎたり、なかったりするのも体にとっては危険なことである。程よい水分の量こそが健康の助けとなる。

BOOK Ⅲ

治療法（1）

神の啓示による以下の治療法は、これまでに述べてきた病を治療するためのものである。治療できないとすれば、それはその人が死ぬか、あるいは神がその人の快癒を望まれていないか、そのどちらかである。

165
抜け毛
De capillorum casu

青春期の若者の髪が抜け始めたら、硬い小麦または軟らかい小麦のわらを燃やして作った少量の灰に、熊の脂肪を混ぜて作った軟膏を用いる。この軟膏を頭全体、特に髪が抜け始めた部位に塗るが、塗った後は長時間そのままにし、軟膏を洗い落とさないようにする。こうすることにより残っている髪はこの軟膏によって潤い、また強められるので、長期間、抜け毛を防ぐことができる。これを頻繁に行うようにし、洗髪は控える。熊の脂が含む自然な熱は豊かな髪を育てるのに適《かな》っており、小麦のわらの灰には髪を強める働きがあるので、髪は抜けにくくなる。こうして両者を混ぜ合わせることにより効能は長く髪にとどまり、髪が抜けるのを防ぐ。

166
黒色胆汁による頭痛
De capitis dolore ex melancolia

さまざまな発熱に影響された黒色胆汁によって起こる頭痛に対しては、マロウ▼108と、その二倍量のセージを擂《す》り鉢ですり潰した液汁を混ぜ合わせたものを用いる。これに少量のオリーブ・オイルを加える。もしオリーブ・オイルがない場合は少量の酢でもよい。これを額から頭頂部、後頭部に塗り、その上を布で覆う。症状が改善するまで、油または酢を夜間に塗り足しながら、三日間これを行う。マロウの液汁は黒色胆汁を溶かし、セージの液汁は黒色胆汁を干上がらせる。オリーブ・オイルは、塗油することで痛みのある頭を清め、酢は黒色胆汁の刺激を取り去る。こうしてこれらを混ぜ合わせたものは、頭の痛みを鎮める働きをする。

狂気 De amentia

脳の冷えが原因で頭が狂った場合は、ローリエのベリー［液果］を粉末にしたものを用いる。粉末のベリーに小麦粉と水を混ぜ、こね合わせる。頭を剃り、頭部全体にこのこね粉を塗る。頭の内部が温まるまで、こね粉を塗った上にフェルト帽を被せ、患者を眠らせる。こうすることで、脳に熱を運ぶことができるようになる。これこね粉が乾いたらまた同じように作り、頭に塗る。これを繰り返し行えば、正気に戻る。

偏頭痛 De emigranea

偏頭痛の人には、アロエとその倍量のミルラ[109]を非常に細かい粉末にしたものを用意する。これに小麦粉とケシの油を加え、グラウト［粥］状のこね粉を作り、これを頭部全体、すなわち耳から首までを覆うように塗る。その上に帽子を被せ、三日の間、昼夜そのままにしておく。アロエの熱とミルラの乾の性は、小麦粉の甘さとケシ油のもつ冷性と混ざり合い、頭痛を和らげてくれる。またこのようにして作られたグラウトには脳を強める働きがある。

108▼和名：ゼニアオイ。
109▼和名：没薬。

167

胃の蒸気による頭痛

De capitis dolore ex stomachi fumositate

湿った液汁の豊富な食品によって頭痛が起きた場合、同量のセージ、オレガノ、フェンネル[110]と、これら三つの総量より多いニガハッカを潰してジュースにし、そこに十分なバターを加える。バターのない時は獣脂でもよい。この軟膏を頭に塗れば頭痛は改善される。セージ、オレガノ、ニガハッカ[111]は乾の性質をもっており、湿った液汁を乾かす。フェンネルの液汁は湿っており、こうした乾の性質とのバランスを調整する作用がある。バターあるいは獣脂を加えて作った軟膏は有益で、頭痛を和らげる。

オリーブ・オイルとそれより少し少なめのローズ・ウォーターを、フライパンに入れて沸騰させる。その間に、オリーブ・オイルとそれよりずっと少ないイヌホウズキを擂り鉢ですり潰しておく。これを布で漉《こ》し、その液汁をオリーブ・オイルとローズ・ウォーターの入ったフライパンに入れ、再び沸騰させる。この混合物をもう一度、布で漉し、新しい陶製の甕《かめ》に保存する。痛みがある時、この軟膏を患者の頭の上、頭蓋、額、こめかみに塗るようにする。軟膏が落ちないように、蝋を塗った包帯で額とこめかみの周りを覆うとよい。

粘液による頭痛

De capitis dolore ex flegmate

粘液の過剰で額の痛む人は、白エンドウを歯で噛んで潰し、この潰した白エンドウを純度の高いハチミツと混ぜ合わせる。これをこめかみに塗って包帯で固定し、症状が改善するまでこれを繰り返す。エンドウはやや粘液質であるが、白エンドウの方は清浄でよい土に育つ。噛んで液汁になったものをこめかみにあてれば、鋭い痛みを取り除いてくれる。というのも、こめかみの血管は額の力を支えているからである。さまざまな花から採取された温性のハチミツは、粘液の冷えを和らげる。

168

肺の不調

Ea quae sequuntur ad vitium pulmonis spectant

カヤツリグサと、それと同量のフェンネル、カヤツリグサの倍量のナツメグと、後者と同量のナツシロギク——つまりナツメグとナツシロギクとは同量となる——を用意し、これらを粉末にして混ぜ合わせる。この粉末二ペニーウエイト（pondus duorum nummorum：two pennyweight）▼112を、軽く一口分のパンとともに毎日空腹時に服用し、服用直後に少量の温かいワインを飲むようにする。普通どこにでもあるような香りのよいハーブを空腹時と食後に頻繁に摂るのもよい。その芳香は肺に達し、口臭を抑える。

肺の不調な人は、脂肪分の多い肉や血の多い食品、加熱調理されたチーズ（coctus caseus：cooked cheese）▼113などは避けた方がよい。こうした食品は肺の周辺に老廃物を生み出す。エンドウやレンズ豆、生の果物や野菜、ナッツや油なども口にすべきではない。もし肉を食べたい時は赤身にする。チーズを食べたい時は、加熱された

110▼和名：ウイキョウ。

111▼英訳ではセージ、ニガハッカ、マジョラムとなっているが、ここはラテン語原文に従った。

112▼ラテン語では「硬貨二枚分の重さ」だが、実際の重さの目安がたたないため、本訳では英訳のペニーウエイトを採用した。ヒルデガルトの時代のドイツで流通した貨幣は銀貨一種類のみで、ペニーウエイトに相当する貨幣単位はペニッヒ［デナル］（Pfenning / Denar）である。一ペニッヒは銀一・二〜一・五グラムで、英訳の一ペニーウエイト＝約一・五六グラムとほぼ一致する。大きさは二十ミリ前後。ちなみに一円硬貨一枚は一グラム。

113▼脱脂乳から作ったチーズで、加熱してカップに入れたものをクック・チーズと呼ぶこともあるが、ここでは加熱調理されたチーズという一般的な意味で用いられていると思われる。

ものや新しいものではなく、乾燥したものを食べるようにする。油を摂りたい時は少量とする。水は、肺の周りにリヴォルを生み出すので避ける。非加熱の新鮮なブドウジュースは、沸騰した熱によって汚れが除去されていないので避ける。また、湿り気のある霧の立ちこめた空気には体を晒さないようにする。

狂気

De amentia

種々雑多な思いから分別や理解力を失い狂気に陥った場合、フェンネルとその三倍量のコストマリーをゆでたものを用意する。ゆでたあとの中身は捨て、冷ましたゆで汁を頻繁に飲ませるようにする。コストマリーの液汁には悪い体液を妨げ抑制する作用があり、体液の極度な放縦を抑える。この液汁は人を正気に戻す。フェンネルの液汁は適度に調和のとれた喜びをもたらす。これらのハーブを混ぜ合わせ、軟水に入れて加熱したものには、理解力を回復させる働きがある。

乾燥した食べものは、バランスを失った体液をさらに狂気の乾燥へと導くので、この病の人は避ける。血液に程よい水分を与え、体液を適正なバランスに戻し、意識を狂気から遠ざけるには、良質であっさりした食べものを摂るようにする。油ではなく、バターかラードを使ったセモリナのポリッジ▼114を食べるのもよい。ポリッジは虚ろな脳を満たし、脳の冷えを温めてくれる。油は粘液を引きつけるので避けた方がよい。

ワインは、混乱した体液をさらに混乱させるので、飲むべきではない。ハチミツのもつ力は調和を失った体液をさらに破壊するため、ハチミツ酒も飲むべきではない。ただの水も、意識をさらに鈍化させるので飲まない。先に述べたハーブから造った醸造酒か、ビールを飲むようにする。これらの飲みものはバランスを失った体液と意識とを抑えて、狂気の猛威に打ち勝つ。

バランスを失った体液によって冷えた脳が少しずつ穏やかに温まるまでは、フェルトか純粋な羊毛で作った帽子で頭を覆うようにする。しかしそれも唐突に始めたり、度を過ぎて行ったりすると、突然の激しい発熱が起こり、かえって病状を悪化させることがある。

ナツメグとその倍量のカヤツリグサを粉末にする。グラジオラスの根と、同量のオオバコの根を用意するが、両者を合わせた分量はナツメグの半量以下とする。これをすり潰し、塩を加える。そこに小麦粉と水を加えて薄いスープをつくり、患者に飲ませるとよい。

169

視力の低下

De oculorum attenuatione

加齢や病気などにより、目に含まれる血液と水分の量が希薄になってきた場合、緑の草が生える場所に行き、泣いているのではないかと思われるほど目が潤《うる》むまで、長時間、それを見続けるようにする。草の緑は目の中の濁ったものを運び去り、澄んできれいな目にしてくれるであろう。あるいは、川に行って汲んだ新鮮な水を容器に入れ、その水を体を後ろに反らしながら目に注ぎ入れるようにする。この水は乾ききった目の水分を活気づけ、目をきれいにしてくれる。

冷たくきれいな水にリンネルの布を浸し、水が直接目にしみないように布が目に触れるのを避けながら、こめかみと目の周りにこの布をあてる。柔らかいリンネルの布と冷たい水とで目を湿らせると、その水によって目の水分が復活し、視力は回復する。目は火の性質をもっており、火によって目の膜（pellicula：membrane）は

114▼デュラム小麦の粗びき粉で作った粥。

干からびてくるが、今述べたような方法で水が触れると、水の冷と湿によって、目の膜は柔らかくなる。

170

灰色の目

De oculis griseis

灰色の目をもつ人が、その目に霧のような曇りと痛みとを感じた場合、その痛み始めた時に、フェンネルまたはその種を潰した液汁を用いるとよい。この潰した液汁に、まっすぐ伸びた草の上に降りた露と、きめ細かな小麦粉少量とを混ぜ、小さな固まり（tortellum：cake）を作る。夜間、これを目の上に置き、布で覆うと、症状は改善する。フェンネルの穏やかな熱が露と混ざりあい、小麦によって強められることで、痛みを取り去る。この軟膏に露を加えるのは、灰色の目が空気に由来しているからである。

火のような目

De oculis igneis

火のような目をしている人が、その目に霧のような曇りと痛みとを感じた場合、スミレの液汁とその倍量のバラの液汁、バラの液汁の三分の一量のフェンネルに少量のワインを加えたものを用意する。床に就いたらすぐに目の周りにこの軟膏を塗るが、この軟膏は強いため、うっかり目につけて傷めないように注意する。ただし、少量の軟膏が目に触れてもさほど問題ではない。

この目は火に由来しているので、スミレとバラの穏やかな冷、フェンネルの甘さ、ワインの熱——これらはみな、夏の間によく育ち、穏やかな熱から成長する——とが混ざり合うと、この目の曇りと痛みを消してゆく。スミレは温かな風が吹き始めると最初に咲く花であり、今述べたものに混ぜると、目を癒す働きをする。

171

多彩な色をした目

De oculis diversi coloris

虹が現われる時の雲のような目の人が、目の曇りや、それ以外の目の疾患に悩まされている場合、純粋な白ワインにカラミン（caliminum：calamine）[115]を入れたものを用意する。夜、床に就く前に、カラミンを取り除いたワインを目の外側のまつげに塗るようにする。その際、カラミンの刺激で目を傷めて曇りがひどくならないように、カラミンが目に触れないように注意する。カラミンは熱と冷とを同等に含んでおり、ワインの熱で調整されることで、目を傷めている不純な体液を取り去ることができる。カラミンそのものは、熱が冷を圧倒しているわけでも冷が熱を圧倒しているわけでもないが、目に触れると目を傷める。カラミンが目に触れると、その刺激によって目を傷め、曇りを引き起こす。

荒れ狂った目

De oculis turbulentis

はっきりとした火のような目でもなければ、すっかりかき乱された目でもない、やや青灰色に近い目をした人が、目の曇りと痛みに悩む場合、夏であればフェンネルを、冬であればフェンネルの種を潰したものを用意する。フェンネルの種を潰したものをよくかき混ぜた卵白に加え、床に就く前に、それで目を覆うようにする。フェンネルの穏やかな熱が卵白の冷で中和され、曇りと痛みを和らげてくれる。卵白と混ざったやや青みを帯びたフェンネルは、大地の青みがかった湿に由来するこの目を回復させるように作用する。

115▼酸化亜鉛に〇・五パーセントほどの酸化第二鉄を混ぜた淡紅色の非水溶性粉末で、軟膏または水薬として皮膚炎などの保護薬として用いられる。

黒い目

De oculis nigris

時に雲がそうなるような、黒い、あるいは荒れ狂った目の人が、目の曇りと少々の痛みを訴える場合、ヘンルーダの液汁と、その倍量の純粋な液状のハチミツを、少量の良質で澄んだワインに混ぜたものを用意する。そこに小麦で作ったパン屑を加えたものを、夜、目に塗り、布で覆うようにする。

黒い目は土に由来しており、その液汁を大地から得るヘンルーダやハチミツ、ワインの熱に合わせて、同じように大地から力を得ているパン屑が加わることで、この目には効果がある。

172

角膜白斑

De oculorum albugine

目に新たに白斑ができた時は、夜の間中、新鮮な牡牛の胆汁を目にあて、滑り落ちないように布で覆うようにする。胆汁の苦みには痛みを緩和し取り去る効果があり、これを三日間行うようにする。やりすぎると害になるので、ほどほどに留める。三日目を過ぎると胆汁の効き目は緩やかになるので、コロハ▼116をローズ・オイルに漬けたものを目に塗り、布で覆う。ローズ・オイルで和らげられたコロハの穏やかな冷により、先の胆汁によって分離した白斑はゆるやかに消えてゆく。

涙目

De oculorum lacrimis

泣いているように見える涙目の人には、夜露で十分に濡れたあと日光で温められた、枝に付いたままのイチジクの葉を用いる。目の水分を抑えるため、このイチジクの葉を目の上に乗せ、目の内側がほどよく温まるまでこれを置いておく。イチジクの葉がなければ、夜露に十分濡れたあと日光で温められたハンノキの葉を用い、同じように目の上に乗せてもよい。これを毎日ではなく三日ごとに行うが、行うのは一日に一回だけでよい。

ハンノキの葉がなければ、クルミの殻にモモかスモモの木の樹脂を適度に詰め込む。これを熱い瓦の上か、熱して閉じた天火《てんぴ》の中に入れて少し温め、それを目の周囲が温まるまであてておく。一日に一回、四日ごとにこれを行う。やりすぎるとよくなるよりも悪くなるので注意する。イチジクの熱とハンノキの冷は、目に湿を引き寄せる働きをもつ。露の穏やかさはイチジクやハンノキの葉の緑を和らげてくれるので、その葉は露で濡れたものがよく、また太陽の熱を浴びたものは葉の液汁も穏やかになっている。だから目を傷めるようなことはない。

モモやスモモの樹脂にはその木の強靭さが秘められており、その本性が瓦や天火から受けた熱と合わさることで、目の湿を引き寄せる。目の湿には激しいものは不向きで、穏やかなものが必要なのである。こうして目の水分は止まる。

173

難聴

De auditus diminutione

粘液やその他の疾患により耳が悪くなった場合、火のついた石炭の上で白い乳香をいぶし、その煙を頑《かたく》なになった耳に入れるとよい。しかしこれをあまり頻繁に行ってはならない。やりすぎはかえって症状を悪化させ

116▼マメ科の一年草フェヌグリークの種子。胡蘆巴とも表記する。

るからである。普通の乳香よりも、純粋な白い乳香から立ち昇る温かい煙は、脳と聴覚の働きを混乱させている有害な蒸気を追い払うのに効果がある。

歯痛

De dentium dolore

腐敗した血、あるいは脳の浄化のために歯が痛むような場合[117]、新しい鍋に清潔で良質なワインを入れ、それに同量のニガヨモギとバーベナを加えて加熱する。この成分が抽出されたワインを温め、そこに少量の砂糖を加えたものを飲むようにする。床に就く時も、同じように加熱して温かくなったハーブを、歯痛のある顎の箇所に乗せ、そこを布で覆うようにする。よくなるまでこれを繰り返す。

これらのハーブを加えたワインは、脳の皮膜から歯茎まで伸びる小さな血管を浄化する。顎の周りにあてたハーブは、外から歯痛を鎮めてくれる。ニガヨモギとバーベナの熱がワインの熱で和らげられると、歯の痛みを緩和する。歯の痛む人は、小さなランセットか針で、痛む歯の周辺の歯茎を少し切るとよい。腐敗物が出て痛みは改善するであろう。

丈夫な歯

De dentium firmitate

歯を丈夫に保ちたければ、朝起きた時、清潔な冷たい水を口に含むようにするとよい。歯周のぬめりが軟らかくなるように短時間、口に含んだままにする。そしてその水で歯をすすぐ。これを何度も繰り返す。こうすれば歯周のぬめりが増えることはなく、歯を健康に保つことができる。

174

虫歯

De vermibus in dentibus

虫が歯をかじっている時は、首の細い陶器の壷に同量のアロエとミルラを入れ、それをブナの木炭の上にかけて燃やしたものを用いる。その煙を細い葦の茎を使って痛む歯に送り込む。唇は開けていてもよいが、歯は煙が喉に入り過ぎないように、噛みしめておく。これを一日に二、三回行えば五日後には治る。アロエとミルラの熱が燃える木炭のもつ同等の熱と冷により強められると、その煙の力は歯の虫を殺す。

口蓋垂《こうがいすい》

De uvula

もし上に述べた煙が喉に触れると、その力のため、喉と口蓋垂は干上がる。

心臓の痛み

De cordis dolore

腸と脾臓の中で悪い体液が過剰となり、黒色胆汁によって心臓に激しい痛みが生じた場合、同量のカヤツリグサとナツシロギクに、その四分の一量の白胡椒を用意する。白胡椒がなければ、白胡椒の四倍量のセイボリー[118]を使ってもよい。これを粉末にしてソラ豆の粉を加え、コロハの液汁と混ぜ合わせる。この時、水やワインなどの液体は使わない。この混ぜ合わせたものを小さな固まりにし、天火《てんぴ》で乾燥させる。

117▼血管は、脳を浄化する目的で歯痛を起こすと理解されている。「94 歯痛」(p.190)を参照。

118▼和名：キダチハッカ。

この固まりは、冬でも使えるように陽のある夏場に作り置きしておくとよい。この小さな固まりを食後あるいは空腹時に摂るようにする。カヤツリグサ、ナツシロギク、白胡椒またはセイボリー、ソラ豆の熱は、前に述べたように[119]コロハの冷によって和らぎ、太陽の健康な熱を受けることで心臓の痛みを和らげてくれる。その後は、リコリス[120]とその五倍量のフェンネル、リコリスと同量の砂糖、少量のハチミツを加えた澄んだ飲みものを飲むとよい。これを空腹時、あるいは食後に飲用すれば心臓の痛みから守られる。リコリス、フェンネル、砂糖の熱がハチミツの熱と混ざると、心臓の痛みを引き出すリヴォルを取り去ってくれるからである。あるいはまた、白胡椒とその三分の一量のクミン、クミンの半量のコロハを挽いて粉にしたものを用いてもよい。この粉末を、心臓の衰弱を感じる前、あるいは痛みを感じ始めた時、空腹時・食後にかかわらず少量のパンとともに服用する。

175

肺の痛み

De pulmonis dolore

有害で悪臭のする体液が脳に蒸気を送り込み、その蒸気を脳が肺に送って病気を起こした場合、ラングワートを、ワインではなく水で煮たものを使う。ラングワートをワインで煮ると強すぎるからである。それを壺に入れ、布で漉したものを一週間飲み続ける。飲みきったら同様のやり方でさらに作り増す。治るまでは毎日、空腹時および食後にこれを飲む。肺は、心臓の痛みや胃の熱が原因で衰弱している場合が多い。このハーブの冷は水の甘さで和らげられ、病を緩和してくれる。

セイヨウネズのベリーとその倍量のマレイン[121]、マレインの倍量のナツシロギクを、純粋で良質のワインに入れて加熱する。それを壺に入れ、細かく刻んだ生のエレカンペーン[122]を加える。これを布で漉したものを、二、三週間の間、空腹時に少量ずつ飲むようにする。同様に処方して食後に飲んでもよい。回復するまでこれを続ける。またディル、その三倍量のラビッジ、ディルと同量のイラクサを用意する。これを純粋で良質のワインで煮て、香りがあるうちに壷に保存する。これを布で漉し、空腹時・食後を問わず、ほどほど適量を飲むようにする。

霧で湿った空気の中で母の胎《たい》に宿ったがため、いつも息と汗が臭く、悪臭を放つような人がいる。この臭い息と悪い体液が脳に達すると、脳は病に苦しみ、多くの場合、健忘状態に陥る。頭から粘液を駆逐できれば脳は清められ、病は軽くなる。粘液が駆逐できない場合、有毒な体液に満ちた脳は解放されず、頭はさらに責め苦を負う。ひどい口臭は肺に達し、時にはしわがれ声になる。だがこの病気は治りやすいものであり、あまり危険ではない。▼[123]

176
肝硬変
De epatis duritie

種々雑多な食べものを節制もせず分別なく食べていると、肝臓が損なわれ硬化してくる。フキタンポポ▼[124]とその倍量のオオバコの根、ナシの木に着くヤドリギ周辺にできるどろどろしたもの（*můs*：pultes▼[125]）をフキタンポ

119▼「172 角膜白斑」（p.298）を参照。
120▼和名：甘草。
121▼和名：ビロードモーズイカ。
122▼和名：オオグルマ。
123▼英訳第二版にはこのあとに「168 肺の不調」（p.293）の第一パラグラフとまったく同一のパラグラフが挿入されているが、ここでは省略した。

ポと同量用意する。

フキタンポポとオオバコの根に、千枚通しなどの小さな道具を使って穴を開け、その穴に前述したどろどろしたものを詰める。これを純粋なワインに入れ、そこにクルミの木の葉や小枝にできる豆状の瘤《こぶ》を一ペニーウエイト分加える。食事とともに、あるいは単独に、温めずにこれを飲む。フキタンポポの熱と冷は肝臓の腫れを鎮め、オオバコの熱は肝臓の硬化を防ぎ、ナシのヤドリギにできるどろどろしたものの冷はリヴォルを減らし、クルミの木の葉や小枝の瘤は、その苦さにより悪い体液を運び去る。これらは温めず、ワインにそのまま漬けるだけにする。こうすることで、より穏やかに肝臓に達することができるからである。

この病気の人は、クワの液汁を混ぜたワインを飲むのもよい。肝臓の痛みは、血液の過剰が原因で起きる場合が多いからである。クワの液汁は血の仲間のようなものなので、この病を緩和してくれる。また酢の熱とその鋭さは肝臓を引き締めるので、酢で和えたものを食べるのもよい。小麦パンを乾燥させた豚肩肉といっしょにワインに浸して食べるのを好む人もいるが、この病気にこうした食べ方は適っているといえよう。豚肩肉の乾燥したエキスはワインの熱によってその質が高められており、パンにはそのエキスが満ちている。こうして和らげられたパンは肝臓が腫れるのを抑え、肝臓を引き締める働きをする。だが、この肉を浸したワインを飲んではならない。このワインには、肉に含まれるあらゆる害毒が滲み出ているからである。

177

脾臓の痛み

De splenis dolore

調味料で和らげられていない生の食物を食べると、その食品のもつ悪い体液が脾臓まで昇ってゆき、時として痛みを起こすことがある。チャービルと、それより少し少なめのディル、そして小麦パンと酢を合わせて小さな団子、または薬味を作り、それを頻繁に食べるようにする。チャービルの穏やかな冷性は、体液の熱と冷から起きる脾臓の病を浄化して健康にする作用がある。ディルの冷は脾臓を強め（frigiditas autem aneti splen confortat）▼126、小麦パンも脾臓を強める。酢はその鋭さで脾臓を浄化する働きがある。次いで、フライパンいっぱいの水で亜麻仁《あまに》▼127を煮る。水きりした亜麻仁を小さな袋に入れ、それを我慢できる範囲内の温度まで温め、脾臓のあたりにあてる。亜麻仁の性は温で粘り気があるが、水の甘さで強められるとその熱と湿が脾臓に作用し、脾臓を癒す働きをする。

胃痛　De stomachi dolore

消化できなかった食べものが胃の中で固まって硬くなり、そのため胃が痛む、というようなことが時おりある。このような場合、芍薬《しゃくやく》とその四分の一量のキダチヨモギ、それより少なめのキジムシロを乳鉢ですり潰して液状にする。このハーブ液にその倍量の良質で純粋なワインを加えて煮る。これを布で漉し、ガラスの器か新しい鍋に入れる。これをしばらく置き、ハーブで和らいだこのワインをフライパンに移し、その中に熱した鋼鉄片を二、三回浸すようにする。鋼でワインが温まり始めたら、そこに潰したカヤツリグサの根と、少量の胡椒を加える。カヤツリグサがなければ、潰したナツシロギクでもよい。熱した鋼により適度に温まったこ

124▼漢方でいう款冬《かんとう》。

125▼英訳版ではこの語は欠落しているが、中高ドイツ語と思われる *mis* はラテン語版注に plutus（どろどろしたもの）とある。フランス語版では dépôt（澱）の語があてられている。

126▼英訳ではこの部分が欠落している。

127▼亜麻の種。

の液を適量、空腹時に五日間続けて飲むようにする。

これを五日間続けたら、小麦パンまたは小麦粉に、熱した鋼で温めたワインを加えて薄いポリッジを作り、味つけに卵黄を加える。次の五日間、ラードや油を用いず、空腹時にこれを食べるようにする。その後は、回復するまで、熱した鋼で温めたワインを飲むとよい。芍薬とキジムシロは、その熱によって胃の働きを強める。キダチヨモギはその熱により、胃の中のギヒト（*gicht*）[128]を抑える働きをする。ワインの熱はリヴォルを取り去り、鋼鉄のもつ強さはこれらすべての効果を高めてくれる。カヤツリグサあるいはナツシロギクの熱と胡椒の熱はこれらすべてに力を与え、胃痛を和らげる働きをする。

小麦パンまたは小麦粉がワインと合わさると胃を豊かにし、熱した鋼の強さと合わさると胃の力を回復させる。ラードや油を用いてはならない。なぜならラードは胃を脂っぽくし、油は炎症を増すからである。患者はワインに浸した生のヒソップを頻繁に食べるとよく、またそのワインを飲むのもよい。ヒソップは肺の痛みよりはむしろ、胃痛に効果を発揮する。

178

消化不良

De indigestione[129]

消化不良の人は、バースワートを二ペニーウエイト、ルリハコベの液汁を一ペニーウエイト、ソープワートの液汁とショウガをそれぞれ〇・五ペニーウエイト用意する。これに少量の小麦粉を混ぜ、ペニー硬貨と同じ大きさで[130]、それより少し厚めのケーキを作り、それを天日、あるいはほとんど冷めた状態の天火で温める。

消化不良の人の体内が熱く、そのため摂取した食べものが干上がってしまう場合、朝の空腹時にこの小さなケーキを一つ食べるようにする。体内が冷の状態で、そのため食べものが凝固して固まるような場合には、朝の空腹時にこの小さなケーキを二、三個食べる。その後、最初に口にする食べものは薄く澄んだスープまたは薄い粥がよい。そのあとは、良質で穏やかな食べものを摂るようにする。胃が楽になったと感じるまでこれを続ける。

バースワートの熱は少々鋭く、またやや強いところがある。その熱がルリハコベの冷で中和すると体内の不完全な体液を刺激し、またショウガの熱はこの体液を緩める。ソープワートの冷性はこの体液を除くのに即効性があり、小麦粉は胃が他のものに損なわれないように胃を強める働きをする。これらすべてのものが熱の強い力をもった天日によって、あるいは健康で温かな力をもつ天火によって温められ、それが患者に与えられることで、胃は清められてゆく。

ショウガを粉末にして、キンセンカと呼ばれるハーブ少々を混ぜ合わせる。これに少量の豆粉を加えて錠剤(tortelles : lozenges)▼131にし、冷め始めた天火でこれを温める。食後、または空腹時に、この錠剤を服用する。

179

腹膜の破裂

De sifac ruptura

もし腸の収まっている内膜(interior pellicula : interior membrane)が何らかの理由で裂けた場合、まずセロリとその倍量のコンフリーを良質のワインで煮る。煮立ったらハーブをワインから取り出し、次にそのワインの中

128▼または *gicht*。ラテン語では gutta。ヒルデガルト『フィジカ』では「体液の動揺を巻き起こす状態」を *gicht* と呼んでおり、ここではそのまま用いた。
129▼和名:シャボンソウ。
130▼およそ二十ミリ前後。「168 肺の不調」(p.293)の訳注(▼112)を参照。
131▼ラテン語は「固まり」の意。

に粉末にしたガジュツ、セロリと同量の砂糖、十分に熱したハチミツを加える。これらのハーブを取り出したあと、ワインを適度に沸騰させ、小さな漉し袋を使って澄んでくるまで漉す。食後、および夜間にこれを飲用する。何度飲んでもかまわない。セロリ、コンフリー、ガジュツの冷性が組み合わさり、協力し合って有益な冷性と良質な力となり、内側の膜を強化する。もしこうして用いるハーブの性が温であったら、内側の膜を干上がらせてしまう。しかしワインの穏やかな熱と砂糖とハチミツの熱は、互いの熱でさらに高めあい、破裂した膜を修復する働きをする。

ワインで温められたハーブを、それがまだ温かいうちに患者の膜が裂けている箇所に結わえつける。こうすれば破裂した箇所は再結合してゆく。コンフリーの根を細かく刻んだものをそのままワインに入れて、コンフリーの風味をワインに移したものを使ってもよい。このワインをよくなるまでたえず飲む。コンフリーの冷性がワインの熱と合わさり、破裂した箇所を修復してくれるであろう。

180

腎臓の痛み

De renium dolore

腎臓や腰部にときおり痛みを感じるような場合、胃の病気が原因となっていることが多い。同量のヘンルーダとニガヨモギ、それより多めの熊の脂とを用意する。これらをすり潰し、それを火の近くで、腎臓や腰部の痛い箇所に強く塗り込むようにする。腎臓や腰部の痛みは体液のバランスが悪い時に起きやすいが、ヘンルーダ、ニガヨモギ、熊の脂のもつ熱が混ざり合うと、この冷の状態にある体液を駆逐してくれる。

腸

De iliaca

悪い蒸気が胃から下って腸にまで達し、そこで痛みが生じた場合、セージとその六倍量のアルニカ（*stichwurz*：bryony）[132]と十倍量のヘンルーダを新しい鍋に入れ、水で煮て沸騰させる。次にこれを絞って水分を除き、痛む箇所にこの温かいハーブをあてて布で覆うようにする。セージ、アルニカ、ヘンルーダの熱が混ざり、それが湯によって高められることで、その力は腸に痛みを起こす悪い体液を駆逐する。

181

脇腹の痛み

De lateris dolore

亜麻仁と、それより四分の一量分多いモモの木の樹脂を、燃えている石炭の釜の中で温める。次に、ナシの木のヤドリギを擂り鉢ですり潰して液状にする。ただし、この液汁の方がモモの木の樹脂よりも多くなるようにする。この液汁と、樹脂や液汁より多めの鹿の髄を亜麻仁や樹脂とともにフライパンに入れ、同じようにして再び温める。鹿の髄がない場合は同量の若い牡牛の脂で代用してもよい。それがすんだら千枚通しで穴だらけにした布でこれを漉し、釉薬《ゆうやく》を塗った新しい陶器の壷に注ぎ入れる。そして火の側で、患者の脇腹の痛む箇所にこれを塗るとよい。

132▼英訳では bryony（和名：ブリオニアまたはブリオニー）となっているが、ラテン語版注では「*stichwurz* はラテン語名 arnica か」と指摘している。通常、薬用に供されるアルニカ（arnica montana）とブリオニアは別種であり、ここはラテン語版注に従った。

睾丸の腫れ

De ossei tumore

悪い体液の働きにより男の睾丸に悪性の腫れものができて痛む場合、フェンネルとその三倍量のコロハ、少量の牛のバターをすり潰したものを作り、これを腫れものに塗る。こうすることで悪い体液が誘い出されてくる。フェンネルの穏やかな熱が、コロハの冷性と牛のバターの穏やかな熱に混ざると、痛みを和らげる。フェンネルの熱とコロハの冷性は悪い体液を減少させ、バターの穏やかな熱は痛みを鎮める。

あるいは、ビール醸造に使うモルトの固まりを少量の湯で少し湿らせたものを用意する。これを温め、腫れた部位にこのモルトの固まりをあてる。湯の甘さで和らげられたモルトの固まりは、その刺激性の液汁で悪い体液を引き出す。これにより男の痛みは治まる。

排尿障害

De stranguria

胃の冷えが原因で排尿を我慢できない場合、火で温めたワインを頻繁に飲むようにするとよい。あるいはあらゆる食べものに酢を混ぜるなど、どのような方法でもよいから酢を頻繁に摂るようにする。こうすることで胃と膀胱は温まってくる。熱によって強められたワインを飲むと胃と膀胱が温められ、正常な消化作用が起こって尿を保つことができる。あるいは、水で煮たセージを布で漉したものを、それが温かいうちに頻繁に飲むようにしてもよい。こうすることで尿を保つことができるようになり、病は治る。冷えた体液の作用で胃と膀胱にリヴォルが発生すると、正常に消化される以前に胃と膀胱に尿を送り出してしまうが、セージの熱はこのリヴォルを運び去る働きをする。

182

男の不妊

De sterilitate masculi

精液が消失するために子を孕ませることのできない男は、ヘーゼルナッツと、その三分の一量のヤナギタデ（*ertpeffer*：smartweed）[133]、ヤナギタデの四分の一量のヒルガオ、それにふつうの胡椒少々を用意する。子を孕ませる年齢に達した若い牡ヤギの肝臓を加えてこれらを煮て、そこに生の豚肉の脂身を加える。ハーブを取り除いたのち、その肉と、肉を煮たスープにパンを浸したものを頻繁に食べるようにする。男の精液がこれら食べもののの液汁から子を孕ませる力を授かるまで続ける。ただしそれは神の公平な判断によって赦されれば、という限りであるが。

女の不妊

Pro sterilitate feminae

たとえ冷たくて弱い子宮をもつ女であっても、もし神が子を孕むことを望んでおられるのであれば、手助けすることは可能かもしれない。まず、子を生む年齢に達した子羊、あるいは牝牛《めうし》の子宮を用意する。この時、この子羊あるいは牝牛は身ごもっておらず、また身ごもった経験がないという意味で清純なものでなければならない。この子宮をベーコン、またはその他の脂身やラードで炒めたものを、女が夫と結ばれる時、あるいは結ばれる直前に女に食べさせるようにする。女はこうした肉を頻繁に食べるように努める。そうすればこれら動物の子宮の液汁が女の子宮の液汁と結びつき、女の子宮を豊かで丈夫なものにしてくれる。もし神がお望み

133▼ラテン語版注では「*ertpeffer* は sedum acre（オウシュウマンネングサ）のことか」となっているが、smartweed とは別種のため、ここでは英訳を採った。

であるなら、いとも簡単に妊娠するであろう。ただし、男であれ女であれ、多くの場合、子を生む力がないのは神のご判断である。

183

痛風 De podagra

足や脚に痛風があって苦しんでいる人は、痛み始めた時に、脚に角か吸い玉をたくさんあてて体液を吸引する。皮膚に傷をつけないように注意して、足首から始める。そして吸引部位を上方に移動してゆくが、この時、皮膚を切ったり傷つけたりせず、下半身の体液を吸引するようにして尻までこれを続ける。角に集まった体液が戻ってゆかないように、膝の上部を包帯で縛っておく。こうしておいて、直ちに背中と尻の接合部に乱切法を施し、角か吸い玉で血と悪い体液を吸い出すようにする。こうすれば痛風の痛みは止まるであろう。

ナツシロギクとその三分の一の重さのショウガ、そして胡椒少々を粉末にしたものを、空腹時、ワインを一杯飲んだあとに服用するのもよい。

瘻 De fistula

体のどの部分であれ、有害な体液の過剰で瘻に苦しむ人は、この過剰となった体液が減少するまで、頻繁に下剤を飲むとよい。その後、瘻部分の皮膚が自ら治る意思を持つかのように自然に収縮し、体液によって再度裂けた時には、悪い体液が過剰になるのを防ぐため再び下剤を飲む。これを頻繁に行えば苦痛は減るであろう。ただし、瘻や痛風は治りにくいものである。

潰瘍
De ulcere

潰瘍や膿疱が破裂せず、激しい痛みを起こす場合は、リンネルの布を新しい蝋に浸したものを用意する。その布にオリーブ・オイルを塗り、それを潰瘍にあてる。こうすれば潰瘍は穏やかに軟化し、また穏やかに破裂して体液が排出され、快癒してゆく。セゲナ（*segena*）[134]と呼ばれる膿疱の場合は危険なので、この布をあててはならない。

体のどの部分であれ、毒をもった潰瘍により皮膚が破れて、グッタと悪い体液が流れ出るような場合は、ヨモギ[135]を用意する。擂り鉢でヨモギをすり潰してその液汁を絞り、その液汁がハチミツの分量より三分の一程多くなるようにハチミツを加減する。これを患部に塗ってすぐに卵白で覆い、患部が治るまで布を巻いておく。

184

不眠症
De insomnietate

何らかの困難があって心が塞がり眠れないような人は、夏であれば、フェンネルとその倍量のヤロウ[136]を水で煮たものを用意する。水気を絞った温かいままのヤロウを、こめかみ、額、頭部にあて、布で覆う。あるいは、摘み取ったばかりのセージに少量のワインをふりかけ、それを心臓の上と首の周りにあてるようにする。こうすればよく眠れるようになるであろう。

134▼ヒルデガルトの時代の中高ドイツ語ではないかといわれるが、ラテン語版注でも不明となっている。
135▼英名：マグワート。
136▼和名：ノコギリソウ。

冬期、こうしたハーブの新鮮なものが手に入らない場合は、フェンネルの種とヤロウの根を水で煮、それを前述の要領で頭部の周辺にあてるようにする。あるいは、粉末のセージに少量のワインを加えて湿り気を与えたものを心臓の上と首の周りにあて、それをはずれないように布で固定する。こうすればよく眠れるようになる。フェンネルの熱は眠気を誘い、ヤロウの熱は睡眠を安定させ、セージの熱は心臓の動きを緩やかにして、首の血管を抑える働きがあるので、眠りに入ることができるのである。

ハーブの熱が湯の甘さで高められた時に、それをこめかみの周辺にあてると、血管を抑える作用をする。ハーブを額や頭にあてると脳に安らぎを与える。フェンネルの種とヤロウを煮るのは、湯の甘さがその働きを高めるからである。粉末のセージをワインに浸すのは、ワインがその働きを活性化し、薬効を高めるからである。

香辛料　De aromatibus

これまで述べてきた種々の病気に対する処方は神の啓示によるものであるが、それは治癒に至るか、さもなければ死ぬか、あるいは神が治癒をお望みにならないか、そのいずれかである。すでに知られているさまざまなハーブや粉剤、あるいはハーブから作られた香辛料などを摂りすぎると、健康な人には効果がないばかりでなく、かえって害となるであろう。それは、これらのものが効力を発揮しようとしても、その対象となるべき体液がないためにかえって血を乾かし、肉を湿らせてしまうからである。

香辛料は人の力を増強したり肉を増やしたりするものではなく、悪い体液を減らし、中和するためのものである。したがって、明確な判断力をもって、本当に必要とする場合のみ用いるべきである。また香辛料は、パンといっしょに食べたり、ワインに漬けたり、他の食用の薬味とともに用いるべきであり、空腹時に使うことは極力避けるべきである。

もしこうした香辛料を薬味なしで用いると、胸が締めつけられたり、肺を傷めたり、胃を弱めることがある。大地の埃《ほこり》を吸い込むと害になるように、香辛料の摂り過ぎは健康によいわけではなく、かえって害となる。香辛料は可能な限り食品に混ぜ、あるいは食後に摂るようにする。そうすれば、香辛料は食品中の液汁を弱め、食べものを消化する手助けとなるであろう。ただし、強い力をもつことが前もってわかっているハーブや高価な粉末を、これは空腹時に摂るべきであると処方されているような病気の人については、この限りではない。

BOOK IV

治療法（2）

185 再び経血の停滞について

Item de menstrui retentione

月経障害による痛みがある場合、アニス[137]とナツシロギクを同量、その分量より少し多めのマレインを準備し、太陽と空気に調整された、野外を流れる川の水を使って煮る。次に火の中に瓦を入れ、これらハーブと水とでサウナ風呂を作る。風呂に入ったら温かいハーブをベンチに敷いてその上に座り、また同じ温かいハーブを性器の周辺、臍《へそ》の上やその周辺にあてる。ハーブが冷めたら湯で温めなおし、同じ箇所にあて続ける。風呂に入っている間ずっとこれを行えば、ハーブのエキスによって皮膚や肉、子宮は柔らかくなり、閉じていた血管は開いてくる。

アニスの熱は体液をかき立て、ナツシロギクの熱は痛みを和らげ、マレインの熱は体液に流れを作る。こうしたハーブが組み合わさってできた温かいエキスが、温められた川の水によって高められ、熱い瓦と風呂の甘さによって活性化されることで、月経が呼び起こされる。野外を流れる水は、他の元素の影響を受けているので、他の水に比べると、より健康的であり、柔らかくなっている。また熱い瓦は火によって作られるので、他の石と違って健康的である。

次に、クマコケモモ（*rifelbere*：bearberry）[138]と、その三分の一量のヤロウ、ヤロウの三分の一量のヘンルーダ、クマコケモモとヤロウの合計と同量のバースワート、そして大量のハナハッカを用意する。これらを擂《す》り鉢ですり潰して新しい鍋に入れ、良質で純粋なワインで煮る。煮立ったらワインごと小さな袋に入れておく。さらに、手に入る限りの野生種（*apertum*）[139]のクローブと、それよりやや少ない白胡椒とを擂り鉢ですり潰し、そこに不純物を含まない新鮮なハチミツを加える。これを先の良質のワインで煮、すでに袋に入れてあるハーブに注ぎ入れ、クラレット（claretum：claret）[140]を作る。これを毎日、食前か食後に飲むようにする。ただしこれには消化をやや抑える作用があるので、入浴中の飲用は避ける。

クマコケモモの冷の性質が、ヤロウ、ヘンルーダ、バースワート、ハナハッカの熱、そしてそれとは異なるワインの熱、普通のクローブよりもこの病気に適している野生のクローブの熱、月経を呼び起こす白胡椒の熱、これらと調和するハチミツの熱のそのすべてと混ざり合うと、女の閉じた臓器は開き、月経の硬くなった凝血は緩んでゆく。

あるいは、卵、ラード、ラビッジの液汁で粥を作り、食事の前後にこれを食べるのもよい。卵とラビッジの冷がラードとワインの熱と混ざると、体内の凝血を緩める働きがある。これを五日間から十五日間、または凝血が緩むまで行う。月経障害に苦しんでいる間は、牛肉や粗食は避けるべきである。というのも、これらは体を収縮させるからである。甘いものやワインを飲むのはかまわない。水を飲む場合、流れている泉の水は他の水に比べて粗いため、それを避け、井戸水を飲むようにする。泉の水を沸かし、それを冷まして飲むのはかまわない。こうすれば、泉の水も柔らかくなるからである。

137▼英訳注：anis すなわち anaseum は『フィジカ』では tanacetum「タンジー」となっている。
138▼*rifelbere* は『フィジカ』第一の書「植物」219にも記載されているが、カイザー版でもラテン語名は不明となっている。バーバラ・ニューマンは『女性的なるものの神学』の中で「イチゴの仲間などの液果」としている。
139▼英訳注：花の蕾を乾燥させるのによい時期の野生種のクローブ（和名：チョウジ）。
140▼もともとは「澄んだ赤ワイン」の一種を指す。ここではハーブ等を加えたワインの意で使われている。

187

月経の流れ

De menstruorum fluxu

予定より長く重い月経に苦しむ女は、リンネルの布を冷水に浸したものを腿の周りに頻繁にあて、体内を冷やすようにする。こうすれば、リンネルの布と冷たい水の冷性により、過剰な血の流れは抑えられる。あるいはツタ（*ebech*：ivy）[141]を水で煮たものを、それが温かいうちに腿と臍の周りにあてる。ツタのもつ冷性と、その中に含まれる血流の異常を抑える力は、女の腿と臍に溢れる強情な流れを食い止める。こうして水で煮て温かくなったツタを、今述べた体の部位にあてることで体は温まり、健康になる。また、ワインにベトニー[142]を浸し、その風味のついたワインを頻繁に飲むのもよい。ワインの熱で調整されたベトニーの熱は、女の血にある過剰な熱を抑えてくれる。

血管が閉じて間違った血の経路ができないように、脚、腹部、胸、腕にある血管すべてを、両手で優しく押してマッサージするのもよい。

働きすぎや歩きすぎで疲れて血がかき立てられることがないように、注意すべきである。また、硬いものや苦いものを食べて消化を損なわないように、こうした食品にも注意を要する。柔らかくて甘い食べものは体内を癒す働きがあるので、食べたほうがよい。またビールやワインは体を丈夫にし、血を保つ働きがあるので、飲むべきである。

188

難産

De partus difficultate

出産時、妊婦の陣痛が激しい時には、甘いハーブ——特にフェンネルとウスバサイシン（aserum：wild

ginger）[143] を細心の注意を払って水で煮たものを用いる。水気を絞って、温かいままのハーブを腿と背中の周りにあてて布で結わえ、緩やかに固定する。こうすることで陣痛の痛みは和ぎ、閉じた子宮は穏やかに、また容易に緩んでくる。悪性の冷たい体液により、妊婦の体は時として収縮し、塞がれることがある。しかし、火にかけられた水の甘さによって引き出されたフェンネルとウスバサイシンの穏やかな熱によって、他のどこよりも収縮の痛みが強い腿や背中の周辺が覆われると、こうした箇所は開いてくる。

唾液と鼻汁の浄化

De salivae et emunctionis purgatione

唾液や粘液、鼻汁を浄化するには、キンミズヒキとその倍のコロハを擂り鉢ですり潰し、その液汁を搾ったものを用いる。次いでゼラニウムをすり潰し、その液汁半ペニー分を先のキンミズヒキとコロハに加える。さらに、右に述べた三種類のハーブを合わせたものと同量のカヤツリグサ、六ペニーウエイトのエゴノキ、二ペニーウエイトのシダ（polipodium：female fern）[144] を粉末にする。この粉末と先の液汁を押し混ぜ、豆粒大の小さな

141▼ラテン語版注では *ebech* は apium「セロリー」となっているが、『フィジカ』によればセロリーは温性であり、*ebech* を冷性とする以下の記述と一致しない。バーバラ・ニューマンも前掲『女性的なるものの神学』でこの箇所を「ツタ」としており、ここは英訳に従った。

142▼和名：カッコウチョロギ。

143▼「212 不節制によるレプラ」(p.351) では aserum = asarum となっている。aserum はカンアオイ属、フタバアオイ属を指すが、「カンアオイ」は aserum の日本固有種なので、ここでは該当しない。

144▼polipodium はウラボシ科エゾデンダ属に属する百に近い種をもつシダの総称で、丸い裸の胞子嚢を葉裏にもつ。英訳では female fern とされ、「メスシダ」と訳されることもあるが、そのような和名はなく、本訳では単に「シダ」とした。

丸薬を作る。

その後、クサノオウから液汁を絞り出し、四分の一ペニーウエイト分のこの液汁に丸薬一粒を浸し、それを転がして丸め、日光に晒《さら》して乾燥させる。一粒ごとに同じことを繰り返し――つまり四分の一ペニーウエイト分の液汁に丸薬を浸して、それを太陽の熱に晒して乾燥させるが、木を焚いた火や天火《てんぴ》で乾燥させてはならない。太陽の熱で乾燥できない場合は、丸薬を軽い風や微かな風にあてて穏やかに乾燥させるようにする。キンミズヒキ、シダ、クサノオウの熱とエゴノキのもつ強靭さは、体内に粘液を生み出す冷たい体液にまさり、コロハとゼラニウムのもつ冷性は、こうした体液の冷性を消してくれる。クサノオウは体内の体液を充満させ、他のハーブは体液を抑制する働きがあるので、体液は穏やかに体から出ていくことができる。小さな丸薬を日光で乾燥させるのは、太陽の熱の方が健康的だからであり、木を焚いた火や天火を避けるのは、太陽の熱に比べるとこうした熱は不完全だからである。

この丸薬を飲む場合、子羊の皮か羊毛の布――これらの熱は穏やかである――で胃と腹部を覆い、胃と腹部を温めるようにする。血管が腫れているので、火には近づかないようにする。火に近づくと血が過度に溢れてしまい、体液が出ていってしまうと危険だからである。衣服で体を温め、夜明け前に丸薬を飲むようにする。というのも、夜明け前は穏やかで平静な時間帯だからである。一粒一粒をハチミツに浸してから、五粒から九粒の丸薬をいっぺんに飲むようにする。ハチミツは温性で甘いものである。ハチミツがない場合は、風味のよい小麦粉パンの固まりに丸薬を入れ、スプーンを使って一粒ずつ食べるようにする。

丸薬を飲んだら、粘液が引いてゆくのを感じ取るまで、直射日光の当たるところは避け、日陰を選んで少し続けてゆっくり散歩するようにする。日なたを歩くと、太陽の熱と光が脳から体液を引き出すので危険である。粘液が引いてゆくのを感じたなら、あるいは丈夫になった胃が粘液を妨げるのを感じたなら、正午の前後に、まずはスープか小麦粉で作った粥をすするようにする。そうすれば、粘液が解消することで刺激された腸は、この滑らかなスープや粥で回復し、あるいは硬くなった胃は楽になってゆく。

189

再び鼻血について

Item de sanguinis fluxu

鼻血の出る時は、ディルとその倍量のヤロウを用意し、この摘みたての緑のハーブを額、こめかみ、胸の周囲にあてる。ディルのもつ乾と冷は血の熱を消し、ヤロウの熱は血を引きつけ、血が流れすぎないように抑える。これらハーブの力は、とりわけ緑の中で旺盛に働くので、摘みたてでなければならない。血を運ぶ血管の力は額、こめかみ、胸の周囲にあるので、ハーブも額、こめかみ、胸の周囲にあてるようにする。

冬の時期であれば、ハーブを挽いて粉にし、それに少量のワインを振って小さな袋に入れたものを、先に述べたように、額、こめかみ、胸にあてる。ワインの熱はハーブの粉に血を抑える力を与えてくれる。

190

鼻炎

De coriza

鼻水が激しくて苦痛になる場合、フェンネルとその四分の一量のディルを、火で温めた石の瓦の上か薄いタイルに載せたものを用意する。患者は、その瓦またはタイルの上でハーブを反《かえ》しながら煙を出し、その煙と香りを鼻孔と口から吸い込むようにする。

さらに、こうして石の上で温められたフェンネルとディルを、パンといっしょに食べるのもよい。頭と鼻孔から出る病的な排出物が穏やかに緩み、流れ出る体液が穏やかに分離するまでの間、これを三日または五日、あるいは七日間行う。フェンネルの熱と湿は、危険なほどに拡散して分離した体液を集め、こうした体液をまるごと引き寄せる。ディルの乾いた冷が温まった石の上でフェンネルと混ざると、その健全な性質が働いて、体液を乾かす。

下剤の服用

De potionibus accipiendis

下剤を作って使用する場合、ショウガとその半量のリコリス、三分の一量のガジュツを粉末にしてふるいにかけたものを用意する。次にこの粉末の合計した重さを量り、それと同じ重さの砂糖を用意するが、その全体が三十ペニーウエイトになるようにする。次にクルミの殻にして半量ほどの最高に純粋な小麦粉と、物書きが使う細長く切った羽の切り口に入る量、つまり物書きがインクにペンを浸す時の量ほどのソープワートの乳汁を用意する。ハーブの粉、小麦粉、ソープワートの乳汁を使って非常に薄いケーキ状の固まりをつくり、これを四等分する。それを三月あるいは四月の日光で乾燥させる。三月や四月の日光は熱すぎも冷たすぎもせず、もっとも健康によいからである。

三月あるいは四月にソープワートの乳汁が手に入らない場合は、五月まで待たねばならない。その時、小さいケーキにしたものを、五月の日光の下、慎重に最適な時間を見きわめながら乾燥させてゆく。先に述べた要領でこれらの材料が混ぜ合わさると、ショウガの熱とガジュツの冷は体液を集めるように作用する。砂糖の熱と湿は体液を保ち湿らせる。小麦粉の熱と力は体液が過剰に流れるのを防ぎ、体液を抑えてくれる。ソープワートの乳汁は、その冷性によって穏やかにかつ巧みに体液を排出する。ショウガ、ガジュツ、砂糖、小麦粉は体内によい体液を保つように働き、ソープワートは悪い体液を外に追い出す働きをする。

もしソープワートのみを与えると、よい体液を保つためのハーブの抑制バランスが利かなくなり、よい体液も悪い体液も外に排出してしまう。この下剤は、上に述べた時期に作るのが最適である。なぜなら、この時期は太陽と空気のバランスがよいからである。下剤を服用する場合、ケーキの四分の一量を空腹時に食べるようにする。

胃が非常に丈夫で厚いために下剤が効かない人は、この小さなケーキのあと四分の一の半分量[145]をソープワートの乳汁に浸し、それをもう一度日光で乾かしたものを空腹時に食べるようにする。体が冷えている時は、この下剤を飲むより前に、まず体を火で温める。下剤を飲んだ後はベッドに入って少し休むが、眠ってはならない。起き上がったら、体が冷えないように注意して少し歩き回るとよい。

192

食養生 De diaeta

病気の症状が緩和し始めたら、乾いた小麦パンではなく、薄い粥に浸した小麦パンを食べるようにする。また若鶏の肉や豚の肉、その他、好ましい肉類は食べてもよい。焼いたナシを除いては、粗悪なパンや牛肉、魚、その他の生ものや焼いたものは避ける。またチーズや生の野菜、果物も避ける。ワインを適量飲むのはよいが、水は避ける。また太陽や火の光は避け、こうした食養生を三日間続けるようにする。

145▼ケーキの八分の一。

［私は何一つ発案していないし、また何一つ書いていない］

［Nihil inveni, nihil scripsi］

鯨《くじら》と呼ばれる魚の肝臓▼146を用意し、菩提樹の板に載せる。火をおこしたら、鯨の肝臓を載せた板を燃えている石炭の上にかざし、肝臓を乾燥させる。煙や炎が肝臓に直接触れないように注意しながら、肝臓を粉末にできるほどに乾燥させる。肝臓が乾燥しないうちに板が燃え尽きそうな場合は、もう一枚別の菩提樹の板を用意し、その上に肝臓を載せかえる。こうして肝臓が乾いたら、それを粉末にしておく。次に、火の中で熱した砂利の上でナツメグとコロハをゆっくり乾燥させ、これも粉末にしておく。鯨の肝臓の粉末がナツメグの粉末より三分の一多くなるように、またコロハの粉末が鯨の肝臓の粉末と同量になるように調合する。こうして作った粉末の全部を小さな布袋に入れ、そこに少量の苔《こけ》を加えて袋を綴じる。この粉末の入った袋を常に携帯すれば、体の健康を保つことができる。

不節制

De incontinentia

肉の歓びによってひどく扇情され、泡が射精寸前まで来ながら体内に留まってしまい、それが原因で病み始めるような場合、ヘンルーダとそれより少し少なめのヨモギとをそれぞれ搾った液汁を用意する。これに砂糖の液汁▼147と、砂糖より多めのハチミツを加え、そこにハーブ（ヘンルーダとヨモギ）と同量のワインを加える。これを新しい鍋か小さな皿に入れ、その中に熱い鋼を入れて五回ほど温める。少量の食事を摂ったあと、これを温かいうちに飲むようにする。

これらのハーブが手に入らない冬季であれば、ローリエのベリー［液果］とその倍量のハナハッカを粉末にし、熱い鋼鉄片で熱したワインに入れたものを、少量の食事を摂ったあとに飲む。こうすることで、体内に残っていた有毒なリヴォルは、尿や消化物とともに排出される。夏季であれば、こうしたハーブの液汁は容易に入手できる。ヘンルーダの熱と冷は、ヨモギの熱と合わさって凝結した体液を駆逐し、砂糖とハチミツの熱はこの病に苦しむ人を癒してくれる。ワインの熱がハーブの液汁とともに鋼の熱で繰り返し調整され、これらすべてが五回も温められて強められたものを飲むのだが、体が弱ってふらふらしないように、少し食事を摂ったあとに飲むとよい。こうすれば男は回復するであろう。

冬期に入り、これらハーブの液汁が手に入らない場合、ローリエのベリー［液果］とハナハッカの熱がワインの熱で調整され、鋼の熱で繰り返し強められたものを用いれば、今述べた病を追い払う効果がある。

193

目のかすみ

De oculorum caligine

男であれ女であれ、多淫が原因で目のかすむ場合、鯨の胆嚢から胆汁を抜き取り、それでもなお残る悪い体液を太陽の力でもって取り除くために、天日乾燥させた胆嚢の皮膜を用いるようにする。ここまでしないと、皮膜の力が目には強すぎ、目を傷めてしまうからである。これをもっとも純粋で良質のワインに浸し、ワイン

146▼ヒルデガルトが鯨を見たとは考えにくいが、旧約聖書中、鯨に飲み込まれたヨナの預言書である『ヨナ書』を読んでいたことは間違いないであろう。『フィジカ』の第五の書「魚」では、鯨を魚類としつつも「獣と魚の本性をもち、炎のような温性と水気を帯びた空気の質をもっており、その肝臓は、胃の内部を清め、最高級の下剤として作用する。体に宿る活力はきわめて強く、鯨を食べると悪性の体液の流れは阻まれる」と記述している。

147▼精製前の砂糖の液汁と思われる。『フィジカ』では、砂糖はハーブの一種として記載されている。

の甘さと強さによって調整して柔らかくする。夜、就寝時にこれを目にあて、布で覆うが、この時、皮膜の湿が目に触れ、その力によって目を傷めないように注意する。

皮膜の力が布を突き抜け、目を傷めることのないように、真夜中になればこれを外し、それ以上あてないようにする。これを三日目、五日目、七日目に行うが、やりすぎは害になるので二日目、四日目、六日目は必ず休む。今述べたような方法で皮膜が調整されていれば、目のかすみは改善されてゆくであろう。ただし、神がそうお望みにならなければ、その限りではない。

194

肉欲に対して

Contra luxuriam

肉の歓びと肉欲を消すには、夏であれば、ディルとその倍量のウォーターミント、ウォーターミントよりやや多めのラングワート、ウォーターミントの倍量のイリュリアン・アイリス、イリュリアン・アイリスと同量のエシャロットのすべてを酢に入れてドレッシングを作り、これをあらゆる食べものといっしょに頻繁に食べるようにする。

冬季、新鮮なハーブが手に入らない時は、右記のハーブを粉末にして食べものといっしょに摂るようにする。ディルの乾いた冷性は肉欲の熱を冷まし、ウォーターミントの冷性の液汁は邪悪な体液に対抗する。冷性をもち、決して美味なものではないラングワートの液汁は、邪悪な快楽を駆逐する。イリュリアン・アイリスの強い冷性は肉の歓びを抑え、エシャロットの毒を含んだ冷性は、快楽の邪悪な毒を弱める。

妄想に対して

Contra fantasiam

昼夜を問わず、歩行中や睡眠中でさえ邪悪な妄想にとりつかれる人は、ヘラジカの皮で作ったベルトと、ノロジカの皮で作ったベルトを用意する。そして四本の小さな鋼鉄の釘でこの両方を繋げる。釘は腹に一本、背中に一本、左右の脇腹に一本ずつ取り付ける。腹の位置にくる釘を取り付ける時には、「全能の神の至高の力において、汝はわが守りであると断言する」と唱える。背の位置にくる釘を取り付ける時には、「全能の神の至高の力において、汝はわが守りであると祝福する」と唱える。右脇腹にくる釘を打ち込む時は、「全能の神の至高の力において、汝はわが守りであると明証する」と唱える。左脇腹にくる釘を打ち込む時は、「全能の神の至高の力において、汝はわが守りであると確証する」と唱える。

患者は、日夜、常に離さずこのベルトを締めるようにする。このベルトにより、邪悪な妄想は縮みあがって後ずさりするであろう。こうしてベルトをきつく締め、体のすべての側が祝福され、あるいは強められていれば、呪詛の及ぶ害は減衰する。鋼は他のものを強め、光彩を与え、あたかも人の力を補佐するもののようである。これと同じように人間も強いものである。ヘラジカにはある種の力が備わっており、一方ノロジカは清浄な生きものである。邪悪な霊はこうしたものが苦手であり、忌み嫌うものである。

195

健忘症

De oblivione

うっかり物忘れをする人には、イラクサをすり潰して液汁にし、少量のオリーブ・オイルを加えたものを用意する。就寝時に、これを胸と額に徹底して塗りこめる。これを頻繁に行えば、物忘れは減る。イラクサの鋭い熱とオリーブ・オイルの熱は、警戒心をなくして少々眠り込んでいる、締めつけられた胸とこめかみの血管とを刺激する。

しゃっくり

De singultu

しゃっくりに悩む人は、大量の砂糖を湯で溶いたものを、温かいうちに飲むようにする。湯の甘さと合わさった砂糖の熱は、冷の質をもつしゃっくりの原因である乾燥を潤してくれる。この不快な症状に対しては、ワインよりも湯がよい。というのも、湯は甘いが、ワインは強いからである。

乾いた砂糖を摂るのもよく、あるいは空腹時にクローブを頻繁に噛むのもよい。また食後、ガジュツを頻繁に摂るようにする。これを一か月行う。砂糖の熱は人の乾きを減らし、クローブの熱は、空腹時に摂れば全身に浸透して体を温める。ガジュツの熱には強さがあり、この不快な冷えを駆逐する。ガジュツは食後に摂るが、それは、空腹だとガジュツの強さが人を害するからである。これを一月《ひとつき》も続けると、非常によくなるであろう。

196

毒に対して

Contra venenum

毒と呪いに対して対抗できる粉末がある。この粉末は、それをもつ人に健康と力、繁栄をもたらすであろう。四月半ばの真昼に、根っこごと抜いた次のハーブ――ゼラニウムの根と葉、マロウの根を二本とその葉、オオバコの根七本とその葉を用意する。これらのハーブを湿った土の上に置き、緑の残っている限り、少量の水を振りかけておく。日が傾き始めてから日が沈むまでの間、これを陽にあてる。

夜になれば、陽の当たる場所から再び湿った土の上に移し、速く乾きすぎないように水を少量振りかけておく。翌日の早朝、すなわち夜明けから第三時［午前九時］まで、日の出の光を受けるようにこれを置く。さらに、真昼まで――太陽が南に向かうまでの間は、再び湿った土の上に置くが、この時、水は振らない。

真昼になるとこれを移動させ、第九時［午後三時］までは南の陽の当たる場所に置いておく。その後これを集め、散らばったり潰れたりしないように注意しながら、木の支柱で下支えした布の上に置くようにする。真夜中の少し前まで、この状態のままにしておく。

北の車輪（rota：wheel）[148]が水車のように回って闇に入る時刻、北の車輪はまだ明るんでおらず、闇と夜のもたらすすべての災いは過ぎ行こうとし、夜が日に向かって傾こうとする時、すなわち真夜中の少し前の時間に、これらハーブが穏やかな空気に触れるように、高い窓の上かドアの上の横木、あるいは庭に置くようにする。真夜中を少し過ぎるまでは、置いたままにしておく。次いでこのハーブを取りこみ、指でつぶし、新しい小箱に入れて少量のバルサムを加えるが、この時、バルサムの香りがハーブの香りより強くならないようにする。バルサムはハーブが傷まないように、ハーブを守る役目をする。

病気を追い払い、健康を維持するには、誰であれ、このハーブの香りを常日頃、耳や鼻孔、あるいは口にあてるようにする。男の性的な衝動が強い時には、これを布に入れ、腰から陰茎の部分にあてるようにする。こうすれば衝動は和らいでくる。女は臍にこれをあてる。何かを食べた後に腹が痛む時は、口の狭い容器に入れたワインの上にこのハーブをかざす。ただしハーブがワインに触れないようにし、香りだけをワインに浸み込

148▼ rota は回転する時空の車輪であり、従って季節や日の巡りをも指す。「1　ルチフェルの堕落」（p.57）を参照。

ませる。このワインでスープを作り、それを少しずつ飲むとよい。

毒を口にしたり、魔術にかかった場合、ハーブの香りに満ちたこのワインを飲めば、回復するであろう。こうして調整されたハーブを携帯していれば、健康と力を維持することができる。というのも、このハーブは昼だけでなく夜も——すべての時間帯とすべての温度を通して調整されたものだからである。

197

痙攣

De spusmo

体のどの部分であれ、痙攣を起こした人は、痙攣の箇所にオリーブ・オイルを強く塗りこむ。オリーブ・オイルがない時は、他の上質な軟膏を塗ってもよい。オリーブ・オイルも軟膏もない時は、痛い箇所を自分の手で力を入れて上下に擦るようにすると、痛みはひいてゆくであろう。オリーブ・オイルや軟膏の熱と力は、黒色胆汁の蒸気を追い払い、また痛い箇所を手で優しく擦ることで、同じように痛みを追い払うことができる。

さしこみ

De tortionibus

さしこみ（*stechedun*：stich）[149] に対しては、ジャーマン・カモミールをすり潰して液汁にし、少量の牛のバターを加えたものを、痛いところに塗れば治まってくる。カモミールの熱と力がバターの熱と甘さに合わさると痛みを追い払い、痛みを和らげてくれる［ガジュツより少ない量のセージ、セージとガジュツより少ない量のフエンネルを用意する。次にアオウキクサとその倍量のキジムシロ、キジムシロと同量のナノハナ、それにゴボウの葉をアオウキクサより少量用意する。[150]］。

198 怒りと悲しみ

De ira et tristitia

怒りや悲しみに突き動かされそうな時は、即座にワインを火で温め、それを適度に冷たい水で割ったものを飲み、怒りを引き起こす黒色胆汁の蒸気を、抑えるようにする。

怒り

De ira

怒りに駆られて具合が悪くなった人は、ローリエのベリーを熱い瓦の上で乾燥させ、それを粉末にしたものを用意する。セージとマジョラムも天日で乾燥させて粉末にし、それをローリエのベリーの粉末とともに小さな箱に入れる。セージよりもローリエのベリーの方が多く、マジョラムよりセージの方が多くなるようにする。これは心地よい香りがするもので、顔の近くに置くとよい。

この粉末の一部を少量の冷たいワインと混ぜたものを使って、額、こめかみ、胸を清めるようにする。ローリエのベリーは温性で、ゆるやかな乾性（siccam siccitatem：dry driness）[151] をもっており、怒りによって乾いた体内

---

149 ▼英訳注：*stechedum, stechedim* とも綴る。ラテン語版注ではラテン語名として tortiones, colicam をあげている。

150 ▼英訳注：同様の処方は「209 疝痛」（p.346）と『フィジカ』の「ショウガ」に関する記述にある。

151 ▼ラテン語も英訳もそのまま訳せば「乾いた乾性」。英訳注では「siccam siccitatem はおそらく siccam succitatem（乾いた生ける流動性）となるべきであろう」となっているが、『フィジカ』第三の書「樹木」中の「月桂樹」の項には「この木の果実は大変な温性とゆるやかな乾性をあわせもつ」とあり、ここはそれに従った。なおフランス語版では「乾いた温性と乾性」となっている。

の体液を潤してくれる。マジョラムの熱は怒りに駆られた脳を鎮め、セージの乾いた熱は、怒りが打ち砕いた体液を結集させる働きがある。

ローリエのベリーが熱い瓦のもつ健やかさの上で乾燥され、日の光のもつ強さによって乾燥されたマジョラムやセージと混ざり合い調整されると、そのすぐれた熱により、この症状を和らげてくれる。これらの粉末が、温められていないワインが本来もつ甘さと混ざり合うと、上に述べたように、怒りによってかき乱された額やこめかみ、胸の血管を落ち着かせてくれるのである。

涙によるかすみ目

De oculorum caligine ex fletu

涙を流したために目がかすむ人は、ヤロウの葉、またはその根をすり潰して液汁にして絞ったものを夜間、目にあてるようにする。ただし、液汁が目に直接触れないように目を布で覆う。真夜中にこれを外し、もっとも良質で純粋なワインをまつ毛の周囲にこすりつける。ヤロウの熱には治癒力があり、その液汁にはやや強い刺激性があるが、傷をきれいにする作用もある。温かくて少し鋭さをもつようになったワインには、ヤロウの液汁の強い刺激を取り去る働きがあり、こうしてかすみ目は治ってゆく。

199

笑いすぎ

De risu immoderato

笑いすぎて心が昂ぶり乱れている人は、ナツメグを粉末にしたものを、その半量の砂糖といっしょに温めたワインに入れ、それを食べものといっしょに、あるいは食べものなしで飲むようにする。笑いすぎは肺を乾かし、肝臓を揺さぶる。ナツメグの熱は肝臓を癒し、砂糖の熱と液汁は肺を元気づけてくれる。ワインがもつ異なる種類の熱で調整されたものを飲むことにより、笑いすぎで壊れたよい体液を回復させることができる。

酒酔い De ebrietate

酔った人を正気に戻すには、冷水にヒヨスを入れ、その水で額やこめかみ、喉をびしょぬれになるまでぬらすとよい。こうすれば、冷水の冷たさと合わさったヒヨスの冷性が、額とこめかみの血管の中の嵐と熱を落ち着かせ、その人を正気に戻し、よくなるであろう。秋であれば、葉のついたブドウの木の枝を、額、こめかみ、喉にあてて冷やすようにする。この時期、ブドウの力は何にもまして強く、またブドウ本来の性質、そしてワインはブドウからできているという関係から、ブドウの木の枝は、額、こめかみ、喉の血管の中で、嵐と氾濫を起こしているワインを鎮める働きをする。以上のどれも手に入らない場合は、フェンネルかその種を食べさせればよい。フェンネルの甘い熱と力は、体内のワインの熱狂を鎮め、酔いを醒ましてくれるであろう。

嘔吐 Ad vomitum

吐き気を催した人は、クミンとその三分の一量の胡椒、四分の一量のルリハコベを粉末にしたものを用意する。この粉末を混じりけのない小麦粉と混ぜ、卵黄一つと少量の水を加えて、温かい天火《てんぴ》の中か温かい灰の下で焼いてクッキーを作る。このクッキーをクミンの粉を散らしたパンといっしょに食べる。クミン、ルリハコベ、卵黄の冷が胡椒、小麦粉の熱と混ざり、水の甘さと合わさって天火の穏やかな熱で焼かれたものは、吐き気を催す熱い体液と冷たい体液を抑える働きをする。

200

赤痢

De dissinteria

赤痢に罹った人には、白身を除いた卵黄▼[152]を小さな皿に入れてよくかき混ぜたものを用意する。この卵黄をクミンと、挽いた胡椒少々とともに卵の殻に戻し、それを火で焼き上げる。患者が食事を摂れるようになったらこれを与える。卵黄は乾の性質をもち、リヴォルと混ざりあっているが、自分に引き寄せるあらゆるものや緩いものを引き締め、またこの卵黄から雛が生まれる。このように卵黄は緩んだ体液を引き寄せる働きをする。クミンもまたその冷の性質により、緩みを締めつける。胡椒はその熱で他の二つを調整し、放埓になった体液をより強く抑えるように働く。

あるいは、卵黄をフライパンに入れて火にかけて炒《い》り、卵油を抽出する。この卵油と純粋な小麦粉で作った小さいケーキを、少し食事を摂ったあとに食べるのもよい。小麦の熱と力で調整された卵油は、腸の緩い状態を落ち着かせる。その間、患者は温かい食べものだけを摂るようにする。というのも、胃も腸も体液も冷えているからである。

軟らかいものや甘いもの、若鶏やその他、軟らかい肉や魚を食べるように心がけるべきである。牛肉やチーズ、リーキ▼[153]、あるいは硬い生野菜だけでなく、ニシンや鮭も避けるようにする。ライ麦や大麦のパン、焼ナシ以外の焼いたものも食べない方がよい。これらには硬さと粗さがあり、腸内の消化物を刺激し、水が作用して腸内にリヴォルを生み出すからである。したがってしばらくの間、こうした食べものは避けた方がよい。ワインの熱は腸内の消化物を引き締める働きをする。

201 出血▼154

De fluxu sanguinis

出血のある人は卵黄二つを割り混ぜ、ジャーマン・カモミールの液汁を卵黄半個分、酢を卵の殻の嵩《かさ》にして二個分を加えたものを用意する。シナモンの粉と、それよりやや少なめのガジュツの粉を加え、それを湯でのばして粥状にする。これをやや温かい状態で患者に与えるが、空腹時、食べものとともに少しずつ食べるようにする。これを頻繁に行えば改善する。

尻からの出血

Item de fluxu sanguinis per posteriora

出血で苦しむ人は、キイチゴの葉とその倍量のミソハギをすり潰し、液汁にしたものを用意する。これをワインに入れたものを、空腹時は避け、食事中あるいは食後に飲むようにする。キイチゴの葉やミソハギは血液に似た液汁をもっている。これらがワインと混ざると、その熱と冷は出血を和らげてくれる。食べたものに向かって勢いよく流れる血を抑えるために、食後に飲用する。

患者は小麦粉、ハチミツ、少量の塩で作ったクッキーを食べるとよい。小麦粉はその熱と力で人の肉を増し、

152▼『フィジカ』の中では、卵はそのぬるぬるした粘着性ゆえに基本的には有害なものとされている。摂取する場合は熱を加えて卵内部の毒とリヴォルを除くように指示しており、また白身より黄身の方が健康的であるとされている。

153▼和名：セイヨウニラネギ。

154▼この「出血」は赤痢による出血を指すものと思われる。前項「200 赤痢」を参照。『フィジカ』中、第六の書「鳥」の「雄鶏と雌鶏」の項にも赤痢への処方として同一の記載がある。

不適切な血の経路を閉ざしてくれる。ハチミツはその熱と液汁で、塩の熱は乾いた過剰な血を鎮めてくれる。こうした作用が複合して、過剰な血の流れを抑える働きをする。

この病気の間は小麦粉のパンは食べてもよいが、ライ麦や大麦のパン、牛肉、豚肉、鱗のない魚は避けるべきである。またチーズ、生の果物や野菜、焼いたものはなんにしても避ける方がよい。その他の軟らかい肉や魚は食べてもよい。エンドウのスープは飲んでもよいが、エンドウそのものや、レンズ豆やソラ豆類（fabae：beans）[155]は避けた方がよい。熱い食べものは避け、熱くも冷たくもないように調整されたものを摂るようにする。この病気の間、甘いワインは飲んでもよいが、水は避ける。先に「赤痢」の項で述べたように、これらのものはすべて、この病気の人には害となるからである。

202

吐血

De emoptoica passione

もし有害で凝結性があり、毒性をもつような体液が体内で過剰となって、一定期間、咳を伴って吐血するような時に薬を使うと、かえって血が体内を刺激し、普段より多く吐血することがあるので、このような時には薬を使わない方がよい。

少し吐血が治まってきたなら、穏やかで甘いワインに少量の水を加えたものにセージを入れて煮る。そこにオリーブ・オイルかバター少々を加え、煮立ったら布で漉す。これを空腹時は避け、食後、飲みすぎに注意して適量飲むようにする。セージは体内の体液が放つ悪臭に効果を発揮し、ワインは水の甘さと混ざると人を元気づけ、強めてくれる。オリーブ・オイルやバターには体の内側から人を癒す力がある。

痔《じ》疾《しつ》
De emorroidis

有害で水っぽい薄い体液が体内で過剰になり、血が消化物をともなわず肛門から流れ出るような場合、この種の血流は妨げない方がよい。もし妨げようとすればかえって血は狼狽し、いっそう流れ出るようになる。

さらに出血について
Item de sanguine

有害で水っぽい体液にかき立てられた血が、消化された食べものといっしょに肛門から流れ出るような場合は、これを妨げない。これは浄化作用であり、下剤の代わりとして働く。食べものとともに流れ出る血液の量が多すぎる場合は、野菜やその他良質のハーブにニガクサを加えたものを使って食べものを調理し、その適量を食べるようにする。ニガクサは血を減らし、野菜とハーブは血を元気づけてくれる。

203

さらに吐血について
Item de emoptoica

感情や思いの苦さによって傷ついた脾臓と肺が体内で圧迫を受けると、咳が出て吐血するようになる。この種の吐血を無理矢理止めようとすれば、その刺激によってかえって大量に吐血することがあるので、無理には止めない。吐血がしばらく止んだ隙に、左脇腹に痛みを起こす原因となっている血液が右の親指に向かうよう

155▼ソラ豆、インゲン豆、大豆などを指す。

に、右の親指から瀉血する。こうすれば治まるであろう。

再び出血について

Item de sanguine

悲しみによって体内の小さな血管が締めつけられ、そのために出血するような場合は、あわてて止めようとせず、自然治癒するまで黙って静かに辛抱する。無理に出血を止めると、よい結果よりも悪い結果を招く。こうした出血は、最後にはひとりでに治るものである。

丹毒[156]

De erisipila

フライスリッヒャ（*freislicha*）[157]と呼ばれる膿疱で腫れた場合は、頭を取ったハエをすり潰し、それを腫れている部分の周りに丸くあてるようにする。ハエの毒はフライスリッヒャの毒に有効で、その進行を妨げてくれる。次に殻をとった赤いカタツムリを潰し、ハエで作った円の周りに、潰したカタツムリで円を描くようにする。赤いカタツムリのリヴォルが腫れの老廃物を抑え、腫れは引いてゆく。これは、毒をもって毒を制すということである。

その後、ユリの液汁を用意し、カタツムリで作った円の周りの皮膚を清める。ユリの液汁は痛みを追い払い、健康にする。その後、膿疱の上にアザミの葉を置き、純粋な小麦粉で作った小さなケーキをその葉の上に載せ、膿疱がひとりでに軟化して破裂するまで、全体を布で覆うようにする。アザミの冷性と液汁に危険性はなく、小麦の熱とともに働いて膿疱の硬結を和らげてくれる。膿疱がひとりでに破裂しない時は、乾いた木のイバラか乾いたトゲなどで穴をあけるが、熱した、あるいは冷たい鉄片や針は使わない方がよい。こうしたもので穴を開けると、膿疱や腫れは火のような熱さや冷たさにたじろぎ、かえって危険になるからである。

膿疱を患っている間は、火や冷え、風、湿った空気から身を守るようにする。熱い食べものや焼いたもの、粗悪な食べものやワインなども控えた方がよい。生の果物や野菜も避ける。これらはみな、体内の有毒な体液を増やし、かき立てるからである。水に浸した良質の小麦のパンだけを食べ、水を飲むようにする。水は甘いので、膿疱をもつ人に危険性はない。

虚弱な人の場合、ラードやチーズは使わず、小麦粉と清浄な卵黄で作った粥を、冷めてから食べるようにする。痛みが和らぎ、治まってくるまで、この養生法を守るようにする。ワインを飲むと膿疱は腫れてくる。また熱い食べものも、その熱で体液をかき立てて腫れを増大させるので、食べない方がよい。

204

ケジラミおよび潰瘍、または頭痛に対して

Contra cancrum et ad quaelibet ulcera et ad dolorem capitis

スミレの液汁を絞り、それを布で漉す。その三分の一量のオリーブ・オイルと、スミレの液汁と同じ重さのヤギの脂を用意する。これらを新しい鍋で煮、軟膏を作る。ケジラミあるいは寄生虫に食われた箇所に、これを二度ほど塗る。ケジラミや寄生虫はこの軟膏を食べると死ぬ。痛みのある他の潰瘍にも、この軟膏は使用可

156▼現代医学では連鎖球菌の感染による皮膚の化膿性炎症を指す。

157▼ラテン語名 *erysipela*。『フィジカ』によれば *freislicha* は「悪性の膿疱」を意味するが、「183 潰瘍」(p.313) には膿疱を意味する語として *segena* の名がある。中高ドイツ語と思われるので、ここではそのまま用いた。

能である。また、頭痛の場合もこれを額中に塗るとよい。

205

湿疹 De scabie

種々の潰瘍や湿疹を患っている人は、チャービルとその三倍量のシダ、チャービルの五倍量のエレカンペーン[158]を水で煮たものを用意する。水気を絞り布で漉したら、それをフライパンに入れ、少量の新鮮な乳香、硫黄、他のものより多めの新鮮なブタの脂肪を加えて火にかけ、軟膏の状態になるまで少し煮詰める。患者は潰瘍の上やその周りに、自分で軟膏を塗りこむようにする。それと同時に、煮て温かくなったハーブの水気を少し絞ったものを、皮膚と潰瘍の上にあてるようにする。皮膚と肉にハーブがしみ込むまで、五日間、これを行う。その後、患者は風呂で体を洗い、リヴォルと悪臭を洗い流す。

チャービルの冷はその熱と互角の性質で、シダとエレカンペーンの熱、水の甘さ、硫黄、乳香、脂肪の熱、そしてこれらとは異なる火の熱とが混ざり合うと、人の悪い体液を駆逐する働きをする。チャービルは熱と冷とをもっており、潰瘍や湿疹の過剰な熱と冷とを運び去る。シダの熱は有害な体液を追い払い、エレカンペーンの熱には治癒力がある。硫黄の熱は悪い体液を弱める働きをし、新鮮な脂肪には、潰瘍や湿疹を穏やかに癒す働きがある。

黄疸《おうだん》 De ictericia

黄疸を患う人は、バーベナ、その倍量のセファニア、三倍量のマネーワート[159]を用意する。セファニアがない場合は、バーベナと同じ重さのユキノシタを用いる。貯蔵用の容器にこれらのハーブを入れ、もっともよい品質のワインを注いで蓋をしっかりと閉める。九日間、空腹時にこのワインを飲む。食後に少し飲むのもよい。あるいはこのワインと卵、ラードとで粥を作り、それを食べてもよい。就寝時、汗が出るように、このワインを熱い鋼で温めたものを飲み、衣類で温かくして寝る。元気になるまでこれを続けるとよい。

バーベナ、セファニア、マネーワートの熱と、ユキノシタの冷には、いくらか強い刺激性の液汁が含まれている。これがワインと脂肪の熱、卵――これは風味添えである――の冷性と混ざり合うと、胆汁および黒色胆汁の険しさに対して有効であり、黄疸を和らげる働きをする。これを空腹時に飲めば、食後に飲むよりもずっと早く器官に染み入ってゆく。さらに熱い鋼で強められると、いっそう強力に黄疸を抑えることができる。

206

癲《てん》癇《かん》 De epylempsia

癲癇に苦しむ人は、モグラの血を乾かしたものにメスのアヒルのくちばし、さらにメスのガチョウの足の皮と肉を取り除いたものを用意し、これらをすり潰したり砕いたりして粉末にする。アヒルのくちばしの粉末がガチョウの足の粉末の二倍、モグラの血がアヒルのくちばしの二倍になるようにする。これらを布で包み、最近モグラが地面を掘った場所に三日間置いておく。その後、氷の張っている場所にこれを移して凍らせ、次いでこれを天日で乾燥させる。

いかなる動物や鳥のものでもよいので、食用に適する肝臓をできるだけ多く集め、それに少量の小麦粉を加

158▼和名：オオグルマ。
159▼和名：ヨウシュコナスビ。

えて小さなケーキを作る。肝臓の量よりやや少なめの、先の粉末とクミン少々を加えたものを食べる。モグラはふいに姿を現わしたり隠れたりする習性をもっており、また地面を掘ることに慣れているので、その血は、同じように現われたり引っ込んだりする癲癇に有効である。アヒルの力はくちばしにあるが、そのくちばしは清潔なものにも不潔なものにも触れるので、突然起きたり治まったりする癲癇に対抗できる。これと同じように、水に浸《つか》ってあらゆる種類の汚れに触れるガチョウの足は、癲癇をかき立てるギヒトを鎮めてくれる。オスよりもメスの方が無口であるので、くちばしと足は、オスのものではなくメスのものでなければならない。癲癇は人を倒すまでは静かだが、それと同じように、ガチョウのメスはオスよりも静かだからである。混ぜ合わせた粉末は、モグラが穴を掘ったまさにその場所に置かれねばならない。なぜなら、その土の方が他の土よりも健康であるため、これらの粉末は自らの液汁と生命力とを、その土の液汁と生命力から授かるからである。混ぜ合わせた粉は、まずこの土の液汁で覆い、次いで氷で締めることによって悪臭の原因が抑えられる。それでも残る悪臭は、日にあてて乾かすことにより、太陽の熱をもって取り払うことができる。

　動物や鳥の肝臓を小麦粉と混ぜ合わせるのは、肝臓が乾の性質で、土から得た力をもっており、リヴォルを引きつけるからである。小麦粉のもつ熱と力が合わさると、肝臓はこの病気のもつ有害な体液を引き出す。クミンを加えるのは、クミンの冷がこの病気の過剰な熱を抑えるからである。癲癇患者は、先に述べたケーキを五日間食べるようにする。それでも改善しない場合は、さらに五日間延長し、その期間に七回までこれを食べてよい。

　その間に、パンと、セロリとパセリで煮た若いヤギの肉▼160を食べるとよい。ヤギの肉にはやや乾の性質があり、有害な体液を含まず、またセロリとパセリの甘い冷性は、時としてこの病気を引き起こす、胃の汚れと熱を清めてくれるからである。牛肉を食べたい時は、新鮮なものを食べるようにする。夏であれば、一日の間、水に漬け、冬であれば一晩、水に漬ける。水は肉の中のリヴォルをきれいに運び去ってくれるからである。こうしたのち、加熱したものを食べるようにする。子羊の肉は食べてもよく、また水に漬ける必要もない。子羊の肉には苦みがないからである。

この期間、豚肉を食べてはならない。豚肉はたちまちに性欲をかき立て、レプラや癲癇、人の肉をかじる虫を育てるからである。ウナギのように鱗《うろこ》のない魚も避けるべきである。こうした魚は有毒なリヴォルを少量ながらもっており、それゆえ鱗がないのである。またチーズや卵、生の果物や野菜、焼いたものはすべて避けるようにする。癲癇の患者にとって、チーズは有毒な病気のようなものである。卵や生の果物、生野菜は、体内に有毒な体液をかき立てる。焼いた食べものも、この病気にグッタを供給する。ビールや水で割ったワインは飲んでもよい。

208

水腫

De hydropisi

水腫に悩む人は、ヒソップと、流れている泉の水ではなく井戸水を使って煮たオスのクジャクの肉を食べるとよい。そののちクジャクの心臓と、膝の中で回転する骨[161]、そして鉤爪《かぎづめ》を、鉤爪と心臓が膝の骨より三分の一量多くなるようにして粉末にする。次いでベトニー、その三倍量のラビッジ、少量のウナギの脂肪をワインで煮る。それを布で漉し、残ったワインに先の粉末を加え、それを飲む。十八日間、これを続けるとよい。

160▼ラテン語原文では単に「肉」であるが、英訳注に「『フィジカ』により「若いヤギ」とした」とあり、以下に触れられる種々の肉の性質に照らして、本訳もそれに従った。

161▼膝蓋骨のことか。

クジャクの肉は乾の性質をもち、水腫に対して強い。オスは強い力をもっているので、肉はオスのものでなければならない。ヒソップは乾性と甘い冷性とをもっており、この病の過剰な水分を乾かす作用があるので、クジャクの肉をヒソップとともに煮るのである。また甘い井戸水を使って煮るのは、井戸水には乾の傾向があり、水腫に対しては、やや湿性の強い流れる泉の水よりも、井戸水の方が効果的だからである。流れる泉の水の湿は、かえって病気を悪化させる。

クジャクの心臓の粉末はこの病を抑える。膝の中で回転する骨が膝の中の血管を引き締めるのと同じく、水腫が進行しないように水腫を引き締める。鉤爪には水腫の形成を弱める作用があり、水腫が湧き水のように湧くのを防ぐ。ベトニーの熱は水腫の水を消し、ラビッジの冷性は悲しみの心に喜びをもたらす。ウナギの脂肪は、水腫を引き起こすそもそものきっかけを抑える。この病気を和らげるには、水よりもワインの熱の方がよく、これらすべてのものが、これまで述べたように混ざり合うことで、水腫を小さくしてゆくのである。

209 疝痛《せんつう》 De colica

疝痛に苦しむ人には、少量のショウガと、それより多めのシナモンの両方を粉末にしたものを用意する。次にショウガより少なめのセージ、セージより多めのフェンネル、セージより少なめのタンジーを擂り鉢に入れてすり潰し、液汁にしたものを布で漉す。ワインにハチミツを加えて加熱し、白胡椒少々——胡椒がなければ少量のマネーワート——を加え、そこに先の粉末と液汁を入れる。次いでアオウキクサとその倍量のキジムシロ、キジムシロと同じ重さのナノハナ、それに非常に小さなイガの生えた花をもつゴボウの葉を、アオウキクサより少ない分量分、用意する。これを擂り鉢ですり潰して液汁にして小さい袋に入れ、そこに先の粉末を入れたハチミツワインを注ぎ入れ、澄んだ飲みものを作る。この病の患者は、空腹時に、これをひと息で飲める最大限の分量を飲むようにする。夜、就寝時にも同じようにして飲み、それを回復するまで続ける。

疝痛は熱性の悪い体液と冷性の悪い体液双方から生じるが、熱性の体液よりも冷性の体液から起こるケースが多い。シナモン、セージ、タンジー、ハチミツ、ワイン、白胡椒またはマネーワート、ナノハナ、ゴボウの熱が、アオウキクサ、キジムシロの冷と混ざると、今述べた要領に従って空腹時および就寝時に飲用することにより、疝痛の原因となる過剰な熱性の体液と冷性の体液を弱めることができる。空腹の時は体液が立ち上るのを妨げ、食後▼162は食べものの悪い体液を抑えるからである。

腸の虫

De lumbricis

有害な毒性をもつ体液を原因として体内に虫が湧いた場合、棘《とげ》のあるイラクサとマレインの液汁を同量と、その両者と同量のクルミの葉の液汁とを用意する。クルミの葉がなければ、クルミの木の皮の液汁を同量でもよい。少量の酢と大量のハチミツを加えて新しい鍋に入れ、これを煮る。泡を取り除き、沸騰したら火から下ろす。十五日間、これを空腹時に飲用するが、その強さに負けないように、注意しながら適量を飲むようにする。食後であれば、食べものがこの強さに対抗できるので、より多く飲んでもよい。棘のあるイラクサとマレインの熱は、クルミのもつ熱と冷の均衡によって調整される。これらのものが今述べた要領で飲みものに加わると、その力により体内の虫は死んでいく。酢とハチミツは、飲みやすくするための風味付けである。

162▼就寝時という意味と思われる。

210

シラミ

De pediculis

人の体内でシラミが害を及ぼし、体から出ていかない時には、ウナギの胆汁に、その三分の一量の非常に酸度の強い酢、両者と同量のハチミツを加え、これをフライパンに入れて加熱する。次にショウガとその倍量のロングペッパー、▼163 それと同量のバジルを粉末にする。さらにバジルの三分の一量の象牙、象牙の半量のハゲワシのクチバシを粉末にし、先に述べた粉末にこれを加える。次いで酢の混ぜものにこれを入れ、再び沸騰させる。その後、これを小さな袋に入れて漉し、その澄んだ液を新しい陶土製の器に注ぎ入れる。

体から離れないシラミにより体内に害を受けている人は、毎日、空腹時と就寝時にこれを飲む。シラミは次第に弱まって死に、患者の脂肪は再び豊かになる。ウナギの胆汁の熱と苦みには、シラミを弱らせる働きがある。象牙の熱と乾の性質は、シラミを干上がらせてくれる。ハゲワシのクチバシは冷性で、多くの死体で汚れ、自らの脳の汗で満たされているので、シラミを殺すことができる。

ハチミツの熱とロングペッパー——他の胡椒よりも辛い——の強力な熱により、またバジルの冷性によって調整されたこれらのものは、腐らないように火の熱を加え、陶土製の器に入れる。これは空腹時にも食後にも飲用できる。空腹時に摂ればすばやくシラミを殺し、食後に摂ればシラミの発生源となる食物の液汁を弱めるからである。

211

[虫に対して]

[Contra lumbricos]

棘のあるイラクサとマレインの液汁を同量と、その両者と同量のクルミの葉の液汁、クルミの葉がなければ、クルミの木の皮から採った同じぐらいの量の液汁を用意する。少量の酢と大量のハチミツを加え、新しい鍋で煮て、表面に浮く泡を取り除き、煮立ったら火から下ろす。胃の中に虫がいる人は、これを十五日間、空腹時に適量を飲むようにする。食後であれば、より多くの量を飲んでもさしつかえない。▼164

腎臓結石

De calculo

体内に結石のある人は、若い牡牛の取りたての胆汁と、その倍の牡牛の血を乾燥させたものを用意する。胆汁と同量のユキノシタ（saxifrica：saxifrage）▼165を粉末にする。これら全部を合わせて小さな布に入れ、それを度が強く良質で澄んだワインに入れたものを、空腹時と食後に、頻繁に飲むようにする。ただし食事中に摂ると、食べものに吸収されてしまうので、食事中には飲まない。胆汁の苦みが血の熱と合わさり、それがユキノシタの冷によって調整され、体内の結石を溶かしてくれる。

レプラ

De lepra

暴飲暴食が原因でレプラになった人は、ツバメの糞と、その四倍量の赤い花をつけたゴボウの葉を粉末にしたものを用意する。コウノトリの脂肪と、それより少し多めのハゲワシの脂肪を、先の粉末と少量の硫黄を加

163▼和名：長胡椒。
164▼英訳注：この処方は「209 腸の虫」（p.347）と同じである。
165▼ラテン語には「石を砕く」という意味がある。

えてフライパンで炒め、軟膏を作る。サウナ風呂に入ってこれを塗ってもらい、その後、ベッドで横になる。五、六日の間、あるいはそれ以上これを続ける。ツバメの糞の熱とゴボウの冷性が、コウノトリとハゲワシの脂肪および硫黄の熱と混ざると、レプラの腐敗物を運び去ることができる。ツバメの糞は腐敗物を緩め、ゴボウの葉の粉末は腐敗物を食いつぶし、コウノトリとハゲワシの脂肪は、硫黄の苦みとともに腐敗物を外へ排除する。神が治癒をお望みでないのでなければ、治る。

212 再びレプラについて Item de lepra

怒りからレプラに罹る人は、少量の馬の血が土に流れ出ている場所——清潔な動物▼[166]が屠《ほふ》られる場所で、馬の血管から血が抜かれている時に行き、その血およびその血の染みている土を取ってくる。これを大釜の湯に入れて沸かし、風呂の準備をする。湯量は血のもつ力を奪うほどにはせず、患者の喉までの深さとする。この風呂に入れるとよい。

顔にレプラが出た場合、この血と土を小さな袋に入れ、顔にあてるのもよい。風呂から出たらベッドに横になり、心臓が弱まらないように、血と土の入った袋を心臓の上にあてる。こうすると、心臓から有害な血を追い払うことができる。これを四、五回、あるいはそれ以上行う。毒をもって毒を制すように、土によってバランスのとれた血の熱は、レプラに対して有効である。こうしたことは人には見えづらいが、人の本性は動物の本性とは逆であり、人は動物の血を忌み嫌う。患者は治癒するか、あるいは、神が治癒をお望みにならないか、そのどちらかである。

不節制によるレプラ

De incontinentiae lepra

肉欲や不節制が原因でレプラに罹る人は、キンミズヒキとその三分の一量のヒソップ、両者を合わせたものの倍量のウスバサイシンを大釜に入れて温め、風呂を準備する。そこに入手できる限り大量の経血を混ぜ、この風呂に入れる。もし望むのであれば、ガチョウの脂肪、その倍のニワトリの脂肪、少量のニワトリの糞で軟膏を作り、風呂から出た後、この軟膏を塗って床に入るようにする。治るまでこれを頻繁に行う。キンミズヒキとウスバサイシンの熱が経血の熱と混ざると、レプラの腐敗物を取り去ってくれる。キンミズヒキ、ヒソップ、ウスバサイシンの働きで、腐敗物は汗とともに排出される。経血は女の種々雑多な体液が出たものであり、毒をもって毒を制すように、経血はこの病を圧倒し、怖気づかせる。ガチョウとニワトリの脂肪は穏やかな塗油であり、病を癒す。ニワトリの糞は、体内に残った汚物を引き出す働きをしてくれる。神が治癒することをお赦しにならない場合を除けば、回復してゆくであろう。

213

グッタ

De gutta

軟らかい肉をしていて過剰な飲酒がもとでグッタ、すなわちギヒトに苦しむ人は、パセリとその四倍量のヘンルーダを小さな鍋に入れ、オリーブ・オイルで炒めたものを用意する。オリーブ・オイルがなければヤギの脂で炒めてもよい。温まったそのハーブを患部にあて、布で覆う。パセリの液汁がもつ冷性は、グッタによっ

166▼『フィジカ』では、特にブタが不潔な動物として扱われている。

て起こる体液の氾濫を止める働きがある。ヘンルーダの鋭い液汁の熱は、体液の過度の拡散を抑制する。オリーブ・オイルあるいはヤギの脂は、体液の中に浸み込み、体液を分散させる。今述べたように、これらがみな混ざり合って効能を発揮する。[167]

瘰癧《るいれき》 De scrofulis

まだ破裂していない瘰癧のある人は、外側が白く、中が緑のバターバー[168]の、瘰癧と同じぐらいの大きさの部分を茎のあたりで切り取り、残りの部分は捨てる。切り取った部分にハチミツを塗り、腫れている箇所に三日三晩あてておく。これが乾燥したら、再度、先と同じ要領で用意したものに取り替える。こうすると瘰癧は小さくなり始める。四日目には小麦粉にハチミツを加えてこね、腫れと同じ大きさのパップ剤を作る。瘰癧のある患部にオダマキをあて、その上をこの練ったパップで覆うようにする。これを九日間行う。パップが乾いたら、採りたてのハチミツで練ったものに取り替え、瘰癧が消えるまでこれを続ける。

214

足の不自由 De claudicatione

どちらかの足が不自由になり始めたら、ハート形をした葉の中央のハート型の部分を取り除いたハナハッカを湯でよく煮たものを用いる。ハナハッカが煮えている間に、倍量のハウスリーク[169]と、棘のあるイラクサ四倍量を加え、混ぜながら煮る。煮立ったら水気を軽く絞り、温かいままのハーブを、不自由になり始めた足の関節と血管にあてる。ハーブが冷え始めたらまた温めてあてるということを繰り返し、これを頻繁に行う。

ハナハッカの中央部は乾燥しているので捨てるが、それ以外の部分の熱はハウスリークの弛緩作用によって調整されると、足を弱める原因となる悪い体液を駆逐することができる。棘のあるイラクサの熱は悪い体液を弱めるので、上に述べたように湯の甘さで調整されると、悪い体液は減衰してゆく。神が治癒をお望みにならない場合を除き、治癒するであろう。

突発熱

De febre acuta

ものをあまり食べずに酒を大量に飲んで突発熱に襲われた場合、ワインを飲むとますます体が燃え、かえって一層ワインを飲むようになるので、こうした場合は水を飲ませるようにする。冷たい水、あるいは湯冷ましの方が苦痛を和らげることができる。冷たい水や湯冷ましは体を冷やし、燃える熱を消してくれるからである。湯を飲むと、突発熱の熱はかえって強まってしまう。

再び突発熱について

Item de febre acuta

突発熱に罹《かか》った場合、次の療法を行えば、いくぶん和らぎ、苦痛は軽減し、やがて発汗するようになる。プラタナスの乾燥した木を少量と、その二倍量の、乾燥して緑色のなくなったヤナギの木を削りとり、冷水に浸

167▼英訳注：『フィジカ』では、「パセリは冷性よりも温性である」となっている。
168▼和名：西洋フキ。
169▼和名：ヤネバンダイソウ。

す。ヤナギの木と同量のキンミズヒキをこの水に加えたものを頻繁に飲めば、症状は改善されるであろう。プラタナスやヤナギの木の新鮮なものを使うと、その樹液は患者を治すよりもむしろ害を与えることになるので、乾燥したものを使う。プラタナスの樹液の穏やかさは、ヤナギの樹液の苦みを調整してくれる。

プラタナスとヤナギの木双方の冷性は、突発熱の過剰な熱に対抗する。キンミズヒキの穏やかな熱は、突発熱の熱が増大しないように抑制する働きがある。これらの木を冷水に入れて使うが、それは湯やワインを使うと、突発熱は凶暴なものに変わるからである。この治療法が行えるのは、発熱が起きたその日その瞬間から汗をかき始めるまでの間である。発熱が力を盛り返すまで、あるいは発熱が治まる間際までやり続けてはならない。すなわち、この治療法は発熱から五日目か六日目までのことであり、患者がすばやく発汗して回復に向かうか、さもなくばすぐさま命を失うか、そのどちらかである。こうした時、前に述べた下剤はあまり役に立たない。▼170 というのも、病人は急速に回復するか、さもなければ死に至るか、そのいずれかであるのだから。

215 毎日熱 De cotidiana

毎日熱を患っている人は、オレガノと樟脳《しょうのう》、その双方より多めのキジムシロを粉末にし、発熱が始まった時点で、この粉末をワインに入れたものを用いる。患者はこれを飲んでから寝るようにする。キジムシロの冷で調整されたオレガノと樟脳の熱は、発熱が始まった時にこれをワインに入れて飲むことにより、すばやく熱を鎮め、熱を追い払うことができる。

三日熱

Ad tertianam

発熱後二日経ってもまだ熱の治まらない人は、ノコギリソウとその倍のシダを、良質で甘いワインで煮たものを用意するが、ハーブを三日間入れたままにして、ワインをさらに柔らかくする。発熱が始まれば、これを布で漉して飲む。これを三日間続けるが、さらに必要な場合は、採れたての同じハーブを入れて更新する。ワインという、違う種類の熱で柔らかくなったノコギリソウとシダの熱は、これを飲みものとして摂取すると、発熱を緩和する働きがある。

216

再び三日熱について

Item ad tertianam

三日熱の人は、同じ重さのコストマリーとフキタンポポ、その両者を合わせたものの三倍量のラディッシュをワインで煮て、布で漉したものを用いる。クローブとその倍量のカヤツリグサ、その両者を合わせたものの三分の一量のショウガを粉末にし、それと布で漉した先のワインとで、澄んだ飲みものを作る。発熱が始まった時、およびその後の九日間、これを飲み続ければ、非常に効果がある。

コストマリー[171]の熱とフキタンポポの冷が、ラディッシュとカヤツリグサの熱、ショウガのすぐれた熱によって調整されたものを飲みものとして飲めば、この発熱は治まるであろう。

170▼「190 下剤の服用」（p.324）を参照。

171▼英訳では tansy（タンジー）となっているが、前のパラグラフとの整合性からコストマリーとした。ラテン語原文は *bun*。

四日熱

Ad quartanas

四日熱の人は、アカネと、同じ重さのイバラの葉、その両者を合わせたものの三倍量のトウダイグサをワインで煮たものを用意する。次に、非常に上質で澄んだワインを小さな皿に注ぎ、そこに熱い鋼鉄片を浸して沸騰させる。熱い鋼を浸すこの作業を十回ほど繰り返す。そしてハーブを入れて加熱した最初のワインを、熱い鋼を浸したワインに加え、一度だけ沸騰させる。四日熱が始まったらこれを飲み、よくなるまで続ける。

アカネの冷性とイバラやトウダイグサの熱がワインの異質な熱で調整され、鋼の力で強められると、この熱を和らげることができる。

217

虫に対して

Contra vermem

虫に体を食われている人は、粘土にその倍量のチョーク（*cridum*：chalk）[172]と酸度の高いワインを混ぜて薄いモルタル（cementum：mortar）[173]のようなものを作り、これを鳥の羽とともに患部にあてる。五日目まで[174]、毎日これを行う。その後、アロエとその三分の一量のミルラを潰し、新鮮な蝋を加えて軟膏を作る。これを麻の布に塗り、十二日間患部に貼っておく。粘土は熱性でチョークは冷性であるが、これらがワインの熱と鋭さによって調整されて虫を殺すのである。アロエの熱がミルラの熱によって強められると、傷から生まれる腐敗物を引き出し、患部を癒す働きをする。

[鋼] [De calibe]

鋼を強めるには、ライオンか牡ヤギの血に浸せばよい。ヤギの血に浸したダイヤモンドが鋼を切断できるように、ヤギの血に浸された鋼は、それが血に最初に触れたところで力を授かり、ダイヤモンドさえ切ることができる。

有毒な体液、あるいは過酷な労働によって牛が病気になった場合には、海岸から採取してきた貝殻を用意する。この貝殻を粉末にし、それより少なめのベトニーとともに水に入れたものを、飲用として牛に与える。この時、同時に、餌として干し草を与えるとよい。

牛が喉から咳をするような音を出し、鼻から鼻汁を流しているような場合は、乳香とそれより多めのミルラを用意する。これを燃えている石炭に載せ、その煙が牛の鼻に入るようにする。

牛は湿り気のある微かな風から病気になることが多いので、ディルとグラジオラスの根――グラジオラスよりディルを多目に――を混ぜたものを食べさせる。これで健康を保つことができ、病気に罹らずにすむであろう。

172▼ラテン語名 creta。灰白色の粘土質の石灰岩で、白墨の原料となる。
173▼パップ剤と同じ状態のもの。
174▼カイザー版では「四日目」となっているが、ムリニ版では「五日目」と訂正している。英訳第二版もそれに準じているので、本訳も同様とした。

羊 De ovibus

羊が病気になりそうな時は、フェンネルとディルを、フェンネルの方が多くなるようにして水に入れ、これらハーブの風味がついた水を用意する。これを羊に飲ませれば回復する。

218

馬 De equo

馬の鼻から鼻汁が流れ出て、それがもとで咳が出る場合、イラクサとそれより多めのラビッジを水で煮たものを用意する。馬具をつけた馬の口と鼻に、この温かい蒸気が入るようにすればよくなる。馬が胃痛になった場合、イラクサとそれより多めのラビッジを飼い葉に混ぜたものをいっしょに食べさせればよくなる。

ロバ De asino

ロバが頭部に苦痛を感じて咳をする場合、灰汁《あく》の原料となるブナの灰がまだ温かいうちに煙を作り、その煙がロバの口と鼻に入るようにすれば治る。胃が痛んでいる場合には、バターバーを削り、ほどほどに温かいフスマと水を混ぜて食べさせる。これを頻繁に行えば治る。

ブタ De porco

ブタが病気になった場合、カタツムリの殻を、それより多いディルとともに粉末にし、これを餌に入れて食べさせる。あるいはイラクサを水で煮、そのお湯ごと餌に混ぜて食べさせるようにする。これを頻繁に行えば治る。

牝《め》ヤギ

De capra

牝ヤギが病気になった場合、オークの葉をたっぷりと食べさせる。これを頻繁に行えば治る。

[再び馬と牛について]

[Item de equo et bove]

馬や牛、ロバの血管を切って瀉血する場合、その動物の相対的な大きさや力に応じて行うべきである。その動物が丈夫で太っている場合は、ビーカー一杯ほどの分量を瀉血してもよい。馬や牛、ロバが弱っていて痩せている場合、血を抜くのは大カップ半分ほどの量にとどめる。瀉血が終わったら、軟らかい餌や、乾いて甘い干し草を食べさせる。瀉血後、体力が回復するまでの期間――二週間か一週間、あるいは四日間――は休ませるようにする。というのも、これらの家畜はいつも働いているからである。瀉血から三か月が経過すれば、同じ家畜の血管から瀉血することができる。病気のために差し迫った必要がある場合を除いては、三か月が経過しないうちに瀉血を行ってはならない。家畜は人間ほどには悪い体液に満ちていないからである。▼175

175▼ 英訳注：「127 動物の瀉血」(p.235) と同一の記述である。

219

羊
De ove

羊の瀉血は頻繁に行ってもよいが、少量にしておく。

……四月の半ばに、ゼラニウムの根を一本とその葉、マロウの根を一本とその葉、オオバコの根を一本とその葉を用意する。……[176]

舌の痛み
De dolore linguae

舌に痛みがあり、腫れてただれている場合、できるだけ早く小型のランセットか針で一か所を切開し、リヴォルを抜く。そうすれば改善する。[177]

胸
De pectore

空咳《からぜき》が出る場合、セージとラビッジを同量、両者を合わせたものの倍量のフェンネルを良質のワインに漬け、ワインにハーブの香りが移るまで置いておく。次にワインに漬けたハーブ類を取り出したのち、ワインを温め、その温かいワインを食後、飲むようにする。症状が改善するまでこれを続ける。

健忘症の原因
Unde agezzele

ときおり悪い体液から蒸気が生じて脳まで上昇し、脳を汚染するようなことがある。これが原因で健忘状態――忘れっぽくなる人がいるが、このような場合、イラクサを潰して液汁にし、それにオリーブ・オイルを加えたものを用意する。これを就寝時、胸とこめかみに塗り込む。これを頻繁に行えば物忘れは減ってゆく。▼178

176▼英訳注：断章。「196 毒に対して」(p.330) と同一の記述である。
177▼英訳注：断章。「122 乱切法」(p.229) と同一の記述である。
178▼英訳注：「195 健忘症」(p.329) を参照。

BOOK V

生と死の兆候・月齢と気質

220

命の徴《しるし》 De vitae signis

身体的に健康な人が、どのような色であれ、純粋で澄んだ目をしている時は、命の徴をもっていることになる。それゆえ、ときおりガラスのような雲が現われ、白く輝く雲のように目が輝いているならば、その人は生き永らえ、すぐに死ぬことはない。

目 De oculis

このように澄んで輝いた目をもつ人の中では、魂の視力は力に満ちている。というのも、魂は体の中で力強くその座を占めており、体の中で多くの働きをしているからである。目は魂の窓である。

荒れ狂った目と死の兆候 De oculis turbidis et signo mortis

健康なのに目に輝きがなく、荒れ狂った目をしている人は、たとえどのような虹彩の色であれ、それは死の兆候を意味する。上の方が濃く、下の方にガラスのような雲が認められない荒れ狂った目の人は、すぐ病気に罹り、やがて死ぬであろう。こうした人の視線には魂の力強さがない。それは席を立って家を出ようとするのに決心がつかず、どっちつかずのままでいる人のようなもので、魂はここではほとんど働いておらず、覆い隠されたもののように蹲《うずくま》っている。

命の徴

De signis vitae

健康な人の頬は皮膚の下が赤いか、あるいはわずかに赤いものである。つやつやとして汚れないリンゴがそうであるように、皮膚の色は皮膚の下の色で識別される。頬の皮膚の下に赤い色が認められる場合、それは命の徴といえる。それはきらきらした雲の中から、時としてガラスのような雲が現れるのと同じである。このような人は生き永らえ、すぐに死ぬことはないであろう。頬の皮膚の下に現われる赤い色は、命の――すなわち魂の――火のような息の表われである。なぜなら魂は火だからである。頬に見える赤い色は、体の中で魂が安心しており、すぐに体から離れることはないということの徴である。

死の兆候

De signo mortis

頬の皮膚の表面に、赤い色か、あるいは赤に近い色が見えても、その赤みのため、その下にはっきりと皮膚を見分けることができない場合は、たとえその人が健康であったとしても、これは死の兆候を意味する。頬の皮膚の表面にくっきり浮き出てくる赤い色は、その下に皮が見えず、表面の赤い色しか見えないリンゴのようなものである。このような人はすぐさま病気に罹り、死んでしまうであろう。頬の上に浮き出た赤い色は、魂の命である火のような息なのである。その人の魂は、自分の力を体の外で露わにしているが、自分自身は体の内で弱まっており、決心がつかない状態であることを示している。それは家を出ようと思っている人が、ときおり玄関の方に行くようなものである。

再び死の兆候について

Item de signo mortis

これという病気もなく、健康で丈夫そうに見える人の、それまではいつも明瞭であった声が、ときおりしわがれてくるようになった場合、それは死の兆候を意味する。例えていえば、常に明瞭で澄んだ音を出していたトランペットが、どこか壊れて耳障りな音を出すようになったのと同じである。変わることのない明瞭な声は、魂が知識を求めて努力し、本来あるべきところに長く留まっている知恵ある人の証《あかし》なのである。

これという病気もないのに声がすっかりしわがれている場合、それは魂が体から出てゆく準備をしているということである。それとは逆に、普段しわがれていて不明瞭だった声が明瞭になり、それが続く場合、病気ではなくとも、それは死の予兆を意味している。いつも耳障りな音を出していた役立たずの角笛が、なんとか明瞭な音を出すように無理強いされた結果、一瞬はっきりした音を出したとしても、すぐ元に戻って音が出なくなるようなものである。

何の病気でもないのに声がしわがれている場合、それは魂が体の外で公然と働いているというよりは、体の内で秘かに働いていることを示している。それゆえ、その人は抜け目がない（astutus：astute）のである。しかし病気でもないのに、その声が安定した明瞭なものに変化した場合、それは魂が早く出て行こうとして自分自身を現わした徴である。以前は体の内で秘かに働いていた魂が、いまや、体の外に公然と姿を現わしたということである。

何らかの病気で床に就いている病人の目が、水槽のように輝いており、いくらか潤んではいるが目覚めたばかりの人のように顔が腫れている場合、その人は病気から回復できず、間違いなく死ぬであろう。不安定になった種々の体液が顔に現われ、それで顔が腫れるのである。魂は自分の火を目に現わすので、目は輝いて見え、また魂の火は体を離れるにあたって炎を生むので、目は潤んで見える。これは、魂が足早に体を離れようとしている徴である。

眠っている人のように、顔がわずかに腫れている人の場合、目が輝いているのに潤んでいないのであれば、その人は大きな苦難や危険の渦中にあるにしても、辛うじて死を免れる。悪い体液の作用によって顔は腫れているのだが、目が輝いているのは、魂の火が体の内にあることを意味する。目が潤んでいないということは、魂が体から出て行くために炎を生み出しているのではなく、炎を引き戻し、生きんがために炎を維持しているからである。

222

命の徴

De vitae signo

目は輝いているが[179]、少々荒れ狂っており、また非常に潤んでいる場合、この人はすぐに回復し、命を取り留めるであろう。こうした病人の目が輝いていないのは、魂が体から出ようとして目に火を送っているわけではないからである。過剰な血が生きんがために目に現れるので、目は荒れ狂って見える。その過剰な血は、生きんがために泡だつことによって自らを清め、リンパを放出するので、目は非常に潤んで見えるのである。

179 ▼フランス語版ではラテン語原文の誤記を想定してここに否定語を挿入し、「目は輝いていないが」としている。続く文との整合性でいえば、それが正しいのではないかと思われるが、本訳ではラテン語原文のままとした。

死の兆候

De mortis signo

体が健康なうちは常に知恵があり分別をわきまえていた人が、病気に罹ると心に怯えがあるかのように理性を失い、愚かしい状態に留まっている場合、その人はもはや生きず、死ぬであろう。魂のもつ理性の翼により、普段、その人は知恵と分別をわきまえていたのだが、病気によってすっかり愚かになったがために、魂は理性の翼を折りたたみ、出てゆく準備をしているのである。

命の徴

De vitae signo

魂のもつ理性の翼により、常に知恵があり分別をわきまえていた人が、病床にあって理性を失った場合、魂は命から手を引くかのように理性から手を引く。この病気の過程で突然以前の分別を取り戻し、それを維持できるような場合、それは魂が以前のように理性の翼を広げ、再び命の徴を表わしたということであり、その人は辛うじて死を免れる。

223

再び死の兆候について

Item de mortis signo

体が健康であった間中、愚かで無知であった人の中で、魂が理性の翼を存分に広げることはない。このような人が病気になり、床に伏せるようになっても、以前と同じような知性と理解力に留まっている場合、この人は死に、命を留めることはないであろう。というのも、彼の魂は体から立ち去るに際して、別の命（alia vita：

another life）の中でもつ、知力と道筋とを示しているからである。

体は健康であっても、魂が理性の翼を存分に広げることがないため、普段は愚かで無知であった人が、病気に罹ると知性的になった場合、その人の魂は、別の命のために、知力と道筋とを準備をしていることになる。もしこのような人が病気の状態から突然元の愚かな状態に戻り、その後もずっとそのままでいるような場合、この人は辛うじて死を免れるであろう。というのも、魂は体の中の以前の場所、すなわち、慣れ親しんだ状態に戻り、まだそこから離れようとしてないからである。

脈拍と命の徴

De pulsu et vitae signis

何らかの病気で病床にあっても、規則的に繰り返す呼吸のように、右腕の血管が規則的にバランスよく脈を打っている場合、その人は生き永らえ、死ぬことはないであろう。たとえ、体液の燃えるような熱による深刻な疾患であっても、魂が体から出てゆくつもりがない時には、規則的な呼吸を維持するものである。血管の脈拍が規則的でバランスがとれているのは、魂が血管を死に向けて突き動かしていないからである。

再び死の兆候について

Item de mortis signis

右腕の血管の脈が速く、脈動が止まない場合、その人の息はほとんど止まりかけているとみてよい。その人は死ぬ。というのも、魂は体から離脱するほかないので、血管を説得してそれを突き動かし、自分を血管から解き放とうとしており、こうしてその人の脈は、死に向かって突き進んでいるからである。

再び命の徴について

Item de vitae signis

同じように速く脈打っている血管が、一度か二度、正常な脈を打ち、その後また元の速さに戻るような場合、それは魂がこの脈の速度を通して、体を離れるのは難しいということを表わしているのであり、それゆえ、脈は速くなるのである。一度か二度、正常な脈を打つのは、その人の中で魂が今の命を思い出し、今の命に引き戻されていることを示す。それゆえその人は死なず、生き永らえる。

生死の兆候は特に右腕に認められるので、右腕の血管には細心の注意を払う必要がある。というのも、もっとも偉大な力は、常に働いている右腕にあるからである。左腕は働かないので、その兆候を示すにはやや鈍感である。

脈拍は右脚の湾曲部、すなわち膝の裏側だけでなく、右腕の湾曲部でも正しく触れることができる。魂の活力はそこで耐えているからである。魂はその力で手足の関節を強く支えているが、魂が体を出ようとする時、関節は弛緩する。この関節部の血管が脈打つのは、死に向かおうとする時の激しい混乱の表われである。もし魂に体を出るつもりがなければ、いかに重篤な状態であっても、関節部の血管は静かで規則的な脈を打っている。それは魂が立ち去る準備をしていないからである。

224

尿からの情報

De urinarum significationibus

ワイン、ビール、ハチミツ酒、あるいは水など、何を飲もうとも、飲みものから生まれる尿は、健康か不健康か、そのどちらかの質を表わす。どの尿がどの尿よりもよいということはない。飲みものには、どちらがより高価かということがあるが、尿はすべてが滓に過ぎないからである。

排尿障害

De dissuria

尿意を抑えられないのは、胃と膀胱に冷えがあるからである。何を飲んでも完全に温めることができず、生ぬるい水のように、熱を与えられないまま排泄される。それは、火にかけて温もり始めたばかりの湯が、沸騰する前に溢れ出るようなものである。あるいは、胃も膀胱も完全に温まることがなく冷えているために、尿を我慢しきれない子どものようなものである。

麻痺

De paralysi

病床にある人の体が冷えていて麻痺がある場合、その尿は若いワインの泡のように白く、運搬中のワインが振動で濁るように濁って見える。冷えと麻痺は体の中を常に動いているため、病気になると尿は濁り、ワインの泡のように白くなるのである。熱により、尿は赤またはその他の色に変わるが、冷えがあると尿は白くなり、また体液が壊れていて正しい経路を見出し得ないために濁ってくる。それは嵐の時、氾濫した水が濁るのと同じであろう。

死に瀕すると、濁った尿が底の方に沈むが、それは体内の体液が分離して死に備えるからである。リンパが血液から分離したがために、尿の上層は澄んだままである。リンパは上層にあり、血液は上の澄んだ部分と下の濁った部分の中間にある。この尿は凍りかけた冷水に似ているといえようか。あるいはその一片一片が見分けられる雪片のようにも見えるが、そこには粘液があるからである。この尿はできたての氷のように冷えており、降る雪のように溶けて干上がってゆく。というのも、この尿は体液により血液から分離しているからである。これらは死の兆候を表わす。それは、黒や灰色の巨大な雲が、嵐の前兆を表わすのと同じである。

尿の澄んだ部分と濁った部分が、先に述べたように――降りたての、まだ完全には凍っていない雪の、その一片一片が見分けられる雪片のようにではなく、リンパや血液、粘液が互いに混ざり合っていて区別がつかないような場合、その人は生き延び、回復するであろう。空に同じ大きさの雲が均一に現れた時には、大きな嵐が来ないのと同じである。リンパや血液、粘液は体内で一体となっているからであり、このような時、人は死なない。こうした尿の上層に少量の澄んだ部分が現れ、降る雪のような徴がない場合、この人は非常に苦しむにしても、辛うじて死を免れることができる。上層に少量の澄んだ部分があっても、下層に雪片のようなものが見えないということは、リンパが血液や粘液とまだ完全には分離していないということである。それゆえ、この人は生き延びるであろう。

強くて激しい発熱のある人の場合、血液の強烈な熱により、尿は濁った赤い色をしている。血液の赤みを発する熱のせいで体液は眠ったような状態になっており、その機能が停止しているからである。こうした体液の泡は下方に沈む。尿は赤い色と熱の中でかき立てられ、血のようになる。この激しい熱により、食欲も食べものへの興味も失ってゆく。体液が自分の機能を果たしていないからである。このような発熱状態にある人が食べものを欲して過食すると、体液が機能していない分、発熱はいっそう激しいものになる。患者が飲みものを欲したとしても、飲みすぎでなければ、さほどの害にはならない。水分を摂らないと干上がってしまうからである。病気になる前から熱体質であった人は、この病気の間にワインを飲むと害になるので、水を飲むようにする。病気になる前から冷え体質の人であれば、この病気の間にワインを飲んでも害にはならない。

死が近づいていると、溶ける時にひび割れる氷のような、さまざまな線が尿の中に浮き出てくる。このさまざまな線は、体液が作り出すものである。人が死ぬ時、体液は分離するからである。このさまざまな線という形を通して、体液は死出の道を準備している。尿の上層はやや澄んで見えるが、それは尿がリンパや血液と分離しているからである。尿の下層は濁って見えるが、それは体液が機能しておらず、死に向かっているからである。

尿の澄んだ部分と濁った部分の分離が目視では確認できず、両者が混ざりあっていて、はっきり区別のつかない場合、その人は生き延び、回復するであろう。空に均一に雲が見られる時には、危険な嵐は起きないのと同じである。それはリンパや血液、粘液が分離しておらず、命を維持する目的のために互いに連繫《れんけい》しているからである。

尿の中に変化はあったとしても、その変化が尿全体に及んでいない場合、それは、体液が少し分離し始めたということである。しかし体液はまだ十分に分離しきれたわけではない。もし尿の上層にいくらかでも澄んだ部分が認められる場合、それはリンパが体液から分離し始めたことを意味する。もしこの時、下方に境界を示すような線が見えない場合、互いの体液はまだ分離していないので、その人は生き延びる。体液同士はまだ分離していないので、そこにある種の濁りが生まれてくるのである。このような場合、病は重篤であっても、辛うじて死を免れることができるであろう。

有害な体液

De malis humoribus

胃や脇腹に痛みがないのに、その部位に悪い体液をもっている人がいる。このような人が死に瀕すると、体内は干上がってゆく。突発的な病気による突発的な麻痺――すなわち種々の複合的な疾患がその人を襲い、そのために体内が乾燥してくるのである。尿瓶《しびん》に採った尿が正常な色を示すのは、それ以前は健康だったからである。この尿を、冷めるまで尿瓶にとっておく。もし患者が死に向かっている場合、冷めた尿はやがて青白くなる。それは、体内の乾燥によって体が冷えているからである。尿の周辺部は澄んで見えるが、それはリンパが体液および血液と分離しているからである。尿の上層は、塵《ちり》が少し舞い上がったように見えるが、それはその人の体液が怯えており、死に備えて塵のようなものを放出しているからである。塵に触れると塵は舞い上がるが、それと同じである。これは死の兆候である。

もし尿が青白くならず、周辺部が澄むこともなく、また上層に舞う塵のようなものもなくて均質であるなら、その人は生き延び、回復する。それは、空に同じ大きさの雲が均一に現れる時には、大きな嵐が来ないのと同じである。リンパや体液、血液はまだ死に備えるために分離していないからである。

もし尿がやや赤く、周辺部は澄んでおり、表層の中央がラードの浮いた上質なワインのようになっている場合、その人は重篤ではあっても、辛うじて死を免れるということは疑いようがない。赤い尿は、その人の健康が終わるはずがないということを表している。この健康とは、その熱が病に浸透し、患者が温まり始めることを意味する。そのため尿は赤くなる。周辺部が澄んでいるのは、リンパが体液および血液と分離していることを示し、表層の中央がラードの浮いた上質なワインのように油っぽく見えるのは、過剰な脂肪によって起こる肝臓病であることを表わしている。つまり中央部の油っぽい状態は、肝臓病がその脂肪の泡を放出していることの証である。このような尿は、大病と危険な病態を示唆しているが、その赤さは、辛うじて生き延びることの徴である。

228

毎日熱

De cotidiana

毎日熱を患う人の尿が濁っていて、ワインのような色をしている場合、その人はすぐに回復するであろう。毎日熱は体液の過剰な興奮によって起こるものだが、熱によって体液が激しくかき立てられるため、尿は濁ってくるのである。消化にむらがあって、排泄物が硬すぎたり緩すぎたりする時にも、毎日熱は起こる。尿は変化したため、ワインに近い色を呈するのである。

尿が水のように澄んで透き通っている場合、その患者は死ぬであろう。血は冷えており、他の体液は凝固した牛乳のような状態でいっしょに流れている。患者には熱も血もないからである。患者の尿は澄んで透き通っているが、それは体液が機能していないために、尿が体液と混ざり合わないからである。

尿がかすかに青白く、濁っていてやや水っぽい場合、その人は重篤であっても辛うじて死を免れるであろう。体内に冷えがあるため、尿は青白く、やや水っぽく見える。また体液が嵐のように氾濫しているため、尿は濁って見えるのである。こうした次第で、このような人は長患いとはなっても死ぬことはないであろう。

再び三日熱について

Item de tertiana

三日熱に罹った人から採取した尿のサンプルは、血の色をしている。尿が、血の赤から変化せずに赤みを残している場合、たとえ尿が濁っているとしても死ぬことはないが、衰弱状態が長く続くことになる。体内の体液は燃えるような熱に変化しており、そのため尿は血のようになり、この熱の働きで赤い色が残っているのである。体液は非常に熱くなっており、正常で自然な消化活動ができていない。そのため尿の中にいくらかは消化不良の液汁が混ざるため、尿は濁って見えるのである。しかし体液はまだ互いに分離していないので、死ぬことはない。

尿瓶に採ったばかりの尿が赤く、それがやがて青白く変わり、その中に小さな血管のようなさまざまな糸状のもの――すなわち、赤い糸状のもの、水のような［色の薄い］糸状のもの、どんよりとした糸状のもの――が認められる場合、それは死の兆候であり、その患者は死ぬであろう。燃えるような熱の作用の表われである赤い尿が青白く変わるのは、体内の冷えのため、強く十分な熱の力を尿が保てないからである。さまざまな色をした糸状のものは、体内で体液が互いに分離している徴として現われる。色の違いは、体液の機能の違いと一致する。赤い糸状のものは、熱と血が冷えから分離しているからであり、水のような［色の薄い］糸状のものは、リンパと血が血と熱から分離しているから、またどんよりとした糸状のものは、黒色胆汁と他の体液が互いに分離しているからである。

異なる体液の働きにより、尿にさまざまな糸状のものが見られる場合であっても、赤い糸状のものがない場合は、血と熱がまだ混ざり合っていて分離していない、ということであり、それはまだ命があるということの証である。しかしその人は重篤であり、辛うじて死を免れている状態ではある。

229 再び四日熱について

Item de quartana

四日熱に罹《かか》った人の尿が濁っていて赤く、血管のようなさまざまな糸状のものがある場合、それは乾燥が原因で病んでいることを表わす。それでもその人は生き延びるであろう。尿が濁っているのは、消化物が尿と混ざり合っているからである。尿が赤いのは、血の中にまだ熱が残っていて、熱が血と分離していないからである。尿の中にさまざまな糸状のものが見て取れる場合、それは種々の体液がまだ互いにしっかり結合していることを表わす。このような人は、熱によって干上がりはするが、まだ体液が分離していないので、生き延びることができる。

尿に現われる死の兆候

De signo mortis in urina

尿が毒（venenum：poison）や凝固した牛乳のように白い場合、そしてその中心が紫と白のどんよりした雲のように見える場合、それは死の兆候であり、その人は死ぬであろう。この状態は、自然な熱がその人から離れてしまったために、尿が白く見えるということである。尿が適度な熱を保てず、体液中の有毒な物質が凝結したからである。尿の中心は、紫と白のどんよりした雲のように見える。それは、黒色胆汁が体液の中で力の中心を占めているからである。紫色は、破れた傷のように黒色胆汁が色を変化させたものである。白色は、黒色胆汁の毒が拡散しており、その毒が力を失いつつあることを意味する。どんよりとして見えるのは、黒色胆汁がかつて含んでいた生来の有害な蒸気を、その時、放出しているからである。

紫と白とどんよりした雲に似た尿であっても、その周辺部がわずかに澄んでおり、そのため完全には濁っていない場合、その人は重篤であっても、辛うじて死を免れる。このような場合、尿の赤い人よりも早く回復するであろう。紫色の尿は傷ついた黒色胆汁を表わし、白は黒色胆汁の減少を意味する。どんよりした尿は、黒色胆汁がその衰退とともに蒸気を放出していることを表わす。周辺部が澄んでいて、そのため中心部が完全には濁っていないのは、体液がまだ完全には分離しておらず、互いにしっかり結合していることを表わす。このような人は死を免れ、尿の赤い人よりも早く回復する。尿の赤い人は体内に大きな熱があり、すぐには熱から解放されないからである。

230
川の多様性
De fluminum diversitate

川の水が、空気の温度によって変化することは注目すべきである。強い風が吹くと、水は恐れを感じて嵐が起きる。太陽が熱く燃えている時、水は熱く泡だっている。穏やかで調和のとれた空気の中では、水は平穏で静かで美しい。人の尿もこれと同じである。強い風のように危険な病気に罹り、魂が体から解き放たれると、尿の中では大きな嵐が巻き起こる。体液の熱が燃える太陽のように強烈であると、尿は燃える熱と同じような様相を示す。もしその人が調和のとれた穏やかな状態であれば、尿も、正しい調和のとれた様相を示す。

231
尿の検査
De urinae inspectione

病人の健康状態を判定するには、患者の起きがけの尿を採取する。起きがけの尿は、患者の病状を正しく反映した色を示すからである。人は眠っている間は動かずに休んでいるので、汗と体液は体内の状態と一致している。眠れない患者の場合、検査用の尿は夜間、あるいは明け方近くに採取する。こうした時間帯の尿は、患者の体液と体液の状態を反映しやすいからである。

土の不動性と排泄物の違い
De terrae immobilitate et egestionis discretione

土と泥は不動であり、風によって動くことはない。しかし雨が降ると、あるいは降る前になると、土と泥は臭いを発する。人間の排泄物もこの土と同じように不動であるため、排泄物から生死を予見するための完璧な兆候を見出すのは困難である。しかし非常に稀で困難なことではあるが、排泄物の臭いから、人の生死の兆候をわずかながら識別できることがある。

排泄物がかなり臭うが、その程度が普段とあまり変わらない場合、それは死の兆候ではない。というのも、その臭いの中に温かい腐敗作用を見て取ることができるからである。排泄物はさほど臭わないが、その臭いが普段と違う場合、それは死の兆候を意味する。この場合、腐敗作用に熱が欠けており、体液がかき立てられた時に、腐敗作用が異質なものに変わったということを表している。

排泄物が黒くて乾いている場合、それは死の兆候を意味する。体液が死に備えようとする時、黒色胆汁は消化物をそのような乾いた黒色に変えるからである。しかし、その黒く乾いた排泄物が普段と同じような臭いであれば、その人は辛うじて死を免れることができるであろう。排泄物が黒く乾いているのは、黒色胆汁の働きが弱まっているからである。黒色胆汁により体内はいくぶん黒く乾いたものになっているが、その腐敗物の臭いが普段と変わらないということは、適正な熱（calorem : heat）[180]が働いているということを意味する。もし排泄物の臭いが普段と異なる場合、それは死の兆候を意味する。腐敗が完全ではなく、適切な熱の働きが失われているからである。

180▼ムリニ版ではcolorem（色）となっているが、文脈からカイザー版を採った。フランス語版も同様の判断をしている。

さまざまな水と入浴

De aquarum diversitate et balneorum

痩せて乾いた人で、肉が少ないため、すぐに熱くなったり冷えたりする人でなければ、頻繁に入浴するのは有益ではない。こうした人は体を少し温め、潤う程度に入浴するのがよい。肥満している人が冬に入浴するのもよくない。彼らは体内が温かく潤っているので、そこにさらに熱と水を加えると害になる。こうした人は体の汚れを洗い落とす程度に、たまに入浴し、すぐに湯から出るようにする。

飲用に適した水は入浴にも適しているが、長く入浴したい場合は適度に温めた方がよい。こうした湯が人に病気をもたらすことはなく、血色をよくしてくれる。飲用に適さない水は入浴にも適していない。どうしてもこの湯に入らねばならない時は、リヴォルが減るようにおもいきり沸かすようにする。それでもこの湯は健康に適しているわけではないので、入浴は短時間にした方がよい。

雨水というのは、さまざまなよい川や悪い川、あるいは大地の水分などから、雲と空気が雨として引き上げたものであるため、少し粗くて鋭いところがある。したがって雨水は健康には適していない。灰汁が灰を通ってできるように、雨水は空気を通って降りてくるので、粗く鋭くなるのである。風呂に入ろうと思ってこの雨水で風呂をたてた場合、雨水のもつ鋭さは人の皮膚を通り抜けるため、体には少々害となる。

雪から作った水にはいくらか濁りがあり、この水でたてた風呂に入ると、時として悪い体液と湿疹を引きつけるようなことがある。雪水は元素の屑と土の冷性、およびその汚れに由来するからである。水槽に貯めた水はいくらか浄化されており、雨水や雪水に比べれば入浴には適しているといえよう。

夏の時期、流れている川で水浴するのは害にならない。川は太陽の熱と空気によって調整されており、熱すぎもせず冷たすぎもせず、適度だからである。川の水には、有毒で有害な体液を抑制する力がさほどあるわけではないが、水浴によって悪い体液が増えるということもない。

233

罪の浄め

De purgatoriis poenis

人間のさまざまな所業によって燃え立つ、消えることのないある種の火が、空気中に存在する。人間にとってこの火は栄光を表わすはずのものであったが、人間の誤《あやま》てる所業により、刑罰の火となった。この火は、ある特定の地域で地上に降りたつ。この火は、源を発して流れる川が、その燃えるような温熱を引き入れる、まさにその地に集中している。神の裁きにより、ある人々の魂はこの火と水の中で糾明される。ときおりこの水が小川となり、さまざまな土地の人々へと流れ出ることがある。この流れは消えることのない火に由来しており、常に温かいものである。

聖書に書かれているように、神の復讐としてこの火が大量に降り注がれる場所が地上にはある——「神は逆らう者に災いの火を降らせ、熱風を送り、燃える硫黄をその杯に注がれる」(『詩篇』10/11-7)[181]。この火が触れた土や山や石は、最後の審判の日まで、火の中にあって常に燃え続けるであろう。そしてこのように燃えている場所に、時として小川が生じることがある。この小川は火によって常に温かく、その流れは熱をもっている。

時に人間は自らの技術をもって川をこうした場所に導いたことがあり、それで水はそこから熱を得たのかもしれない。川はこうした場所を流れて熱を受けるので、温かくなって流れてゆく。この水を浴びても害にはならず、むしろ健康に寄与する。水の熱が人の過剰な熱を抑え、悪い体液を打ち壊してくれるからである。

181▼日本聖書協会発行の新共同訳聖書では『詩篇』(11-6)に該当。

サウナ風呂

De asso balneo

痩せていて乾燥している人が、サウナ風呂——熱い石によって温められたサウナ風呂——に入るのはよくない。こうした人がサウナに入ると、さらに乾燥してしまうからである。よく太った人がサウナ風呂に入ると、過剰な体液を抑え、それを減衰させる効果があるので、有益であり有用である。ギヒトをもつ人（*uirgichdich*：paralytics）▼182に対して、熱い石で熱したサウナ風呂は有効である。体内でたえず生じている体液が、乾燥した風呂によっていくらかは抑えられるからである。もしお湯の風呂に入ると、体液が沸きあがり過剰に巡るようになる。それはギヒトをもつ人の肉や血、血管が、不安定な仕方で拡張するからである。

石には、火と種々雑多な体液（humores：humors）が含まれている。石を火にくべたとしても、その石に含まれる湿気は完全には取り除けないので、石造りのサウナは健康的ではない。瓦で造ったサウナの方がより健康的である。というのも、瓦は焼かれて乾燥しているからである。瓦の中にあった湿気は、火で加熱されることで破壊され、取り除かれているので、サウナに入りたいと思う人は瓦で造るのがよい。瓦が手に入らない場合は砂利を使う。砂利は他の石よりも穏やかな火と湿をもっているからである。ワッケ（*wackun*：wacke）▼183は使うべきではない。ワッケは強い火をもっており、水の中で種々雑多な体液を吸収してしまうからである。

234

［さまざまな目▼184］

［De oculorum diversitate］

灰色の目の人は、振る舞いに信頼性を欠く時もあれば、向こう見ずな時もあり、好色でのろま、不器用である。しかし、やることはなんでも誠実にやり遂げる。

………太陽の近くにある黒い雲のようで、火のような目をした人は、賢くて鋭い知性をもっている。しかし怒りっぽいところもある。

再び目について

Item de oculis

虹の現われるところの雲のような目をしている人には、やや不安定なところがある。悲しんだと思えば喜んだりするが、性格は誠実である。

再考

Item

はっきりとした火のようでもなければ、完全に乱れているわけでもなく、やや青みがかった灰色の、乱れた雲のような目をしている人は、振る舞いが不安定で軽率なところはあるが、利発で有能な行動をとることもあり、どのような未経験の仕事でもすぐに学びとって身につける。

182▼ラテン語名 paralyticus。「177 胃痛」(p.305) を参照。英訳では「麻痺のある人」または「中風」。
183▼ラテン語名 silices。「玄武土」。玄武岩がきめ細かな土になったもの。
184▼英訳注：以下の目に関する記述は、「92 目」~「93 黒い目」(p.187~189) に触れられた内容の繰り返しである。

235

再考

Item

雲にときおりみられるような、黒い、あるいは荒れ狂った目の人は、用心深く、善意の助言に耳を傾けもするが、自分の行いに苦しむこともある。

サクランボの過食

De cerasis et crapula ipsarum

サクランボを食べた場合、その液汁の働きを弱めるため、すぐにワインを飲んだ方がよい。こうすればサクランボの液汁に害されることはない。

胎《たい》の宿り▼185

Quaedam de conceptu

月が大量の水を雨として降らせる時期に、胎に宿った人がいる。水は彼らを喜々として自分に引き寄せ、溺れさせることがある。月が夏の厳しい暑さの中にある時期に、胎に宿った人がいる。火は彼らを喜々として自分に引き寄せ、焼き尽くすことがある。噛みつくような［じりじりするような］土用の時期に胎に宿った人は、自ら進んで野獣に喰われる。そして秋に胎に宿った人は、自ら進んで樹木や高い場所から身を投げることがある。

新月後の第一日

Luna prima

新月の後の第一日目、月が太陽の輝きを受ける時に胎に宿った男は、誇り高く、強健に育つであろう。しかし自分を恐れ敬う者以外、誰も愛することがない。男は、他人や他人の自尊心（superbiam : self-esteem）[186]、あるいは彼らのもつすべてを平然と裏切る。身体的には健康であり大病を患うことはないが、さほど長生きはしないであろう。

この日、胎に宿った女は、常に人にもてはやされることを求める。いかなる時でも、家族より家族以外の者に愛される傾向がある。家庭に対しては従順でなく、よそ者や新参者に対して興味を示すのが常である。家族の中にあっては災いの元であり、家族をないがしろにする。身体的には健康であるが、病を得ると重病に陥り、死に瀕することもある。こういう女は長生きしない。

第二日

Luna secunda

新月の後、二日目に胎に宿った男は、知恵の点では深いが、その精神は彷徨《さまよ》っている。安定した生活習慣をもち、人々には敬愛される。しかし怯えやすい傾向にあり、軽いものではあっても、しばしば病気に罹る。新

185▼英訳第二版ではムリニ版に従い、この項目以降の記述をBOOK VIとして独立させているが、本訳ではカイザー版に従い、第一版のままBOOK Vとした。

186▼ムリニ版ではsubstantiam（財産）となっており、英訳第二版でもsubstanceの語をあてているが、本訳では文脈から第一版のままとした。以下英訳第二版での同様の修正はムリニ版に拠っている。

月後一日目に胎に宿った男よりは長生きできる。

女の場合は用心深く、万事仔細に調べる性格である。自分と他人にかかずらって、常に多忙である。人から愛されたいと思いながらも、それが叶うことはない。メランコリアに悩まされ、悲しみにくれやすい性質であるが、長生きはできる。

第三日[236] Luna tertia

三日目に胎に宿った男は、正直な性格であるが、その正直さが自分を利することはない。というのも、この男には奇妙な習癖があり、自分自身より他人事にこだわるからである。彼は身近な人よりも見知らぬ人に心を燃やし、務めなくして神を愛し、また簡単に自尊心▼187を捨てるところがある。すぐ病気に罹るが、長生きはできる。

三日目に胎に宿った女は、不幸な運命を背負っており、世俗的な不幸に突き進む傾向があるにしても、神を切望してやまない。その血管はしばしば病気に苦しむが、耐えられる限度内であり、長生きできる。

第四日 Luna quarta

四日目に胎に宿った男は愚か者で、人に騙されやすい性格である。しかし親切な人柄であり、幸福で自尊心▼188に満ち、人に尊敬されもする。体は健康で、短命ではないが、かといって長命でもないであろう。

女は称賛に値する人柄で、人々にとっては愛すべき存在で、人の中にあってうまくやっていくことができる。

しかし病気に罹りやすく、しばしば体の不調を訴える。長生きはしないであろう。

第五日 Luna quinta

五日目に胎に宿った男は、正直者で信頼でき、勇敢で強健、体は健康で、かなり長生きするであろう。

女は男っぽい気性で、争いごとを好み、敵愾心《てきがいしん》が強いところがあるが、正直者である。ときおり軽い病に悩まされることがあるが、そう頻繁ではない。かなり長生きできる。

第六日 Luna sexta

六日目に胎に宿った男は、親切で魅力的ではあるが、男らしい気質がなく、女性的な優しさをもっている。病気に罹りやすく、長生きはしないであろう。

女は、正直で誠実、人々にとっては愛すべき存在である。体は健康であるが、長生きはしないであろう。

第七日 Luna septima

七日目に胎に宿った男は、愚か者で、まったく知恵というものがない。いささかも賢いところがないのに、

187▼英訳第二版では「財産」。

188▼英訳第二版では「財産」。

自分では賢いと思い込んでおり、人に愛されることもない。血管は丈夫で、体も虚弱な方ではない。病気に罹っても、我慢強いところを見せるが、悲しみにくれやすい。相当に長生きするであろう。

七日目に胎に宿った女は、大胆な性格ではあっても愚か者で、まったく知恵というものがない。怒りっぽく、他人にとっては疎ましい存在である。体は健康で、長生きするであろう。

第八日 Luna octava

237

八日目に胎に宿った男は、用心深く、汚れがなく、やることなすことすべてにおいて穏やかで、人に助力を惜しまない。体は健康で、ときおり病気に罹ることはあっても、すぐに回復する。それなりの年齢まで生きるが、たいへんな長寿というわけではない。

女は陽気で魅力的であり、珍奇な衣服［生活習慣］[189]を好み、正直者である。こういう女は夫を選ばない。[190]体は健康で、それなりの年齢まで生きるが、たいへんに長寿というわけではない。

第九日 Luna nona

九日目に胎に宿った男は恐れを抱きやすく、身持ちが悪く、体も弱い方である。長生きはしないであろう。

女は羞恥心に富み、学のある男を愛す。体が弱く、長生きはしないであろう。

第十日

Luna decima

十日目に胎に宿った男は誠実かつ正直で、有能である。身体的にも恵まれていて健康であり、長生きするであろう。

女は正直者で、人々にとって愛すべき存在である。ユリの花のように魅力的で、正直であり、幸福な生涯を送る。病気に罹りやすいが、すぐに回復し、長生きするであろう。

第十一日

Luna undercima

十一日目に胎に宿った男は怒りっぽく、幸福にはなれない。女を愛することがなく、体も不健康で、長生きはしないであろう。

女は怒りっぽく、おせっかいで口うるさいが、正直者である。大病に罹りやすい傾向にあるが、すぐに治る。長生きはしない。

189▼ラテン語版注：*zirgerne* = cultus curiosa。英訳注では「*zirgerne* はおそらく zierde「装飾品、誇り、誉れ」+ gern(e)「喜ぶ」であろう」となっており、oranament「装飾品」の語をあてているが、ここはカイザー版注を尊重した。

190▼英訳第二版では「男を愛せない」。

第十二日

Luna duodecima

十二日目に胎に宿った男は不注意な性格で、四方八方に分裂した精神のもち主である。見知らぬ場所やものに惹かれるが、すべての態度が人をいらつかせる。悲しみにくれやすく、長生きはしないであろう。

女は振る舞いが不安定で愚かしく、人に教えを乞うて賢くなろうという気がない。多病ではないが、長生きはしないであろう。

第十三日

Luna tertia decima

十三日目に胎に宿った男は気難しく、臆病で、不誠実である。彼は故意に人を裏切り、また精神に異常をきたしやすいが、長生きであろう。

女の場合、愛想はよくないが抜け目がなく、人をペテンにかけて唆《そそのか》すようなところがある。麻痺に罹りやすい傾向にあるが、長生きするであろう。

238

第十四日

Luna quarta decima

十四日目に胎に宿った男には活気があり、誇り高く、生活は勤勉で、自尊心を保ち、死ぬまで働き続ける。子だくさんではない。病気に罹りやすいが、すぐに回復する。しかし長生きはしないであろう。

女は慎み深く、誰に対しても自尊心のそぶりも見せないが、たとえ薄弱とはいえ、自尊心はもっている。彼女は多忙な人である。人に愛されることがなく、体は健康でも長生きすることはないであろう。

第十五日

Luna quinta decima

十五日目に胎に宿った男には自尊心があり、幸福である。引き受けたあらゆる仕事に対して誠実であり、仕事の良し悪しは別として失敗することはない。なぜなら男は満月の時、胎に宿ったからである。体は健康だが、長生きはしないであろう。

女は賞賛に値する存在で、特別な供犠《きょうぎ》（novis operibus：new works）をしている時は幸福感に包まれている。もし神への敬愛を欠くようなことがあれば、こうした女は神に対する勤めの中で、苦もなく死ぬであろう。病気に罹りやすいが、すぐに回復する。しかし長生きはしないであろう。

第十六日

Luna sexta decima

十六日目に胎に宿った男は、誰にとっても喜ばしくない、下劣で淫らな習癖をもっている。仕事では失敗するであろうが、それでも強い自尊心[191]をもっており、窮乏することなく生活することができるであろう。簡単に病気に罹るようなこともなく、高齢まで生きるであろう。

女の場合は、愚かでうんざりするような習癖をもっているが、それでも自尊心[192]をもって生き続けるであろう。

191▼英訳第二版では「財産」。
192▼英訳第二版では「財産」。

体は健康で、長生きするであろう。

第十七日 Luna septima decima

十七日目に胎に宿った男は愚かで、知恵がない。しかしある意味では役に立つ男で、子どもが人を面白がらせるように人を面白がらせ、人に愛される。髄の病気に罹りやすく、長生きはしないであろうが、それなりの年までは生きるであろう。

女の場合は、愚かで喧嘩好き、怒りっぽい性格である。しかし人に愛されたいという思いから、時には親切に振る舞うこともある。しばしば狂気のギヒトに見舞われる。それなりの年まで生きるであろうが、さほど長生きではない。

239

第十八日 Luna octava decima

十八日目に胎に宿った男は、盗人になるであろう。彼にはものを盗みたいという欲望があり、男は盗人として知られるようになる。男は土地を所有する権利を奪われているので、畑であれブドウ園であれ、あるいはどのような土地であれ、土地から自分のものを何一つ得ることができず、他人から、自分のものでないものを手に入れようとする。体は健康であり、生まれつきの寿命で見る限り、長生きするであろう。

女の場合は、抜け目のないキツネのような習癖をもっている。自分の心中を吐露することがほとんどなく、不品行なやり方で言葉をもって人を騙し、場合によっては正直な人を死に至らしめることすらある。体は健康だが、時に狂気に見舞われることもある。長生きできるが、神にとっては先に触れた男の習癖だけでなく、この女の習癖も悲嘆の種となる。

第十九日 Luna nona decima

十九日目に胎に宿った男は、単純な性格で賢明ではない。愛想はいいが、人の助けがない限り、ものごとへの矜持《きょうじ》には欠ける。[193] 体は健康だが、長生きはしないであろう。

女の場合、愛想はいいにしても愚かなところがあり、人の支えがない限り、すぐに自尊心を失う。[194] 病気に罹りやすいが、罹ってもすぐに治る。しかし長生きはしないであろう。

第二十日 Vicesima

二十日目に胎に宿った男は男性的である。邪悪で、強盗や殺人者になり、またそうしたことに喜びを感じる。簡単には病気に罹らないが、罹ると重篤となり、長生きしないであろう。

女は反逆者や破壊者となり、故意に人に毒を盛るような者となるであろう。精神異常をきたしやすいが、長生きはするであろう。

193▼ 英訳第二版では「物質的な富」。
194▼ 英訳第二版では「物質的な富には欠けやすい」。

第二十一日

Vicesima prima

二十一日目に胎に宿った男は、知性と良識に欠けた者となるであろう。悲しみに暮れ、いかなる状況にあっても自活する術を知らず、路上をさまよう愚か者のようである。体内は乾燥しており、悲しみに満ち、慰められることがない。普通の病気には罹らないが、ときおり精神的な悲しみから病気になることがある。しかし長生きはする。

女は他人に愛されるタイプであるが、臆病でくよくよする性格で、自分の間違いを正すことを知らない。子どもに脅されただけでも恐怖で死にそうになる。肉体的な病気にはさほど罹ることはないが、心の悲しみにから衰弱することがときおりある。こういう女は長生きする。

240

第二十二日

Vicesima secunda

二十二日目に胎に宿った男は、心に二面性をもっている。戦場にあって勇敢に戦うのではなく、順調で好都合な成果が見込まれるものにつき従うような人物である。彼は対人関係でもこのように振る舞い、その考えは風のように変わってゆく。多少は正直であるが、人付き合いはさほどよくない。体は健康であり、長生きするであろう。

女は振る舞いが馬鹿げていて空疎である。こうした個性で男を引きつけはするが、売淫して男を引きつけるわけではない。故意に嘘をつき、精神異常や肉を虫に食われるような重篤な病気に罹りやすい。それでも長生きするであろう。

第二十三日

Vicesima tertia

二十三日目に胎に宿った男は親切で、優しい心をもっている。しかし人の親切な忠告を意識的に遠ざけるところがあり、悪に直面した時、他人の狡猾さをどうやって避ければいいのかを知らない。幸福とは無縁ではないが、幸福であり続けることもまずない。すぐに病気に罹るが、じき回復し、長生きするであろう。

女は遠慮がちで羞恥心に富み、誰に対しても愛想がよい。自尊心に関していえば、十分に慎重なわけでも狡猾なわけでもない。[195] この女は多少ではあっても幸せであり、あまり病気もせず、長生きするであろう。

第二十四日

Vicesima quarta

二十四日目に胎に宿った男は、人を誹謗中傷することが多く、狡猾な性格である。男は常に自力で金もちになろうとするが、ケチな性格で、人助けをすることはまずない。身体の病気を患うことはさほどなく、十分長生きであろう。

女は、用心深く分別があり、誠実そうに見えるが、人助けをすることはない。体はあまり弱い方ではないが、時々ドラグンクラ[196]に罹ることがある。しかし十分長生きするであろう。

195▼ 英訳第二版では「財産については賢明でもなければ利口でもない」。

196▼「161 レプラの兆候」(p.283) を参照。

241

第二十五日 Vicesima quinta

二十五日目に胎に宿った男は、高慢で激しい（*stolz et freuel* : proud and bold）[197]性格である。風が埃《ほこり》を追い散らすように、この男の高慢さと激しさが用心深さを追い払わない限り、用心深いままである。男は滅多に航海に出ない船のように、自分のもてる以上のものをもちたがる。自尊心[198]については、たいていの場合、欠けている。他人にとっては煩わしい存在で、やっかいな病気に罹りやすく、長生きはしないであろう。

女は見た目に美しく、正直者のように振る舞っているが、実は正直者ではない。誠実さを探そうとしてもそのカケラもなく、人に嫌われるだけでなく、自尊心[199]に欠けるであろう。あまり病気には罹らないが、長生きはしないであろう。

第二十六日 Vicesima sexta

二十六日目に胎に宿った男は、用心深い性格である。いかなる行為であっても、そのあとには注意深く内省する。熱に悩まされやすいが長生きできる。

二十六日目に胎に宿った女は、用心深く心配性であるが、落ち着いており、貞淑な人柄である。粘液に悩まされやすいが長生きする。

第二十七日 Vicesima septima

二十七日目に胎に宿った男は臆病である。悲しみや恐れを抱いて消耗しやすいタイプだが、正直者で有能である。人には愛されるが、メランコリアのような大きな苦悩をかかえこむ。それでも十分に長生きするであろう。

女には徳があり、それゆえ人に愛される。体は虚弱であろうが、十分に長生きするであろう。

第二十八日 Vicesima octava

二十八日目に胎に宿った男は、ねじまがった精神をもち、態度や振る舞いからは愚者のように見える。しかしこの男は十分な良識と知的能力とをもっている。人に愛されることはなく、狂気に陥りやすいが、十分長生きするであろう。

二十八日目に胎に宿った女は、愚かでくだらない性格であり、人をいらつかせるような習癖をもっている。人に愛されることもなく、また発熱しやすいが、十分高齢まで生きるであろう。

第二十九日 Vicesima nona

二十九日目に胎に宿った男は、珍奇な性格で、屈折した態度や振る舞いに出る。服装にしろ地方の風俗にし

197▼ラテン語版注に *stolz et freuel* = superibia et animosus とあり、それに従った。
198▼英訳第二版では「財産」。
199▼英訳第二版では「財産」。

ろ、新しいもの好きである。男は新奇で不安定な人を好み、体内に有毒な体液をもちやすい。たびたび病気に罹り、長生きはしないであろう。

女は愛想がよく、虚栄心が強く、その振る舞いや身のこなしをもって、多くの男を惹きつける。胃痛を患いやすく、長生きはしないであろう。

242

第三十日

Luna tricesima

三十日目に胎に宿った男は貧しく、たとえ高貴な生まれであれ、必ず低い地位に転落し、幸福にはなれない。体は筋肉と力に不足しがちであるが、十分に長生きするであろう。

女は貧しく、よく人の悪口をいう。知っている人よりも知らない人に対して快活になる性格である。あまり病気にはならず、十分に長生きするであろう。

[元素▼200]

[De elementis]

[薬用に適した各地の植物]

[Quarum plagarum herbae quibus curis conveniant]

東に生育する植物は、健康な人や突然病気に罹った人に有効である。西に生育する植物は、メランコリアの人や脇腹痛の人に有効である。南に生育する植物は、麻痺や毎日熱、三日熱、四日熱、胃痛の人に有効である。

北に生育する植物は、精神障害や肝臓病の人に有効である。

さまざまな妊娠

De conceptionis diversitate

黒い血から生まれた子はすぐ歩けるようになり、またすぐに言葉をしゃべるようになるが、愚かで気難しい振る舞いをする。病気に罹ると、黒い血はリヴォルと病気に満ちているため、長い間、衰弱する。赤い血から生まれた子は、すぐ歩けるようになり、黒い血から生まれた子よりも、さらに早くしゃべれるようになる。走るのが速く、行動は唐突であるが、それをやめるのも同じように早い。病気で長く衰弱することはなく、すぐに回復する。用心深い性格になるであろう。

赤くて健康な血

Rubeus sanguis sanus

濃くて正しい色をした血から生まれた子はふくよかで、体が大きくても、歩けるようになればすぐ歩くようになる。体は健康で、手と膝を使って速く這うことができる。病気で長く衰弱することはなく、用心深く有能な性格になるであろう。このように、この血から生まれた子は健康である。薄くて水っぽい血から生まれた子は、知恵に欠け、働くことができず、病気に罹りやすい。この子はすぐに怒るということもない。薄くて水っ

200▼英訳第二版ではここに「元素」というタイトル項目が挿入されているが、その記述は「18 元素」(p.82)、「19 月の影響」(p.82)の両項目と重複するものであり、またカイザー版にこの項目はないので、本訳では第一版に従い省略した。

ぽい血はリヴォルに満ちているため、一人で歩いたり話したりできるようになるには、長い時間が必要となる。

243

下剤の使用後や瀉血の後になぜ人は眠るのか

Quare homines dormitant post potionem et minutionem

下剤を使ったあとや瀉血後に眠ってしまうことがよくあるが、それは血管が空になったからである。血管は体液と血液がないことを感じ取ると休みたくなり、それで突然睡魔が襲ってくるのである。

鼻炎に対して

Contra coryzam

鼻孔から鼻汁が流れ出す時には、モミの木の煙を鼻腔に入れるとよい。鼻汁は穏やかに緩んでとまるであろう。モミの木から作った灰でも、その灰汁《あく》でもよいが、これで頭を洗うと、頭の悪い体液は減り、目がすっきりするであろう。

発熱の原因

De febrium causis

発熱の原因は、眠りすぎや食べすぎ、飲みすぎ、あるいは働かないがゆえの退屈や不活発にある。

聖ヒルデガルトの預言はここに終わる。
これでこの本は終わる。
書き手への責めのないことを。
すべてのものにアーメンといわしめよ。

あとがき

山折哲雄は、その著『デクノボーになりたい』の中で、宮沢賢治を理解するキーワードとして、「風」を見ている。

「また風の中に立てば、きっとおまへをおもひだす」（宮沢賢治「風林」）

賢治にとって風は、夭折した妹とし子を思い出す上での重要なファクターなのだ。風は、生者と死者もろともに吹き抜ける。そしてこの地上に吹く風は、突如として天上をも吹き渡る。

「れいろうの天の海には　聖玻璃《せいはり》の風が行き交い、ZYPRESSEN　春のいちれつ」（「春と修羅」）

賢治はまた、北上川の橋上を吹き抜ける劫初《ごうしょ》の――宇宙創成の初めに吹いた風を目撃するが、この同じ風が賢治の体を吹き抜ければ、それはエロスの炎ともなる。

「黒いそらから風が通れば　やなぎもゆれて　風のあとから過ぎる情炎」（「浮世絵展覧会印象」）

本書『病因と治療』にも、その冒頭から種々の風が登場するが、それはなかなか理解しがたいものである。

「万物は風によって成り立ち、風によって本来あるべき場に保たれている。もし風がなければ地上の万物は分裂し、崩れ去ってしまうであろう。もし人に魂がなければ、人の体は四散し果ててしまうように」

風は神の隠された場所からやって来るので、魂が目に見えないように、風も目に見えない。こうして風と魂のアナロジーは繰り返されるが、この風は、わたしたちが肌に感じる、あの風ではない。

「礎石がなければ家が建たないように、天空も大地も深淵も、あるいはすべての構成要素とともにあるこの世界全体も、風なしには在りえないのである」

この風とは、いったいなんだろう。ここに風と呼ばれるものは、宇宙の崩壊を支える計算式——アインシュタインが宇宙の膨張四散を抑えて定常的に安定した宇宙を夢想して算出した宇宙定数にでもあたると、九百年前のヒルデガルトは述べているのだろうか。

「天空の東西南北には基幹風と呼ばれる風が存在する。だが、基幹風がその力を全開にすることは、世の初めからなかった。それは終末の日まで発揮されることはないであろう。しかし時その日に至れば基幹風はその力を顕にし、爆風を存分に吹き放ったのち、基幹風相互のエネルギーに満ちた激突によって、雲は引き裂かれるであろう。そして天空の上部は、ともに折りたたまれるようにして崩れ落ちるであろう」

賢治は北上川の橋の上で「劫初の風」と歌ったが、これはヒルデガルトの目撃した「劫末《ごうまつ》の風」——世の終わりに吹く風なのだ。

風という語は本書に二五八回出てくる。その姿は、賢治の風と同じく変幻自在である。あるときは天上に吹き、あるときは男の髄を吹き渡り、その風は男の腰に落ちて、血の中に快感の嵐を巻き起こす。女の髄に吹く歓びの風は子宮に入り、その臍と結びつき、女の血を肉欲へと駆り立てる。

一方で、穏やかな眠りに導くのも、また風である。

「風は神の霊のシンボルであった」と、文明史家・伊東俊太郎は言う。月が神の光を反映する教会のシンボルであったように、風は神の霊のシンボルであったと。(『十二世紀ルネサンス』)

だがヒルデガルトのいう風は、単なるシンボルとして語られているのではなく、神の霊そのものと自然学的な風との、不可分一体のものを指しているのだろう。ラテン語 spiritus は、風であり、神の息であり、霊である。ヒルデガルトにあって、風がそうであるように、物質と霊とは、自然学と神学とは、不可分に一つのものであり、その統合した目で世界と向き合い、世界の意味を聞き取っていたということであろう。

宮沢賢治の、世界と向き合う目が、人間と他の動物との区別なく、生者と死者の境目もなく、宇宙大の極大をスパンするカメラワークが、突然、微細な光の粒子の内部を映し出すように、ヒルデガルトの幻視もまた、宇宙をその極点から遠望するかと思えば、十ミリにも足りない胎児の体内に潜り込むようにして、血脈や髄や関節の形成されるさまを接写する。深いキリスト教信仰をベースに、視幻——預言という稀有の体験から導き出されたヒルデガルトの言葉を、わたしたち日本人が理解することは決して容易ではないが、あるとき、ふとわたしは、宮沢賢治が『注文の多い料理店』の序文に記した次の言葉に触れて、少し気持ちを楽にしたのだった。

「ですから、これらのなかには、あなたのためになるものもあるでしょうし、ただそれっきりのところもあるでしょうが、わたしにはそのみわけがよくつきません。なんのことだか、わけのわからないところもあるでしょうが、そんなところは、わたしにもまた、わけがわからないのです。けれども、わたくしは、これらのちいさなものがたりの幾きれかが、おしまい、あなたのすきとおったほんとうのたべものになることを、どんなにねがうかわかりません」（『注文の多い料理店』）

＊

ヒルデガルトは自分の口述筆記者である修道士に対し、文法的な誤り以外、文章の修正をしないようにと要請している。それは神に託された言葉、すなわち「すきとおったほんとうのたべもの」であることを、ヒルデガルト自身がよく知っていたからである。だから本書の翻訳には、初めからある種の畏れがあった。神の言葉を解釈してはいけないと、聖書でも繰り返し警告している。この同種の畏れは、おそらく英訳者プリシラ・トゥループにもあったのだろう。その訳はきわめて控えめで、ラテン語原文をそのまま忠実に移しかえようとするかのように、シンプルである。

わたくしがプリシラ・トゥループの英訳本（第一版　二〇〇六年）を入手したのは二〇〇八年のことで、ある仕事の打ち上げの席、テーブルの端に置いたこの本を、長年英語教育に携わってきた関口耕司さんが手に取り、パラパラとめくったその瞬間が運命の定まりどころであった。以来、日曜日を除く毎日一ページの割合で、関口さんとわたくしとのキャッチボールはきっちりと続き、一年後にようやく最初の訳が出来上がった。だがBOOK Ⅲ以降の治療法に当たるところは別として、BOOK Ⅰ、BOOK Ⅱの神学的ヴィジョンの記述箇所などは、この冒頭に触れた「風」の意味一つとっても、それを理解するのは容易ではなく、それからさらに五年、わたくし一人の長い思案の時間があって、六年目にしてようやくここに至ったということである。

＊

その途中の二〇〇八年に、プリシラ・トゥループによる英訳第二版が出版されたが、その序文には、第一版序文に付加して次のように記されている。
「第二版ではローランス・ムリニ版（Laurence Moulinier ; Berlin, Academie Verlag, 2003）を参照の上、いくつかの点で第一版に修正を加えた。ムリニはカイザー版では知られていない短い抜粋（Berlin, Staatsbibliothek Preuβ ischer Kulturbesitz, Lat. Qu. 674）に接することができたのである。各節の表題は、写本およびカイザー版に表記されたものに従ったが、第二版ではムリニの編集に従い、二つまたは三つのパラグラフを適宜ひとつにまとめた箇所もある」

　第二版の発行を受け、本訳ではすでに先行して進めていた第一版と第二版とを照合し、第二版にあるごく限られた修正箇所については、その都度、第一版と比較検討して、適宜選択・判断するようにした。また第二版では、パラグラフをムリニ版に合わせて統合しているものもあるが、文章が長くなりすぎて、読者にはかえって読みづらいものになっていること、また、パラグラフの統合自体が必ずしも的確でないものがあるという理由に加えて、プリシラ・トゥループがムリニ版を採用したのはムリニ版発行の五年後に過ぎず、ムリニ版の文献学的な検証の度合いについては、一九〇三年発行のカイザー版に比してなお慎重であるべきではないか、さらにハインリッヒ・シッペルゲス等のヒルデガルト研究家の引用には、依然としてカイザー版が多いという理由から、文献的な用に供するためにも、パラグラフと項目タイトルについて、本訳ではカイザー版を底本とした第一版のままとした。また第二版ではムリニ版に従って第一版ＢＯＯＫⅤの「235　胎の宿り」（p.384）以降をＢＯＯＫⅥとして独立させているが、これも上述の理由から第一版のままとした。

*

本書の訳業では、多くの友人の助けを得た。関口耕司さんには本書の共訳者として名を連ねることを求めたが、専門外であるという理由から固辞され、私の名のみを記すこととなった。関口さんには改めてねぎらいと感謝の言葉を送りたい。また校正読みを引き受けてくださった翻訳家の柴田睦夫さんには、巻末を借りて感謝の気持ちをお伝えしたい。

本書の上梓に当たり、快く引き受けてくださったポット出版の那須ゆかりさん、そして編集担当者として小気味いいテンポで仕事を進めてくださった鈴木明日香さんに感謝の言葉を捧げたい。

本書の訳業は、わたくし自身も病を負うという、ただこの一点で見出したヒルデガルトとの共感項を頼りに、浅学をも顧みずやり通したものである。誤りもあると思うが、その責めはすべてわたくしにある。先輩諸賢のご教示を仰ぐ次第である。

二〇一四年三月二十五日
鴨川古房にて

臼田夜半

参考文献

● *Hildegardis Causae et Curae*, Hildegard von Bingen, Paulus Kaiser (ed.), BIBLIO LIFE, 2009

● *Les causes et les remèdes*, Hildegarde de Bingen, Pierre Monat (ed.), Jérôme Millon, 2007

● *Beate Hildegardis Cause et cure*, Hildegard von Bingen, Laurence Moulinier (ed.), Akademie Verlag, 2003

●『聖ヒルデガルトの医学と自然学【新装版】』ヒルデガルト・フォン・ビンゲン（著）プリシラ・トループ（英語版翻訳）井村宏次（監訳）聖ヒルデガルト研究会（訳）、ビイング・ネット・プレス、２００５年

●『聖女ヒルデガルトの生涯』ゴットフリート修道士／テオードリヒ修道士（著）ヒュー・ファイス（英訳）井村宏次（監訳）久保博嗣（訳）、荒地出版社、１９９８年

● *Book of Divine Works*, Hildegard of Bingen, Matthew Fox (ed.), Bear & Company, 1987

●『女性の神秘家』〈中世思想原典集成 15〉「スキヴィアス第二部」ビンゲンのヒルデガルト（著）佐藤直子（訳）上智大学中世思想研究所（編）、平凡社、２００２年

●『創世記逐語的注解』アウグスティヌス（著）清水正照（訳）、九州大学出版会、１９９５年

●『ティマイオス・クリティアス』〈プラトン全集 12〉「ティマイオス」プラトン（著）種山恭子（訳）、岩波書店、１９７５年

●『聖ベネディクトの戒律』聖ベネディクト（著）古田暁（訳）、すえもりブックス、２０００年

●『霊操』〈岩波文庫〉イグナチオ・デ・ロヨラ（著）門脇佳吉（訳）、岩波書店、１９９５年

●『ビンゲンのヒルデガルト――中世女性神秘家の生涯と思想』H・シッペルゲス（著）熊田陽一郎・戸口日出夫（訳）、教文館、２００２年

●『ビンゲンのヒルデガルトの世界』種村季弘、青土社、２００２年

●『中世の医学――治療と養生の文化史』H・シッパーゲス（著）大橋博司・濱中淑彦ほか（訳）、人文書院、１９８８年

●『中世の患者』ハインリッヒ・シッパーゲス（著）濱中淑彦（監訳）、人文書院、１９９３年

●『中世の身体』J・ル＝ゴフ（著）池田健二・菅沼潤（訳）、藤原書店、２００６年

●『身体の中世』〈ちくま学芸文庫〉池上俊一、筑摩書房、２００１年

●『中世の自然観』〈中世研究 第7号〉今義博ほか（著）上智大学中世思想研究所（編）、創文社、1991年
●『図説医学史』マイヤー・シュタイネック／ズートホフ（共著）、小川鼎三（監訳）酒井シヅ・三浦尤三（訳）、朝倉書店、1982年
●『西洋医学史ハンドブック』ディーター・ジェッター（著）山本俊一（訳）、朝倉書店、1996年
●『近代科学の源流』〈自然選書〉伊東俊太郎、中央公論社、1978年
●『天体論・生成消滅論』〈アリストテレス全集4〉「天体論」アリストテレス（著）村治能就（訳）、岩波書店、1968年
●『自然の機能について』〈西洋古典叢書〉ガレノス（著）種山恭子（訳）内山勝利（編）、京都大学学術出版会、1998年
●『動物運動論・動物進行論・動物発生論』〈アリストテレス全集9〉「動物発生論」アリストテレス（著）島崎三郎（訳）、岩波書店、1976年
●『胎児の世界――人類の生命記憶』〈中公新書〉三木成夫、中央公論社、1983年
●『幼児の秘密』マリア・モンテッソーリ（著）鼓常良（訳）、国土社、1968年
●『ハーブ学名語源事典』大槻真一郎／尾崎由紀子、東京堂出版、2009年
●『中世とは何か』J・ル＝ゴフ（著）池田健二／菅沼潤（訳）、藤原書店、2005年
●『中世の覚醒――アリストテレス再発見から知の革命へ』R・E・ルーベンスタイン（著）小沢千重子（訳）、紀伊國屋書店、2008年
●『転換期の歴史』G・バラクラフ（著）前川貞次郎／兼岩正夫（共訳）、社会思想社、1964年
●『十二世紀ルネサンス』C・H・ハスキンズ（著）別宮貞徳／朝倉文市（訳）、みすず書房、1989年
●『中世の秋Ⅰ・Ⅱ』〈中公クラシックス〉ホイジンガ（著）堀越孝一（訳）、中央公論新社、2001年
●『中世都市成立論――商人ギルドと都市宣誓共同体』ハンス・プラーニッツ（著）鯖田豊之（訳）、未来社、1995年
●『十二世紀ルネサンス』〈講談社学術文庫〉伊東俊太郎、講談社、2006年
●『中世ヨーロッパの教会と民衆の世界――ブルカルドゥスの贖罪規定をつうじて』野口洋二、早稲田大学出版部、2009年
●『異端カタリ派』フェルナン・ニール（著）渡邉昌美（訳）、白水社、1979年
●『異端カタリ派の研究――中世南フランスの歴史と信仰』渡邉昌美、岩波書店、1989年
●『性の歴史Ⅰ　知への意志』ミシェル・フーコー（著）渡辺守章（訳）、新潮社、1986年
●『西洋中世の罪と罰――亡霊の社会史』〈講談社学術文庫〉阿部謹也、講談社、2012年

ハーブ・薬剤・治療法

索引

◎見出し項目に含まれるものはページ数を太字で表記
◎本文に頻出する語句については、見出し項目のページ数のみ、もしくは代表的なページ数のみを掲載

身体・疾病

著者●

ヒルデガルト・フォン・ビンゲン

Hildegard von Bingen

1098年ドイツ・ライン川中流ベルマースハイムの地方貴族の家に、
10人兄弟の末っ子として生まれる。3歳で最初のヴィジョンを見、
8歳でディジボーテンベルクのベネディクト会修道院に入る。
同修道院長を経て52歳の時にルーペルツベルク修道院を創建。
旺盛な説教旅行とともに、『スキヴィアス』『生の功徳の書』『神の御業の書』等、大部の著作がある。
また歌劇『オルド・ウィルトゥートゥム』の創作や、77曲に及ぶ作詞・作曲活動のほか、
医学・薬学にも通じ、奇跡的な治療実績をもつ。1179年没。2012年に列聖。

英語版翻訳者●

プリシラ・トゥループ

Priscilla Throop

1946年生まれ。カナダ・トロント大学中世学研究センターで修士号を取得後、
米国マサチューセッツ州ケンブリッジの聖公会神学校で神学専修課程修了。
ギリシャ語、ラテン語の専門家として、
訳書に『語源』(セビリアのイシドルス著)、『フィジカ』(ヒルデガルト)、
著作に『ランスのヒンクマール』『ボーヴェのヴィンセント』等がある。米国ヴァーモント州在住。

編訳者●

臼田夜半

うすだ・よはん

1946年、福岡県北九州市門司区生まれ。本名臼田逸茂。
九州大学文学部中退。1998年度文部省(当時)学習用ソフトウェア『いのちの大切さ』を
企画・制作、同作品のプロデューサー及びシナリオライター。
ヒルデガルト研究会主宰。著書に随筆集『病という神秘』(教友社)、
小説『ネロの木靴』(地湧社)がある。
2020年5月17日没。

書名……聖ヒルデガルトの病因と治療
著者……ヒルデガルト・フォン・ビンゲン
英語版翻訳……プリシラ・トゥループ
編訳……臼田夜半
編集……鈴木明日香
ブックデザイン……山田信也
発行……2014年6月30日［第一版第一刷］
2020年6月30日［第一版第二刷］
発行所……ポット出版
150-0001 東京都渋谷区神宮前 2-33-18 #303
電話 03-3478-1774　ファックス 03-3402-5558
ウェブサイト http://www.pot.co.jp/
電子メールアドレス books@pot.co.jp
郵便振替口座 00110-7-21168 ポット出版
印刷・製本……シナノ印刷株式会社

ISBN978-4-7808-0208-5 C0047

St.Hildegard of Bingen's CAUSES AND CURES
by Hildegard von Bingen
First published in Tokyo Japan, Jun. 30, 2014
by Pot Publishing
#303 2-33-18 Jingumae Shibuya-ku
Tokyo,150-0001 JAPAN
http://www.pot.co.jp
E-Mail: books@pot.co.jp
Postal transfer: 00110-7-21168
ISBN978-4-7808-0208-5 C0047

書籍DB●刊行情報
1 データ区分——1
2 ISBN——978-4-7808-0208-5
3 分類コード——0047
4 書名——聖ヒルデガルトの病因と治療
5 書名ヨミ——セイヒルデガルトノビョウイントチリョウ
13 著者名1——ヒルデガルト・フォン・ビンゲン
14 種類1——著
15 著者名1読み——ヒルデガルト・フォン・ビンゲン
16 著者名2——プリシラ・トゥループ
17 種類2——英語版翻訳
18 著者名2読み——トゥループ, P.（プリシラ）
19 著者名3——臼田　夜半
20 種類3——編訳
21 著者名3読み——ウスダ　ヨハン
22 出版年月——201406
23 書店発売日——20140630
24 判型——A5
25 ページ数——416
33 出版者——ポット出版
39 取引コード——3795

本文●ラフクリーム琥珀N・四六判・Y・71.5kg（0.130）／スミ（マットインク）
見返し●NTラシャ・くち葉・四六判・Y・100kg　表紙●ビオトープGA-FS・ベリーレッド・四六判・Y・90kg／オペーク白・二度刷り
カバー●岩はだ・白・四六判・Y・100kg／プロセス4C／グロスPP　帯●雷鳥コート・四六判・Y・90kg／TOYO 10912
花布●伊藤信男商店見本帳1番　スピン●伊藤信男商店見本帳73番
組版アプリケーション●InDesign CC 9.2
使用書体●游明朝体　築地活文舎五号仮名　游見出し明朝体　もじくみ仮名　Adobe Caslon　Stempel Garamond　optima
2020-0102-0.5(1.5)